てんかんの薬物療法

効果的な治療薬選択のために

兼子 直（弘前大学名誉教授）編著

改訂版

株式会社 新興医学出版社

Treatment of Epilepsy with Newer Antiepileptic Drugs Revised

Editor

Sunao Kaneko MD., PhD.

*Professor Emeritus,
Graduate School of Medicine, Hirosaki University, Hirosaki*

*Director,
North Tohoku Epilepsy Center Minato Hospital*

© First edition, 2021 published by
SHINKOH IGAKU SHUPPAN CO. LTD., TOKYO.
Printed & bound in Japan

編　集

兼子　　直　医療法人清照会湊病院　名誉院長
　　　　　　北東北てんかんセンター　センター長
　　　　　　弘前大学　名誉教授

執筆者（執筆順）

岡田　元宏　三重大学大学院医学系研究科臨床医学系講座　精神神経科学分野　教授
猿渡　淳二　熊本大学大学院生命科学研究部薬物治療設計学講座　教授
岩佐　博人　社会医療法人社団同仁会木更津病院
　　　　　　きさらづてんかんセンター　センター長
赤松　直樹　国際医療福祉大学医学部脳神経内科学　教授
　　　　　　国際医療福祉大学成田病院てんかんセンター　センター長
辻　　貞俊　国際医療福祉大学　名誉教授
藤原　建樹　国立病院機構静岡てんかん・神経医療センター　名誉院長
兼本　浩祐　愛知医科大学精神科学講座　教授
寺田　清人　てんかんと発達の横浜みのる神経クリニック　院長
　　　　　　国立病院機構静岡てんかん・神経医療センター　非常勤医師
井上　有史　国立病院機構静岡てんかん・神経医療センター　名誉院長
大澤真木子　東京女子医科大学医学部　名誉教授
　　　　　　学校法人立教女学院　理事長
脇田　雄介　医療法人清照会湊病院北東北てんかんセンター
谷口　　豪　国立精神・神経医療研究センター病院第一精神診療部
　　　　　　精神先進医療科　医長
宮川　　希　国立精神・神経医療研究センター病院第一精神診療部
兼子　　直　医療法人清照会湊病院　名誉院長
　　　　　　北東北てんかんセンター　センター長
　　　　　　弘前大学　名誉教授

改訂の序

　早いもので，本書の初版が出版されてからはや10年になる．本邦にはこの間に，ラコサミド，ペランパネルが新たに上市された．初版で記載された各抗てんかん薬の多くの項目に，この改訂版では10年間の治験結果，体験が加味され，情報が豊かになり，かつそれぞれが整理され，一層，読みやすくなっている．さらには各抗てんかん薬の効果に加えて，てんかんとは別の新たな疾患にも使用される状態になってきた．例えば，ゾニサミドは幅広いてんかん類型に効果を示す一方，最近ではパーキンソン治療薬としても使用頻度が高まっている．このような各抗てんかん薬の特質から，新たな疾患への展開だけでなく，抗てんかん薬の副作用，使い方への理解が一層深まり，てんかん治療の効果が高まってきている．新しい抗てんかん薬を正しく用いると約70％の患者で発作が抑制されると報告されており，我々もそう実感している．

　本改訂版では，新たに導入されたラコサミド，ペランパネルの詳細が追加されている．ラコサミドはナトリウムイオンに関連するが従来の抗てんかん薬とは作用点が異なり，パランパネルはグルタメート阻害薬で，まったく新しい作用機序をもつ．作用機序が異なる抗てんかん薬はこれまでの抗てんかん薬で十分な効果が得られなかった症例に対して，従来の薬剤に併用もしくは従来の抗てんかん薬を新薬に切り替えをすることで，より高い発作抑制効果を期待できる．

　臨床家は「てんかんの治療は発作がなく，治療による副作用もない状態」をめざして治療しているが，その先の目標として患者の最高の機能獲得，つまり生活の質（QOL）の向上をめざしているのである．QOL向上には抑うつ状態にあるか否か，薬の副作用が存在するかなどが関与するが，最も寄与するのは発作の完全抑制の有無である．

　本書では各抗てんかん薬の特徴を素早く理解できるように図，表を多く使用し，てんかん治療の基本，薬剤の効果・副作用発生の基本を探求する臨床薬理，薬剤選択，そのための各抗てんかん薬の作用機序の特徴のまとめ，抗

てんかん薬の使い方などに章を割いている。これらの構成は読者層を考えて検討された。

　初版はてんかん治療に携わる医師向けに書かれたが，改訂版である本書は読みやすく，多くの方々にも利用いただけるように書かれている。もちろん，てんかんを治療している臨床家だけでなく，看護者，薬剤師，臨床薬理学研究者，基礎薬理学者，大学院生を含めた学生，医療関係の教育に携わる方々，学校関係者の方々にもお役に立てるものと考えている。治療を受けているてんかんを持つ患者ご自身とそのご家族にも「この薬はどのような効果や副作用があるのか」の理解ができるように各実薬の写真がカラーで収載されており，薬剤名を知ることができ，専門知識がなくても十分に理解できるように配慮された部分が多い。各章には厳選された文献も引用されているため，専門家の使用にも耐えうる。新たに2つの抗てんかん薬を加えて，現時点での抗てんかん薬についての最新の内容をまとめた本書が多くの方々に役立ち，てんかん診療向上に少しでも貢献出来ることを願っている。本書の読者の方々から，内容に関する忌憚のないご批判，ご意見を頂ければ執筆者一同，大変幸甚です。

令和3年7月吉日

　　　　　　　　　　　　　　　　　　　　湊病院北東北てんかんセンター
　　　　　　　　　　　　　　　　　　　　　　　兼子　直

序　文

　本邦には新しい抗てんかん薬がしばらくの間導入されず，医師は従来の薬剤で工夫しながら治療してきた。てんかんの薬物治療においては，作用機序の異なる新たな薬剤を併用することで，これまでの薬剤では発作抑制が困難な症例にも対応できる場合があることが知られている。もちろん，薬物療法だけがてんかんの治療手段ではなく，手術療法，ホルモン療法，食餌療法，迷走神経刺激療法など，いくつもの治療手段がある。しかし，現在でも治療の主流は薬物療法に変わりはない。

　最近の4年間に新しい抗てんかん薬，ガバペンチン，トピラマート，ラモトリギンが次々と導入され，レベチラセタムも使用可能な時代になった。これで使用可能な薬剤については先進諸国との格差はかなり縮小したものと考えられる。既にガバペンチン，トピラマート，ラモトリギンは臨床で幅広く用いられ，種々の側面で治療効果を上げており，文献では読み取れなかった事柄が臨床からフィードバックされ，薬剤の特性に関わる知識が集積しつつある。一方，多忙な治療者自らが文献を集め，読み解き，臨床に反映させるには時間がかかり，現実的ではない。そこで，本書はこれまでに蓄積されている知識を集約し，臨床に必要な薬剤の特徴，例えば，標的症状，副作用，使用上の留意点などをコンパクトにまとめようと試みた。本書では既に十分な使用経験のあるゾニサミドに，新薬のガバペンチン，トピラマート，ラモトリギン，レベチラセタムを含めた5剤を取り上げ，そのてんかん治療における意義，作用機序，臨床薬理学的側面からみた新薬の特徴，抗てんかん薬療法の限界と併用による効果，新たな抗てんかん薬の使い方のポイントを各著者に論じて頂いた。各章は図表を多く使用することでコンパクトにし，短時間に各薬剤の要点を理解出来るよう，配慮されている。また，本書では各章毎に厳選した文献を引用してあり，より詳細な内容を必要とする読者の要望にも答えることが出来る。新薬の大きな特徴は発作抑制効果だけではなく，従来の抗てんかん薬に比較し，副作用が少なく，かつ，向精神作用を有

する薬剤が含まれていることであり，これらの新薬登場により患者のQOLにもこれまで以上に配慮出来るようになった。本書はてんかん診療に携わる医師向けに書かれたが，薬剤師，臨床薬理学や基礎薬理学分野へ興味をお持ちの方々，看護系の方々，学校関係の方々にも容易に理解できるように配慮されている。4種類の新薬が導入されたこの時期に，新しいすべての抗てんかん薬をコンパクトにまとめた最初の本書がてんかん治療，抗てんかん薬に関心のある各分野の方々に少しでもお役に立てれば，著者一同望外の喜びである。また，本書の将来の改訂のためにも，読者諸兄から内容に関するコメント，ご批判を頂ければ大変幸甚である。

平成22年10月吉日

弘前大学大学院神経精神医学講座
兼子　直

目　次

第1章　抗てんかん薬の作用機序　　16

A　ゾニサミド（zonisamide：ZNS）　　16
1．ZNSの抗けいれん作用・モデル動物に対する効果……16
2．ZNSの作用機序……18

B　ガバペンチン（gabapentin：GBP）　　19
1．GBPの抗けいれん作用・モデル動物に対する効果……19
2．GBPの作用機序……20

C　トピラマート（topiramate：TPM）　　21
1．TPMの抗けいれん作用・モデル動物に対する効果……21
2．TPMの作用機序……22

D　ラモトリギン（lamotrigine：LTG）　　24
1．LTGの抗けいれん作用・モデル動物に対する効果……24
2．LTGの作用機序……25

E　レベチラセタム（levetiracetam：LEV）　　25
1．LEVの抗けいれん作用・モデル動物に対する効果……25
2．LEVの作用機序……26

F　ラコサミド（lacosamide：LCM）　　27
1．LCMの抗けいれん作用・モデル動物に対する効果……27
2．LCMの作用機序……27

G　ペランパネル（perampanel：PER）　　27
1．PERの抗けいれん作用・モデル動物に対する効果……27
2．PERの作用機序……28

第2章 臨床薬理学的側面からみた第二世代抗てんかん薬の特徴　37

A　第二世代抗てんかん薬の薬物動態学的特徴 ——— 38
1. ガバペンチン（gabapentin：GBP）·················39
2. トピラマート（topiramate：TPM）·················39
3. ラモトリギン（lamotrigine：LTG）·················41
4. レベチラセタム（levetiracetam：LEV）·················42
5. ゾニサミド（zonisamide：ZNS）·················42
6. ペランパネル（perampanel：PER）·················43
7. ラコサミド（lacosamide：LCM）·················43

B　第二世代抗てんかん薬の有害事象 ——— 44

C　第二世代抗てんかん薬の投与設計と有効血中濃度域 ——— 46

D　第二世代抗てんかん薬の薬理遺伝学 ——— 47

第3章 てんかん薬物療法の概要と課題　53

A　てんかん薬物療法の流れ ——— 53

B　AED 単剤療法の意義と限界 ——— 56
1. 単剤療法（monotherapy）のメリット·················56
2. AED 単剤治療による治療効果の概要·················57
3. いわゆる新規 AED による単剤療法の意義·················58

C　AED 療法の限界と難治性（薬剤抵抗性）てんかん（refractory or drug-resistant epilepsy） ——— 59
1. 難治性てんかん（薬剤抵抗性てんかん）とは？·················59
2. 薬剤抵抗性発現に関連するてんかんの分子病態·················61

D　多剤併用療法（polytherapy）の意義と限界 ——— 64
1. AED 変更（switch）か付加投与（add-on）か？·················64

2．AED 変更時の transitional polytherapy ·················· 64
　3．合理的な多剤併用療法（rational polytherapy）とは？············ 65

E　AED 療法の限界 ──────────────────────── 69
　1．いかなる段階で AED 療法の限界を判断するか？ ············· 69
　2．多剤併用は単剤療法よりも効果があるのか？ ··············· 70
　3．新規 AED の付加による多剤併用の有用性について ·········· 71

F　AED 療法の限界の克服に向けて ─────────────── 73

第4章　ガバペンチンのてんかん治療における意義　78

A　ガバペンチンの薬理学的特性 ──────────────── 79

B　ガバペンチンの有効性 ──────────────────── 80
　1．成人の難治焦点てんかんに対する有効性 ················ 80
　2．成人の焦点てんかんに対する単剤療法 ················· 82
　3．高齢発症てんかんに対する治療効果 ·················· 82
　4．全般てんかんに対する治療効果 ···················· 83
　5．てんかん治療ガイドラインにおける GBP の位置付け ········ 83

C　ガバペンチンの副作用 ──────────────────── 84

D　ガバペンチンの使用上の留意点 ─────────────── 84

E　てんかん治療におけるガバペンチンの意義 ────────── 84

第5章　トピラマートのてんかん治療における意義　88

A　トピラマートの薬物動態 ─────────────────── 89

B　トピラマートの薬物相互作用 ──────────────── 89

C　トピラマートの副作用 ———————————— 90

D　トピラマートの用法・用量 ———————————— 90

E　海外の診療ガイドラインにみる本剤の位置づけ ———————————— 92

F　各種てんかん発作ならびにてんかん症候群に対する有効性 —— 93
1．成人難治焦点てんかんに対する有用性 ………………………… 93
2．単剤療法の有効性 ………………………………………………… 94
3．特発性全般てんかんに対する効果 ……………………………… 95
4．小児のてんかん …………………………………………………… 95
5．てんかん性脳症に関する効果 …………………………………… 96

G　てんかん以外の有効性 ———————————— 99

第6章　ラモトリギンのてんかん治療における意義　　103

A　ラモトリギンの標的症状 ———————————— 104
1．薬効の広域性と単剤療法の可能性 ……………………………… 104
2．抗うつ効果 ………………………………………………………… 106

B　ラモトリギンの臨床上の特徴 ———————————— 108
1．有効性と忍容性 …………………………………………………… 108
2．薬剤相互作用と半減率 …………………………………………… 109

C　ラモトリギンの副作用 ———————————— 114
1．薬疹 ………………………………………………………………… 114
2．妊娠・出産時 ……………………………………………………… 116
3．認知機能 …………………………………………………………… 116
4．体重変化 …………………………………………………………… 117

D　ラモトリギンの使用上の留意点 ———————————— 117

第7章 レベチラセタムのてんかん治療における意義 121

A レベチラセタムの有効性 —— 121
1. 成人の焦点てんかんに対する有効性 …… 121
2. 小児の焦点てんかんに対する有効性 …… 125
3. 高齢者の難治性焦点てんかんに対する有効性 …… 125
4. 特発性全般てんかん（IGE）に対する有効性 …… 125
5. その他の病態・疾患・症候群に対する有効性 …… 126
6. 他のAEDとの比較 …… 126
7. 発作の逆説的増加 …… 127
8. QOLに対する有効性 …… 127
9. てんかん以外の病態に対する効果 …… 128

B レベチラセタムの効果発現までの時間差・効果の持続 —— 128

C レベチラセタムの用量・効果関係 —— 129

D レベチラセタムの安全性 —— 130
1. 副作用 …… 130
2. 精神・行動面への影響 …… 131
3. 妊娠・授乳への影響 …… 132

第8章 ゾニサミドのてんかん治療における意義 139

A ゾニサミドの有効成分に関する理化学的知見 —— 139

B ゾニサミドの作用機序と薬用量 —— 140

C ゾニサミドの副作用 —— 141

D ゾニサミドの小児てんかんにおける有効性 —— 144

E 成人における二重盲検試験 —— 145

- F　ウエスト症候群におけるゾニサミドの有用性 ——— 147
- G　てんかん性無呼吸発作におけるゾニサミドの有用性 ——— 149
- H　レノックス・ガストー症候群と大田原症候群 ——— 151

第9章　ペランパネルのてんかん治療における意義　155

- A　ペランパネルの開発経過 ——— 155
- B　ペランパネルの作用機序 ——— 155
- C　ペランパネルの薬理学的特性 ——— 156
  1. AMPA受容体とGluA2サブユニット ……… 156
  2. ペランパネルの薬理学的特性 ……… 158
- D　ペランパネルの薬物動態・血中濃度・副作用 ——— 160
  1. 薬物動態 ……… 160
  2. 副作用 ……… 161
  3. 副作用の出現時期 ……… 161
- E　ペランパネルの有効性 ——— 164
  1. 併用療法 ……… 164
  2. 単剤療法 ……… 166
  3. 有効性が指摘されているてんかん類型 ……… 167
- F　ペランパネルの薬物相互作用 ——— 170
- G　ペランパネルの使用方法 ——— 170
- H　ペランパネルの使用上の留意点 ——— 172
- I　ペランパネルに期待される効果 ——— 173

第10章 ラコサミドのてんかん治療における意義　177

- A　ラコサミドの薬物動態・薬物相互作用 ── 178
- B　ラコサミドの用法および用量 ── 179
- C　ラコサミドの有効性 ── 180
  1. 焦点発作 …………………………………………………… 180
  2. 全般発作 …………………………………………………… 182
- D　ラコサミドの副作用 ── 183
- E　ラコサミドの精神面への作用 ── 183
  1. てんかん患者に対するLCMの精神面への作用 ………… 183
  2. 双極性障害患者に対するLCMの精神面への作用 ……… 185
- F　ラコサミドの認知機能への影響 ── 188
- G　今後の展望・課題 ── 188

第11章 これからの抗てんかん薬の使い方　194

- A　薬剤選択 ── 194
  1. 作用機序が異なり，同じような副作用を発現しないAEDを選択する ……………………………………………………… 197
  2. 現在処方中の薬剤との相互作用を考える ……………… 198
  3. AED併用による効果を考える ………………………… 199
- B　患者治療の最終目標は患者のQOLを最大限にすること ── 199
- C　てんかん以外の疾患に対する使用 ── 200
- D　焦点発作に使用可能なAEDの特徴 ── 203

E　ペランパネルの2段階療法 ───── 204

F　これからのAED選択 ───── 205

　　索引 …………………………………………………………… 211
　　巻末資料：抗てんかん薬 ……………………………………… 218

　本書における薬名，用法・用量，治療法などに関する記載は，著者および出版社にて正確であるよう最善の努力をしておりますが，医学の進歩や情報の更新により記載内容が必ずしも完全でない場合もございます．その点を十分にご理解いただき本書をご利用する際にはご注意くださいますようお願い申し上げます．

第 1 章

抗てんかん薬の作用機序

岡田元宏
三重大学大学院医学系研究科 神経感覚医学講座精神神経科学分野

　第二世代抗てんかん薬（antiepileptic drugs：AED）も，2016年のラコサミド，ペランパネルの承認である程度のラインナップが揃い，本邦も世界標準のてんかん薬物治療を実施することが可能な状況になったと言える。第二世代 AED は第一世代と比較して，副作用発現率が低く，抗てんかんスペクトラムが広いと考えられているが，その作用機序も同様にブロードスペクトラムである。アルゴリズムやエキスパートオピニオンでは対処できない難治性てんかん患者に対する薬物療法では，治療者個々の知識と経験に依存した抗てんかん薬の組み合わせを選択する必要性に迫られるが，少なくとも薬物動態学的な相互作用に加え，作用機序が異なる AED を組み合わせる姿勢が推奨される。本稿では，第二世代 AED の承認順に，ゾニサミド（zonisamide：ZNS），ガバペンチン（gabapentin：GBP），トピラマート（topiramate：TPM），ラモトリギン（lamotrigine：LTG），レベチラセタム（levetiracetam：LEV），ラコサミド（lacosamide：LCM），ペランパネル（perampanel：PER）の薬力学特性を表1にまとめ概説する。

A　ゾニサミド（zonisamide：ZNS）

1. ZNS の抗けいれん作用・モデル動物に対する効果

　最大電撃けいれん（maximal electroshock seizure：MES）テストでは，ZNS はフェニトイン（phenytoin：PHT）・カルバマゼピン（carbamazepine：CBZ）以上の強力な抗けいれん作用を示し，抗 MES 作用の ED50 は，マウス：19.6 mg/kg，ラット：7.9 mg/kg であった[58]。しかし，ペンチレンテト

表1：第二世代AEDの作用機序

	ZNS	GBP	TPM	LTG	LEV	LCM	PER
けいれんモデル							
MES	+	+	+	+	−	+	+
PTZ	+	+	−~(+)	+	−	−	+
キンドリング							
DBA/2	+	+	+	+	+	+	
SER	+	+	+		+		
EL	−		+	+	+	−	+
GAERS			+	+	+		
イオンチャネル							
VDSC	+		+	+		+ (Slow inactivation)	
VSCC（L型）	−						
VSCC（T型）	+	+	+	−~(+)			
グルタミン酸	+	+	+	+			++
GABA	+	+	+				
その他	・MAO-B抑制 ・炭酸脱水素酵素阻害 ・ラジカルスカベンジャー		・炭酸脱水素酵素阻害 ・AMPA受容体阻害	・MAO阻害	・SV2阻害	・CRMP-2阻害	・AMPA-R阻害

ラゾール（PTZ）テストに対しては無効であり，この効果も PHT・CBZ に類似していた[38,57]。海馬キンドリング[42]，扁桃核キンドリングラット[30]に対しても，ZNS は抑制を示したことから，てんかん原生抑制効果を有する可能性が示される。

自然発症てんかんモデル動物に対しても，DBA/2 マウスの聴原性発作[65]，自然発症てんかんラット（SER）の強直性けいれん（欠神様てんかん発作には効果が乏しい）を抑制するが[65]，EL マウスに対しては効果が乏しかった[64]。

2．ZNS の作用機序

ZNS の抗てんかん作用の主要機序は電位依存性 Na^+ チャネル（VDSC）阻害である[52]。ZNS の VDSC 阻害効果は，有効血中濃度との相関性が得られているが，細胞外の ZNS ではなく細胞内の ZNS が VDSC の早期不活化を亢進する点は興味深い[101]。Sustained repetitive firing（SRF）の抑制効果も検証され[34,81]，電気生理学的には ZNS の VDSC 抑制効果は証明されているが，ZNS の標的分子はまだ同定されていない[110]。

電位依存性 Ca^{2+} チャネル（VSCC）に対する ZNS の直接効果は T 型でのみ明らかにされているが[45,93]，L 型には効果がなく[45]，他のサブタイプに関しては直接的作用は確認できていない。しかし，N 型関連性開口分泌を亢進し，逆に P 型関連性開口分泌を抑制する可能性が示唆されている[74,115]。

ZNS は $GABA_A$ 受容体に対する親和性はないにもかかわらず，$GABA_A$ 受容体に対してアロステリックに作用することで，$GABA_A$ 受容体機能を亢進する可能性が指摘されている[61,81]。一方，亜急性投与では，GABA トランスポーター発現を減少させ，逆にグルタミン酸トランスポーター（EAAC-1）発現を増加させ，相対的にシナプス間隙内の GABA 濃度を増加し，グルタミン酸濃度を低下させるのではないかと考えられている[98]。神経細胞の過剰興奮持続状態では，神経活動は停滞と過剰興奮を繰り返すが，この停滞時期にグルタミン酸が逆に増加する現象（spreading depression）が観察されるが，ZNS は spreading depression を抑制する[70]。

ZNS は抗パーキンソン効果も有する。治療濃度の ZNS はドパミン・セロ

トニンの遊離を増加するが，とくにモノアミンオキシダーゼ（MAO-B）を抑制する[44,67~70]。しかし，ZNS の抗パーキンソン効果はこれよりも明らかに低い濃度で得られることから，直接的な機序として説明できる効果ではない。近年，ZNS の抗パーキンソン効果として有力な機序が報告されている。また，ZNS はラジカルスカベンジャー機能を増強し[3]，しかも ZNS 自体がスカベンジャー機能を有し[97]，自己崩壊する[52]。これらの効果は，ZNS の脳保護作用機序としても重要な意味を持つ。一方，抗てんかん作用を示す濃度ではZNS は黒質から線条体のドパミン遊離を亢進するが，これよりも低い濃度では効果がなく，むしろこの濃度域では，黒質線条体経路の間接経路内の δ 受容体機能を亢進することが見い出されている[111]。

また，近年，てんかんの病態生理として注目されている tripartite synaptic transmission にも，ZNS の有力な複数の標的が見い出されている。トリプトファンはセロトニン前駆アミノ酸であるが，生体内でセロトニンに代謝されるのはわずか5％に留まり，95％はキヌレニンに代謝される。このキヌレニン代謝系は，神経よりもマイクログリアとアストロサイトの代謝経路であり，NMDA 受容体の内在性アンタゴニストであるキヌレン酸，NMDA 受容体の内在性アゴニストであるキノリン酸，代謝型グルタミン酸受容体の内在性アゴニストである，キサンツレン酸，シンナバリン酸など多彩な薬理活性を有する代謝産物が合成される。ZNS は，アストロサイトからのキヌレン酸，キサンツレン酸，シンナバリン酸の合成系を亢進することでグリア伝達を増強し，てんかん性放電の伝播を抑制する[16]。さらに，てんかん病態における興奮性 tripartite synaptic transmission の中核分子であるヘミチャネルの合成を抑制し，CBZ 抵抗性てんかんの発作を抑制することが報告されている[18~22]。

B　ガバペンチン（gabapentin：GBP）

1．GBP の抗けいれん作用・モデル動物に対する効果

　GBP のけいれんモデル動物に対する抗けいれん効果を検討した論文は多

くなく，unpublished data として総説に記載されたものが多い[95]。MES[106] およびPTZ 誘発性けいれん[95]に対する抑制効果をGBP は示したが，この効果は，現有の焦点てんかんに対する第1選択薬であるCBZ・PHT，そして全般てんかんに対する第1選択薬バルプロ酸（valproate：VPA）と比較しても，同程度の抑制効果が期待できる結果であった。キンドリングラットに対しても抑制効果を示すなど，焦点てんかんに対する有効性を示唆する結果が示されてきている[54,75]。しかし，NMDA，ピクロトキシン，ビククリン（bicuculline），カイニン酸誘発けいれんに対しては効果がなかった[95]。とくに注目すべき報告として，欠神てんかんモデル動物に対しては，むしろ発作を増悪する傾向にあることが示されている[36,59,95]。

2. GBPの作用機序

GBP は GABA 誘導体として開発されたにもかかわらず，$GABA_A$ 受容体，$GABA_B$ 受容体には親和性がなかった。GBP は脳内 GABA 含有量を増加させるが[13,76]，GABA 合成酵素であるグルタミン酸脱炭酸酵素（GAD）活性亢進は（ED50＞1,000 μM）[96]，GABA 代謝酵素である GABA-T 阻害は（IC50＞6,000 μM）[27]であった。しかし，これらの濃度は GBP を 1,200 mg 服用したときの C_{max} 濃度（33.8 μM）よりもはるかに高く，脳内 GABA 含有量の増加に，GABA 合成酵素・阻害酵素活性への影響が関与している可能性は乏しい。GBP は GABA トランスポーター（GAT1）に対する亢進効果（ED50＝22 μM）[108]を有すると同時に，GABA 再取り込み阻害薬（ニペコチン酸）の作用を増強した[35]。この2つの結果は，GBP がシナプス前終末における，GABA 遊離と取り込みを亢進していると推定することは可能であるが，GBP の抗てんかん作用に直接的に関連づけるのは早計ではないだろうか。

　GBP の作用機序探索では，神経伝達物質受容体，イオンチャネルを薬理学的にスクリーニングされた。GBP と結合する分子として，L型 VSCC の $α2δ$ サブユニット（KD＝0.14 μM）（$α2δ$-1 と $α2δ$-2）が検出されたが[24,102]，これら以外の分子は検出されていない。PHT・CBZ・フェノバルビタール（phenobarbital：PB）・VPA・ジアゼパム（diazepam：DZP）などの AED は，こ

のGBPの解離定数に影響しないことから[24,102]，L型VSCCの$α2δ$サブユニット結合能は，GBP特有の抗てんかん作用機序ではないかと考えられている。

GBPはシナプス後膜のカルシウム電流には影響せず，シナプス前終末の電位依存性Ca^{2+}流入や神経伝達（興奮性および抑制性シナプス電流）を部分的に抑制することが明らかにされている[100]。他のVSCCに対する効果として，高カリウム刺激性細胞内カルシウム流入をGBPは抑制するが，これはおもにP型VSCCを介したカルシウム電流の抑制であったが，N型VSCC電流には影響していない[14,15]。事実，GBPは脱分極誘発性のノルエピネフリン[11]，ドパミン[77]，グルタミン酸[15]，アスパラギン酸[15]遊離を抑制している。このように，GBPはVSCCに関しては，細胞体に発現するL型VSCC機能抑制を介した細胞保護作用と，過剰興奮に伴う神経伝達物質開口分泌を制御するシナプス前終末に発現するP型VSCC[71,72]を抑制することで，発作性過剰興奮伝播を抑制していると考えられる。

C トピラマート（topiramate：TPM）

1．TPMの抗けいれん作用・モデル動物に対する効果

MESでは，強直間代性けいれんの抑制効果が著明である。抗MES作用のED50は，マウス：43.8 mg/kg，ラット：13.5 mg/kgである[85]。一方，最小けいれんテストの間代性けいれん誘発閾値には影響しない[47]。PTZテストの間代性けいれんに対しては，無効〜弱い抑制作用を示す[85,86]。これらのゴールドスタンダードスクリーニング試験におけるTPMの抗けいれんプロファイルはPHT・CBZと類似しており，TPMが神経細胞の過剰興奮伝播を抑制することにより抗けいれん作用を発現する可能性を示唆している。

扁桃核キンドリングラットに対しては，TPMはキンドリング形成遅延効果を有し，てんかん原生抑制効果を有する可能性が示される[2]と同時に，扁桃核キンドリングラットのけいれん発作軽減，および後発射の持続時間短縮効果を有している[105]。このTPMのキンドリング抑制効果は，MES抑制効果同様に，焦点てんかんに有効であるという臨床成績を支持している。加え

て，PHT 抵抗性キンドリング発作に対しても TPM は抑制作用を示しており[78]，第一世代 AED 抵抗性てんかんへの有効性も支持する結果が得られている。

自然発症てんかんラット（SER）の自発性欠神様てんかん発作と感覚刺激誘発性強直性けいれんに対して，PHT・ZNS は効果がないが[65]，TPM は抑制する[65]。その他の自然発症てんかんモデル動物に対しても，TPM はストラスブール遺伝性欠神発作ラット（GAERS）の欠神様発作に付随する棘徐波の発現を抑制[78]，DBA/2 聴原性の間代発作および強直性けいれんなど複数の発作型を抑制している[65]。これらの結果は，TPM はゴールドスタンダードスクリーニング試験で示された焦点てんかんに対する有効性だけではなく，欠神てんかん，強直・間代てんかんに対しても有効性を有する可能性を示唆する結果となっている。

TPM は一過性全脳虚血モデルラットの聴原性発作を抑制するが[12]，さらに幼弱ラット低酸素誘発性強直・間代性けいれんも抑制[40]する。また TPM は幼弱ラット低酸素負荷後に成熟したラットにおける，特徴的なカイニン酸に対する過感受性（けいれん易発性）の獲得をも抑制する[48]。これらの結果は，TPM の脳保護作用の可能性を示唆する結果であるが，この TPM の抗てんかん作用・脳保護作用の機序として，幼弱ラット低酸素負荷後のカイニン酸過感受性は，PHT・PB・DZP 等の AED 抵抗性であり，AMPA/glutamate 受容体拮抗薬により抑制されることから[39,40]，TPM は，AMPA/glutamate 受容体を抑制すると考えられた。幼弱マウスに対する AMPA/glutamate 受容体作動薬脳室内投与後のけいれん重積による脳障害領域を TPM は有意に減少していることからも[84]，TPM の AMPA/glutamate 受容体抑制作用は TPM の機序として重要な標的と考えられる。

2．TPM の作用機序

TPM は，SRF を抑制するが，最初の活動電位には影響せずにその後誘発される頻回発火を抑制する。この SRF 抑制作用は，状態依存的な VDSC 抑制であると考えられ，臨床的には焦点てんかんに適応を持つ CBZ，LTG，

PHT，ZNS 等の他の多くの AED にも認められる重要な作用である．
　TPM の Ca^{2+} チャネルに対する効果は，カイニン酸誘発内向き電流（カルシウム流入）を抑制することが，ラット海馬錐体細胞を用いた検討で確認されている[26]．また，ラット扁桃核神経細胞では，TPM は AMPA 型グルタミン酸受容体関連性神経伝達を 20％抑制し，GluR5 カイニン酸型グルタミン酸受容体神経伝達を 60％抑制する[28]．臨床用量で到達可能な濃度での AMPA/カイニン酸型グルタミン酸受容体機能の明確な抑制は，既存 AED のうち，TPM にしか報告されていない作用である．てんかん発作のように持続した神経細胞の過剰放電持続状態は，開口と閉口時間が遅い，L 型 VSCC や NMDA/グルタミン酸受容体の開口をも誘発する．TPM は L 型 VSCC を介したカルシウム電流（流入）を抑制する[114]が，NMDA/グルタミン酸受容体には効果がなく[26]，TPM の過剰放電誘発性の持続性カルシウム流入障害抑制は L 型 VSCC 抑制効果の寄与率が高いと考えられている．
　細胞外からのカルシウム流入は，細胞内の endoplasmic reticulum 内に貯蔵されているカルシウムの放出を誘発するが，この現象は CICR と呼ばれている．CICR 構成分子の 1 つであるリアノジン受容体は，てんかん発作後に遅延性の発現増加を示し，持続的な細胞傷害に関与する[62]．TPM はこのリアノジン受容体機能を抑制する[73]．
　TPM は単独ではクロライドイオン流入に効果はないが，GABA によるクロライドイオン流入を増加した[107]．すなわち，この TPM の GABA 増強作用は PB よりも DZP に類似している．しかし，TPM は $GABA_A$ 受容体のベンゾジアゼピン結合部位に直接結合しないことから[86]，TPM の $GABA_A$ 受容体機能亢進作用は，DZP および PB とは明らかに異なる機序を介したものである．TPM の $GABA_A$ 受容体亢進作用の機序として，炭酸脱水酵素阻害効果が有力視されている[110]．$GABA_A$ 受容体の開口は，クロライドイオン流入と炭酸イオンの細胞外への流出を生じる．$GABA_A$ 受容体の持続的機能亢進状態は，細胞内へのクロライドイオン流入持続によるクロライドイオン濃度勾配偏倚を，クロライドイオンポンプ・エクスチェンジャーにより補正され，炭酸の濃度勾配は炭酸脱水酵素による炭酸合成によって補正される[51,90]．こ

のクロライドイオン濃度勾配補正速度は，炭酸脱水酵素を介した炭酸濃度勾配補正と比較し著しく遅く，最終的にはGABA$_A$受容体を介した炭酸流出（GABA$_A$受容体の興奮性機能への転化）につながる[80,90]。TPMの炭酸脱水酵素阻害効果[90]は，GABA$_A$受容体を介したクロライドイオン流入を維持する機構としては重要である[110]。MESを指標とした，炭酸脱水酵素阻害効果の抗けいれん作用への寄与率は小さいことから，抗てんかん作用としては注目されてこなかったが[56]，炭酸脱水酵素阻害はカリウムチャネル開口促進効果を示す可能性も示唆され[80]，抗てんかん作用としては，今後新たな知見が期待される分野でもある。

　TPMの主要な神経伝達物質受容体やイオンチャネルに対する結合効果は明らかにされていない[86]。また，TPMのL型VSCC・AMPA/カイニン酸型グルタミン酸受容体機能に対するTPMの抑制効果は，in vitro環境下で投与後数十分を要する[26,114]。すなわち，炭酸脱水酵素阻害作用以外は，標的分子機能を間接的に調節することにより発現するものと推定される。これらのチャネル機能は細胞内ドメインのリン酸化によって調節を受けることから，細胞内蛋白質のリン酸化状態がTPMの作用の本体である可能性が示され始めている[8]。

D　ラモトリギン（lamotrigine：LTG）

1. LTGの抗けいれん作用・モデル動物に対する効果

　LTGはTPM同様に，多様なけいれんモデル動物に対して抗けいれん作用を示している。MES[60]，PTZ[7,9]，キンドリング[75,92]，遺伝的てんかんモデル（GAERS, DBA/2, ELマウス, lethargicマウス）[10,36,88]に対する抗けいれん作用に加え，扁桃核キンドリングラットではてんかん原生抑制も証明されている[92]。これらの抗けいれんプロファイルは，焦点てんかんから全般てんかんへの幅広い抗てんかんスペクトラムを期待させるものであったが，この期待を裏切らない臨床効果を示している。AEDゴールドスタンダード評価方法の正当性を示した第二世代AEDといえる。

2. LTG の作用機序

　LTG の抗けいれん作用の主要機序は CBZ・PHT 同様に VDSC 抑制と考えられている。VDSC に作用して，不活性状態からの回復を遅延させるとにより VDSC を抑制し，神経細胞膜を安定化させると考えられている[109]。この LTG の VDSC 抑制効果も VDSC の細胞内ポア領域のS6ヘリックス構造である可能性が示されている[113]。LTG の標的分子は Nav1.2 であることは多くの研究で実証されているが[41]，その他 Nav1.5 の抑制効果も報告されている[25]。

　VSCC 抑制効果も検討され，N 型 VSCC，P 型 VSCC を抑制するが，L 型 VSCC 抑制は見い出されなかった[25,91,103,104]。T 型 VSCC に対しても軽度ではあるが抑制効果を有しているようである[49]。

　グルタミン酸受容体に対しては，AMPA 受容体に対する抑制効果は NMDA 受容体に対する効果よりも強く，結果としてグルタミン酸遊離を抑制する[50]。しかし，抑制性 GABA 伝達系は増強する[23]。LTG のモノアミン系に対する効果は，有効血中濃度範囲内での MAO 活性抑制効果が報告されているが[89]，モノアミン伝達系に対する活性効果は否定的な意見もある。

　LTG の情動安定化作用として，副腎皮質刺激ホルモン放出ホルモン受容体（CRF1/CRF2）阻害薬の開発が試みられていた。残念ながら，フェーズ2で中断されているが，LTG は，縫線核 CRF1 受容体を抑制し，セロトニン伝達系を選択的に抑制することが見い出されている[94]。

E　レベチラセタム（levetiracetam：LEV）

1. LEV の抗けいれん作用・モデル動物に対する効果

　LEV はゴールドスタンダードの MES や PTZ に対しては抗けいれん作用を示さなかったが[46]，DBA/2 や GAERS てんかんモデル，キンドリング・ピロカルピン・カイニン酸誘発けいれんモデルに対しては抗けいれん作用を示す[46,53,112]，ゴールドスタンダードテストの範疇外の初めての第二世代 AED である。

　ゴールドスタンダードテストにおいて陰性であった化合物が，他のけいれ

んモデルで陽性を示した例は極めて珍しく，作用背景が注目される．

2. LEV の作用機序

　GABA・グルタミン酸・セロトニン・ドパミンなど各種神経伝達物質受容体，チャネル蛋白に対して，LEV は親和性を示さなかった[66]．しかし，シナプス蛋白の一種 SV2A への親和性が報告されている[43,55]．LEV の抗けいれん作用の標的は SV2A であると強調されている．SV2 ファミリーの機能は，トランスポーター機能（トランスポーター類似膜貫通構造を有している），開口分泌 Ca^{2+} センサー，神経伝達物質保持マトリックス機能などが有力視されているが[55,99]，いまだ十分には明らかにされておらず仮説の域を出ない．LEV は SV2A を抑制することが推測され，今後の解析結果が期待される．LEV よりも SV2A に 10 倍高い親和性を示す seletracetam は MES・PTZ に活性を示さないが，brivaracetam は軽度に抑制作用を示した．Seletracetam は LEV よりもキンドリングに対して 10 倍，DBA/2 に対して 25 倍，強い活性を示したが，brivaracetam はこれらの活性が弱い[33]．SV2A 想定標的への阻害強度のみで説明できないのも事実のようである．

　初代培養ラットアストロサイトでの BDNF・iNOS（誘導型一酸化窒素合成酵素）の用量依存的な発現増強[6]が報告されているが，逆に扁桃核キンドリングの BDNF・ニューロペプチド Y の増加抑制が報告される[37]等，多くの遺伝子発現に作用することが明らかになってきてはいる[29]．また，インターフェロンγ（IFNγ）増加環境は，アストロサイトのイノシトールリン酸受容体（IP3R）を増加するが，LEV はこの IFNγ 誘発性の IP3R 関連性グリア伝達を抑制する[17]．ZNS 同様に，アストロサイトのキヌレニン代謝系への興味深い作用も同定されている．キヌレン酸とキサンツレン酸の合成系を亢進するが，キヌレニナーゼ（kynureninase）活性阻害を介してシンナバリン酸の合成抑制する．キヌレン酸，キサンツレン酸，シンナバリン酸はすべて抗けいれん効果を有するグリア伝達物質であるが，シンナバリン酸は欠神てんかん誘発効果を有する．すなわち，LEV の欠神発作抑制機序として，シンナバリン酸のグリア伝達抑制が何らかの形で寄与している可能性が示されている[17]．

F ラコサミド（lacosamide：LCM）

1. LCMの抗けいれん作用・モデル動物に対する効果

LCMはVDSC阻害薬として分類されている。他のVDSC阻害抗てんかん薬と同様，MES，音源性てんかんモデルに対し強力な発作抑制効果を示す反面，PTZに対しては効果がなく，けいれんモデル・てんかんモデルに対する効果はVDSC阻害薬としての特性が十分に検証されている[83]。

2. LCMの作用機序

LCMもSRFを抑制するが，他のVDSC阻害抗てんかん薬と比較して，非常に弱い。LCMはVDSCのfast inactivationに対しては効果がほとんどなく，VDSC阻害効果はslow inactivationに特化していることが，SRFに影響しない機序として解釈されている[83]。

BDNFはシグナリング最下流分子のcollapsin response mediator protein type-2（CRMP-2）を介して，軸索伸長，髄鞘形成，神経保護，異所性回路新生などの効果を発現することが知られているが，LCMのユニークな薬力学的特性として，CRMP-2のリン酸化への修飾作用が報告されており[5]，この効果がLCMの情動安定化作用に影響している可能性も高い。

LCMのCBZ抵抗性てんかんへの有効性機序の解析研究から，コネキシン43（Connexin43：Cx43）機能抑制が報告されているが，ZNSとは異なりCx43の発現や形質膜への輸送に影響することなく，Cx43のヘミチャネル活性を選択的に抑制するが，これもCRMP-2抑制が関与していると想定されている[22]。

G ペランパネル（perampanel：PER）

1. PERの抗けいれん作用・モデル動物に対する効果

PERは，MES，PTZ，キンドリング，GAERSなど，抗てんかん薬開発における主要スクリーニングけいれんモデル，てんかんモデルのすべてに対し抑制効果を示す[31,32,82]。ただしMESに対するED50（1.6 mg/kg）とRotarod

テストの TD50（1.8 mg/kg）の値は非常に近い値であり，神経系の副作用が出やすい抗てんかん薬である可能性が示唆されている[31,32,82]。

2. PER の作用機序

PER は，唯一の AMPA 型グルタミン酸受容体（AMPA-R）阻害薬である。これまで多くの AMPA-R 阻害薬が開発され，blood-brain barrier 通過が問題となってきたが，PER は pKa＝3.24 であり，水には難溶である。ただし，強酸性では溶解度が急激に増加する経口高率吸収特性を獲得している[31]。

非興奮時の神経細胞は静止膜電位で安定しているが，シナプス前神経から遊離されたグルタミン酸がシナプス後膜の AMPA-R と NMDA-R に結合することで，内臓イオンチャネルが開口し，カチオンが細胞内に流入する。この，AMPA-R と NMDA-R を介したカチオン流入は，電気生理学的に field excitatory postsynaptic potentials（fEPSPs）あるいは excitatory postsynaptic current（EPSC）として検出される[31]。

AMPA-R は，GluR1，GluR2，GluR3，GluR4 の 4 サブユニットで構成された 4 量体で，GluR2 の発現量が最も多いが，GluR2 合成後に酵素的にグルタミンがアルギニンに置換される。この置換 GluR2 が含まれた AMPA-R はカルシウム非透過性となるため，AMPA-R は GluR2 の有無によりカルシウム透過性チャネルと非透過性チャネルに分化することになる[82]。一方，NMDA-R は静止膜電位近傍の電位では，イオンチャネルポアがマグネシウムで閉鎖されており，AMPA-R 活性化による膜電位の閾値近傍まで上昇しなければ，機能的に開口できない。すなわち，AMPA-R による膜電位の上昇に続き，NMDA-R が開口し，最終的に Nav が活性化され，活動電位が発生する[31]。

PER は，NMDA-R に作用することなく，AMPA 誘発性のカルシウム流入を選択的に抑制する（IC50＝93 nM）[32,82]。この AMPA 応答に対する阻害効果は，AMPA 濃度非依存性であることから，PER の AMPA-R 抑制効果は非競合的であることが示唆された[32,82]。AMPA-R は GluR2 を含むカルシウム非透過型チャネルと，GluR2 を含まないカルシウム透過型チャネルが存在

しているが，PER は，GluR2 含有および非含有 AMPA-R に対し同等の阻害効果を示したことから[4]，PER がアロステリックモジュレーターであると考えられている。また，PER の阻害効果は，AMPA-R の開口状態と脱感作にも影響を受けなかった[32,82]。以上より，他の焦点てんかんに有効な VDSC 阻害薬のような use-dependency はなく，PER の AMPA-R 阻害効果は神経活動非依存性で，てんかん発作によるグルタミン酸遊離の増加の有無にかかわらず，一定した AMPA-R 阻害効果が期待できることを意味する。

文　献

1) Ahmad S, Fowler LJ, Whitton PS：Lamotrigine, carbamazepine and phenytoin differentially alter extracellular levels of 5-hydroxytryptamine, dopamine and amino acids. Epilepsy Res **63**：141-149, 2005

2) Amano K, Hamada K, Yagi K, et al.：Antiepileptic effects of topiramate on amygdaloid kindling in rats. Epilepsy Res **31**：123-128, 1998

3) Asanuma M, Miyazaki I, Diaz-Corrales FJ, et al.：Neuroprotective effects of zonisamide target astrocyte. Ann Neurol **67**：239-249, 2010

4) Barygin OI：Inhibition of calcium-permeable and calcium-impermeable AMPA receptors by perampanel in rat brain neurons. Neurosci Lett **633**：146-151, 2016

5) Beyreuther BK, Freitag J, Heers C, et al.：Lacosamide：a review of preclinical properties. CNS Drug Rev **13**：21-42, 2007

6) Cardile V, Pavone A, Gulino R, et al.：Expression of brain-derived neurotrophic factor (BDNF) and inducible nitric oxide synthase (iNOS) in rat astrocyte cultures treated with Levetiracetam. Brain Res **976**：227-233, 2003

7) Cramer CL, Stagnitto ML, Knowles MA, et al.：Kainic acid and 4-aminopyridine seizure models in mice：evaluation of efficacy of anti-epileptic agents and calcium antagonists. Life Sci **54**：PL271-275, 1994

8) Curia G, Aracri P, Colombo E, et al.：Phosphorylation of sodium channels mediated by protein kinase-C modulates inhibition by topiramate of tetrodotoxin-sensitive transient sodium current. Br J Pharmacol **150**：792-797, 2007

9) Dalby NO, Nielsen EB：Comparison of the preclinical anticonvulsant profiles of tiagabine, lamotrigine, gabapentin and vigabatrin. Epilepsy Res **28**：63-72, 1997

10) De Sarro G, Nava F, Aguglia U, et al.：Lamotrigine potentiates the antiseizure activity of some anticonvulsants in DBA/2 mice. Neuropharmacology **35**：153-158, 1996

11) Dooley DJ, Donovan CM, Pugsley TA：Stimulus-dependent modulation of [(3) H] norepinephrine release from rat neocortical slices by gabapentin and pregabalin. J Pharmacol Exp Ther **295**：1086-1093, 2000

12) Edmonds HL, Jr Jiang YD, Zhang PY, et al.：Anticonvulsant activity of topiramate and

phenytoin in a rat model of ischemia-induced epilepsy. Life Sci **59** : PL127-131, 1996

13) Errante LD, Williamson A, Spencer DD, et al. : Gabapentin and vigabatrin increase GABA in the human neocortical slice. Epilepsy Res **49** : 203-210, 2002

14) Fink K, Dooley DJ, Meder WP, et al. : Inhibition of neuronal Ca(2+)influx by gabapentin and pregabalin in the human neocortex. Neuropharmacology **42** : 229-236, 2002

15) Fink K, Meder W, Dooley DJ : Inhibition of neuronal Ca (2+) influx by gabapentin and subsequent reduction of neurotransmitter release from rat neocortical slices. Br J Pharmacol **130** : 900-906, 2000

16) Fukuyama K, Tanahashi S, Hoshikawa M, et al. : Zonisamide regulates basal ganglia transmission via astroglial kynurenine pathway. Neuropharmacology **76** : 137-145, 2014

17) Fukuyama K, Okada M : Effects of levetiracetam on astroglial release of kynurenine-pathway metabolites. Br J Pharmacol **175** : 4253-4265, 2018

18) Fukuyama K, Fukuzawa M, Okada M : Upregulated and hyperactivated thalamic connexin 43 plays important roles in pathomechanisms of cognitive impairment and seizure of autosomal dominant sleep-related hypermotor epilepsy with S284L-mutant α4 subunit of nicotinic ACh receptor. Pharmaceuticals **13** : 99, 2020

19) Fukuyama K, Fukuzawa M, Okubo R, et al. : Upregulated connexin 43 induced by loss-of-functional S284L-mutant α4 subunit of nicotinic ACh receptor contributes to pathomechanisms of autosomal dominant sleep-related hypermotor epilepsy. Pharmaceuticals **13** : 58, 2020

20) Fukuyama K, Fukuzawa M, Shiroyama T, et al. : Pathomechanism of nocturnal paroxysmal dystonia in autosomal dominant sleep-related hypermotor epilepsy with S284L-mutant α4 subunit of nicotinic ACh receptor. Biomed Pharmacother **126** : 110070, 2020

21) Fukuyama K, Fukuzawa M, Shiroyama T, et al. : Pathogenesis and pathophysiology of autosomal dominant sleep-related hypermotor epilepsy with S284L-mutant α4 subunit of nicotinic ACh receptor. Br J Pharmacol **177** : 2143-2162, 2020

22) Fukuyama K, Ueda Y, Okada M : Effects of carbamazepine, lacosamide and zonisamide on gliotransmitter release associated with activated astroglial hemichannels. Pharmaceuticals **13** : 177, 2020

23) Gasior M, Ungard JT, Witkin JM : Preclinical evaluation of newly approved and potential antiepileptic drugs against cocaine-induced seizures. J Pharmacol Exp Ther **290** : 1148-1156, 1999

24) Gee NS, Brown JP, Dissanayake VU, et al. : The novel anticonvulsant drug, gabapentin (Neurontin), binds to the alpha2delta subunit of a calcium channel. J Biol Chem **271** : 5768-5776, 1996

25) Gersdorff Korsgaard MP, Christophersen P, Ahring PK, et al. : Identification of a novel voltage-gated Na$^+$ channel rNa (v) 1.5a in the rat hippocampal progenitor stem cell line HiB5. Pflugers Arch **443** : 18-30, 2001

26) Gibbs JW, 3rd, Sombati S, DeLorenzo RJ, et al. : Cellular actions of topiramate : blockade of kainate-evoked inward currents in cultured hippocampal neurons. Epilepsia **41** (suppl. 1) : S10-16, 2000

27) Goldlust A, Su TZ, Welty DF, et al.：Effects of anticonvulsant drug gabapentin on the enzymes in metabolic pathways of glutamate and GABA. Epilepsy Res **22**：1-11, 1995

28) Gryder DS, Rogawski MA：Selective antagonism of GluR5 kainate-receptor-mediated synaptic currents by topiramate in rat basolateral amygdala neurons. J Neurosci **23**：7069-7074, 2003

29) Gu J, Lynch BA, Anderson D, et al.：The antiepileptic drug levetiracetam selectively modifies kindling-induced alterations in gene expression in the temporal lobe of rats. Eur J Neurosci **19**：334-345, 2004

30) Hamada K, Hiyoshi T, Kobayashi S, et al.：Anticonvulsive effect of dapsone (4,4'-diaminodiphenyl sulfone) on amygdala-kindled seizures in rats and cats. Epilepsy Res **10**：93-102, 1991

31) Hanada T：Ionotropic glutamate receptors in epilepsy：a review focusing on AMPA and NMDA receptors. Biomolecules **10**：464, 2020

32) Hanada T, Hashizume Y, Tokuhara N, et al.：Perampanel：a novel, orally active, noncompetitive AMPA-receptor antagonist that reduces seizure activity in rodent models of epilepsy. Epilepsia **52**：1331-1340, 2011

33) Hamann M, Sander SE, Richter A：Brivaracetam and seletracetam, two new SV2A ligands, improve paroxysmal dystonia in the dt sz mutant hamster. Eur J Pharmacol **601**：99-102, 2008

34) Hashimoto Y, Odani A, Tanigawara Y, et al.：Population analysis of the dose-dependent pharmacokinetics of zonisamide in epileptic patients. Biol Pharm Bull **17**：323-326, 1994

35) Honmou O, Kocsis JD, Richerson GB：Gabapentin potentiates the conductance increase induced by nipecotic acid in CA1 pyramidal neurons in vitro. Epilepsy Res **20**：193-202, 1995

36) Hosford DA, Wang Y：Utility of the lethargic (lh/lh) mouse model of absence seizures in predicting the effects of lamotrigine, vigabatrin, tiagabine, gabapentin, and topiramate against human absence seizures. Epilepsia **38**：408-414, 1997

37) Husum H, Bolwig TG, Sanchez C, et al.：Levetiracetam prevents changes in levels of brain-derived neurotrophic factor and neuropeptide Y mRNA and of Y1- and Y5-like receptors in the hippocampus of rats undergoing amygdala kindling：implications for antiepileptogenic and mood-stabilizing properties. Epilepsy Behav **5**：204-215, 2004

38) Ito T, Hori M, Masuda Y, et al.：3-Sulfamoylmethyl-1,2-benzisoxazole, a new type of anticonvulsant drug. Electroencephalographic profile. Arzneimittelforschung **30**：603-609, 1980

39) Jensen FE, Blume H, Alvarado S, et al.：NBQX blocks acute and late epileptogenic effects of perinatal hypoxia. Epilepsia **36**：966-972, 1995

40) Jensen FE, Holmes GL, Lombroso CT, et al.：Age-dependent changes in long-term seizure susceptibility and behavior after hypoxia in rats. Epilepsia **33**：971-980, 1992

41) Jones PJ, Merrick EC, Batts TW, et al.：Modulation of sodium channel inactivation gating by a novel lactam：implications for seizure suppression in chronic limbic epilepsy. J Pharmacol Exp Ther **328**：201-212, 2009

42) Kamei C, Oka M, Masuda Y, et al.: Effects of 3-sulfamoylmethyl-1,2-benzisoxazole (AD-810) and some antiepileptics on the kindled seizures in the neocortex, hippocampus and amygdala in rats. Arch Int Pharmacodyn Ther **249**: 164-176, 1981

43) Kaminski RM, Matagne A, Leclercq K, et al.: SV2A protein is a broad-spectrum anticonvulsant target: functional correlation between protein binding and seizure protection in models of both partial and generalized epilepsy. Neuropharmacology **54**: 715-720, 2008

44) Kawata Y, Okada M, Murakami T, et al.: Effects of zonisamide on K^+ and Ca^{2+} evoked release of monoamine as well as K^+ evoked intracellular Ca^{2+} mobilization in rat hippocampus. Epilepsy Res **35**: 173-182, 1999

45) Kito M, Maehara M, Watanabe K: Mechanisms of T-type calcium channel blockade by zonisamide. Seizure **5**: 115-119, 1996

46) Klitgaard H, Matagne A, Gobert J, et al.: Evidence for a unique profile of levetiracetam in rodent models of seizures and epilepsy. Eur J Pharmacol **353**: 191-206, 1998

47) 小林　実, 渡邉雅範, 中村譲治：新規抗てんかん薬トピラマート（トピナ錠）の薬理作用と臨床成績. 日本薬理学雑誌 **132**：45-52, 2008

48) Koh S, Jensen FE: Topiramate blocks perinatal hypoxia-induced seizures in rat pups. Ann Neurol **50**: 366-372, 2001

49) Lang DG, Wang CM, Cooper BR: Lamotrigine, phenytoin and carbamazepine interactions on the sodium current present in N4TG1 mouse neuroblastoma cells. J Pharmacol Exp Ther **266**: 829-835, 1993

50) Lee CY, Fu WM, Chen CC, et al.: Lamotrigine inhibits postsynaptic AMPA receptor and glutamate release in the dentate gyrus. Epilepsia **49**: 888-897, 2008

51) Leniger T, Wiemann M, Bingmann D, et al.: Carbonic anhydrase inhibitor sulthiame reduces intracellular pH and epileptiform activity of hippocampal CA3 neurons. Epilepsia **43**: 469-474, 2002

52) Leppik IE: Zonisamide: Chemistry, mechanism of action, and pharmacokinetics. Seizure **13** (suppl. 1): S5-9; discussion S10, 2004

53) Loscher W, Honack D, Rundfeldt C: Antiepileptogenic effects of the novel anticonvulsant levetiracetam (ucb L059) in the kindling model of temporal lobe epilepsy. J Pharmacol Exp Ther **284**: 474-479, 1998

54) Loscher W, Reissmuller E, Ebert U: Anticonvulsant efficacy of gabapentin and levetiracetam in phenytoin-resistant kindled rats. Epilepsy Res **40**: 63-77, 2000

55) Lynch BA, Lambeng N, Nocka K, et al.: The synaptic vesicle protein SV2A is the binding site for the antiepileptic drug levetiracetam. Proc Natl Acad Sci U S A **101**: 9861-9866, 2004

56) Maryanoff BE, Nortey SO, Gardocki JF, et al.: Anticonvulsant O-alkyl sulfamates. 2,3: 4,5-Bis-O-(1-methylethylidene)-beta-D-fructopyranose sulfamate and related compounds. J Med Chem **30**: 880-887, 1987

57) Masuda Y, Karasawa T, Shiraishi Y, et al.: 3-Sulfamoylmethyl-1,2-benzisoxazole, a new type of anticonvulsant drug. Pharmacological profile. Arzneimittelforschung **30**: 477-

483, 1980

58) Masuda Y, Utsui Y, Shiraishi Y, et al.: Relationships between plasma concentrations of diphenylhydantoin, phenobarbital, carbamazepine, and 3-sulfamoylmethyl-1,2-benzisoxazole (AD-810), a new anticonvulsant agent, and their anticonvulsant or neurotoxic effects in experimental animals. Epilepsia **20**: 623-633, 1979

59) Micheletti G, Vergnes M, Marescaux C, et al.: Antiepileptic drug evaluation in a new animal model: spontaneous petit mal epilepsy in the rat. Arzneimittelforschung **35**: 483-485, 1985

60) Miller AA, Wheatley P, Sawyer DA, et al.: Pharmacological studies on lamotrigine, a novel potential antiepileptic drug: I. Anticonvulsant profile in mice and rats. Epilepsia **27**: 483-489, 1986

61) Mimaki T, Suzuki Y, Tagawa T, et al.: [3H]zonisamide binding in rat brain. Jpn J Psychiatry Neurol **42**: 640-642, 1988

62) Mori F, Okada M, Tomiyama M, et al.: Effects of ryanodine receptor activation on neurotransmitter release and neuronal cell death following kainic acid-induced status epilepticus. Epilepsy Res **65**: 59-70, 2005

63) Murakami T, Okada M, Kawata Y, et al.: Determination of effects of antiepileptic drugs on SNAREs-mediated hippocampal monoamine release using in vivo microdialysis. Br J Pharmacol **134**: 507-520, 2001

64) Nagatomo I, Akasaki Y, Nagase F, et al.: Relationships between convulsive seizures and serum and brain concentrations of phenobarbital and zonisamide in mutant inbred strain EL mouse. Brain Res **731**: 190-198, 1996

65) Nakamura J, Tamura S, Kanda T, et al.: Inhibition by topiramate of seizures in spontaneously epileptic rats and DBA/2 mice. Eur J Pharmacol **254**: 83-89, 1994

66) Noyer M, Gillard M, Matagne A, et al.: The novel antiepileptic drug levetiracetam (ucb L059) appears to act via a specific binding site in CNS membranes. Eur J Pharmacol **286**: 137-146, 1995

67) Okada M, Hirano T, Kawata Y, et al.: Biphasic effects of zonisamide on serotonergic system in rat hippocampus. Epilepsy Res **34**: 187-197, 1999

68) Okada M, Kaneko S, Hirano T, et al.: Effects of zonisamide on extracellular levels of monoamine and its metabolite, and on Ca^{2+} dependent dopamine release. Epilepsy Res **13**: 113-119, 1992

69) Okada M, Kaneko S, Hirano T, et al.: Effects of zonisamide on dopaminergic system. Epilepsy Res **22**: 193-205, 1995

70) Okada M, Kawata Y, Mizuno K, et al.: Interaction between Ca^{2+}, K^+, carbamazepine and zonisamide on hippocampal extracellular glutamate monitored with a microdialysis electrode. Br J Pharmacol **124**: 1277-1285, 1998

71) Okada M, Nutt DJ, Murakami T, et al.: Adenosine receptor subtypes modulate two major functional pathways for hippocampal serotonin release. J Neurosci **21**: 628-640, 2001

72) Okada M, Wada K, Kiryu K, et al.: Effects of Ca^{2+} channel antagonists on striatal dopa-

mine and DOPA release, studied by in vivo microdialysis. Br J Pharmacol **123** : 805-814, 1986

73) Okada M, Yoshida S, Zhu G, et al. : Biphasic actions of topiramate on monoamine exocytosis associated with both soluble N-ethylmaleimide-sensitive factor attachment protein receptors and Ca (2+)-induced Ca (2+)-releasing systems. Neuroscience **134** : 233-246, 2005

74) Okada M, Zhu G, Yoshida S, et al. : Exocytosis mechanism as a new targeting site for mechanisms of action of antiepileptic drugs. Life Sci **72** : 465-473, 2002

75) Otsuki K, Morimoto K, Sato K, et al. : Effects of lamotrigine and conventional antiepileptic drugs on amygdala- and hippocampal-kindled seizures in rats. Epilepsy Res **31** : 101-112, 1998

76) Petroff OA, Hyder F, Rothman DL, et al. : Effects of gabapentin on brain GABA, homocarnosine, and pyrrolidinone in epilepsy patients. Epilepsia **41** : 675-680, 2000

77) Reimann W : Inhibition by GABA, baclofen and gabapentin of dopamine release from rabbit caudate nucleus : are there common or different sites of action? Eur J Pharmacol **94** : 341-344, 1983

78) Reissmuller E, Ebert U, Loscher W : Anticonvulsant efficacy of topiramate in phenytoin-resistant kindled rats. Epilepsia, **41**, 372-379, 2000

79) Rigoulot MA, Boehrer A, Nehlig A : Effects of topiramate in two models of genetically determined generalized epilepsy, the GAERS and the Audiogenic Wistar AS. Epilepsia **44** : 14-19, 2003

80) Rivera C, Voipio J, Kaila K : Two developmental switches in GABAergic signalling : the K^+-Cl^- cotransporter KCC2 and carbonic anhydrase CAVII. J Physiol **562** : 27-36, 2005

81) Rock DM, Macdonald RL, Taylor CP : Blockade of sustained repetitive action potentials in cultured spinal cord neurons by zonisamide(AD 810, CI 912), a novel anticonvulsant. Epilepsy Res **3** : 138-143, 1989

82) Rogawski MA, Hanada T : Preclinical pharmacology of perampanel, a selective non-competitive AMPA receptor antagonist. Acta Neurol Scand Suppl **197** : 19-24, 2013

83) Rogawski MA, Tofighy A, White HS, et al. : Current understanding of the mechanism of action of the antiepileptic drug lacosamide. Epilepsy Res **110** : 189-205, 2015

84) Sfaello I, Baud O, Arzimanoglou A, et al. : Topiramate prevents excitotoxic damage in the newborn rodent brain. Neurobiol Dis **20** : 837-848, 2005

85) Shank RP, Gardocki JF, Streeter AJ, et al. : An overview of the preclinical aspects of topiramate : pharmacology, pharmacokinetics, and mechanism of action. Epilepsia **41** (suppl. 1) : S3-9, 2000

86) Shank RP, Gardocki JF, Vaught JL, et al. : Topiramate : preclinical evaluation of structurally novel anticonvulsant. Epilepsia **35** : 450-460, 1994

87) Shank RP, Smith-Swintosky VL, Maryanoff BE : Carbonic anhydrase inhibition. Insight into the characteristics of zonisamide, topiramate, and the sulfamide cognate of topiramate. J Enzyme Inhib Med Chem **23** : 271-276, 2008

88) Smith SE, al-Zubaidy ZA, Chapman AG, et al. : Excitatory amino acid antagonists, lamotrigine and BW 1003C87 as anticonvulsants in the genetically epilepsy-prone rat. Epilepsy Res **15** : 101-111, 1993

89) Southam E, Pereira R, Stratton SC, et al. : Effect of lamotrigine on the activities of monoamine oxidases A and B in vitro and on monoamine disposition in vivo. Eur J Pharmacol **519** : 237-245, 2005

90) Staley KJ, Soldo BL, Proctor WR : Ionic mechanisms of neuronal excitation by inhibitory GABAA receptors. Science **269** : 977-981, 1995

91) Stefani A, Spadoni F, Bernardi G : Voltage-activated calcium channels : targets of antiepileptic drug therapy? Epilepsia **38** : 959-965, 1997

92) Stratton SC, Large CH, Cox B, et al. : Effects of lamotrigine and levetiracetam on seizure development in a rat amygdala kindling model. Epilepsy Res **53** : 95-106, 2003

93) Suzuki S, Kawakami K, Nishimura S, et al. : Zonisamide blocks T-type calcium channel in cultured neurons of rat cerebral cortex. Epilepsy Res **12** : 21-27, 1992

94) Tanahashi S, Yamamura S, Nakagawa M, et al. : Effect of lamotrigine and carbamazepine on corticotropin-releasing factor-associated serotonergic transmission in rat dorsal raphe nucleus. Psychopharmacology **220** : 599-610, 2012

95) Taylor CP : Gabapentin, Mechanisms of action. In : Antiepileptic drugs 5th edn,(M. B. Mattson RH, Perucca E ed.), Lippincott Williams & Wilkins, Philadelphia. 2002, pp.321-334

96) Taylor CP, Vartanian MG, Andruszkiewicz R, et al. : 3-alkyl GABA and 3-alkylglutamic acid analogues : two new classes of anticonvulsant agents. Epilepsy Res **11** : 103-110, 1992

97) Ueda Y, Doi T, Tokumaru J, et al. : In vivo evaluation of the effect of zonisamide on the hippocampal redox state during kainic acid-induced seizure status in rats. Neurochem Res **30** : 1117-1121, 2005

98) Ueda Y, Doi T, Tokumaru J, et al. : Effect of zonisamide on molecular regulation of glutamate and GABA transporter proteins during epileptogenesis in rats with hippocampal seizures. Brain Res Mol Brain Res **116** : 1-6, 2003

99) Ulloa CM, Towfigh A, Safdieh J : Review of levetiracetam, with a focus on the extended release formulation, as adjuvant therapy in controlling partial-onset seizures. Neuropsychiatr Dis Treat **5** : 467-476, 2009

100) van Hooft JA, Dougherty JJ, Endeman D, et al. : Gabapentin inhibits presynaptic Ca (2+) influx and synaptic transmission in rat hippocampus and neocortex. Eur J Pharmacol **449** : 221-228, 2002

101) Wallace SJ : Myoclonus and epilepsy in childhood : a review of treatment with valproate, ethosuximide, lamotrigine and zonisamide. Epilepsy Res **29** : 147-154, 1998

102) Wang M, Offord J, Oxender DL, et al. : Structural requirement of the calcium-channel subunit alpha2delta for gabapentin binding. Biochem J **342** (Pt 2) : 313-320, 1999

103) Wang SJ, Huang CC, Hsu KS, Inhibition of N-type calcium currents by lamotrigine in rat amygdalar neurones. Neuroreport **7** : 3037-3040, 1996

104) Wang SJ, Huang CC, Hsu KS, et al. : Presynaptic inhibition of excitatory neurotransmission by lamotrigine in the rat amygdalar neurons. Synapse **24** 248-255, 1996

105) Wauquier A, Zhou S : Topiramate : a potent anticonvulsant in the amygdala-kindled rat. Epilepsy Res **24** : 73-77, 1996

106) Welty DF, Schielke GP, Vartanian MG, et al. : Gabapentin anticonvulsant action in rats : disequilibrium with peak drug concentrations in plasma and brain microdialysate. Epilepsy Res **16** : 175-181, 1993

107) White HS, Brown SD, Woodhead JH, et al. : Topiramate enhances GABA-mediated chloride flux and GABA-evoked chloride currents in murine brain neurons and increases seizure threshold. Epilepsy Res **28** : 167-179, 1997

108) Whitworth TL, Quick MW : Upregulation of gamma-aminobutyric acid transporter expression : role of alkylated gamma-aminobutyric acid derivatives. Biochem Soc Trans **29** : 736-741, 2001

109) Xie X, Lancaster B, Peakman T, et al. : Interaction of the antiepileptic drug lamotrigine with recombinant rat brain type II A Na^+ channels and with native Na^+ channels in rat hippocampal neurones. Pflugers Arch **430** : 437-446, 1995

110) Yamamura S, Hamaguchi T, Ohoyama K, et al. : Topiramate and zonisamide prevent paradoxical intoxication induced by carbamazepine and phenytoin. Epilepsy Res **84** : 172-186, 2009

111) Yamamura S, Ohoyama K, Nagase H, et al. : Zonisamide enhances delta receptor-associated neurotransmitter release in striato-pallidal pathway. Neuropharmacology **57** : 322-331, 2009

112) Yan HD, Ji-qun C, Ishihara K, et al. : Separation of antiepileptogenic and antiseizure effects of levetiracetam in the spontaneously epileptic rat (SER). Epilepsia **46** : 1170-1177, 2005

113) Yarov-Yarovoy V, Brown J, Sharp EM, et al. : Molecular determinants of voltage-dependent gating and binding of pore-blocking drugs in transmembrane segment IIIS6 of the Na (+) channel alpha subunit. J Biol Chem **276** : 20-27, 2001

114) Zhang X, Velumian AA, Jones OT, et al. : Modulation of high-voltage-activated calcium channels in dentate granule cells by topiramate. Epilepsia **41** (suppl. 1) : S52-60, 2000

115) Zhu G, Okada M, Murakami T, et al. : Interaction between carbamazepine, zonisamide and voltage-sensitive Ca^{2+} channel on acetylcholine release in rat frontal cortex. Epilepsy Res **49** : 49-60, 2002

第 2 章
臨床薬理学的側面からみた第二世代抗てんかん薬の特徴

猿渡淳二
熊本大学大学院生命科学研究部 薬物治療学設計分野

臨床薬理学は,「薬物の人体における作用と動態を研究し,合理的薬物治療を確立するための科学」と定義される。とくに精神神経科領域では,「適切な対象群に適切な薬剤を適切な量および方法で投与するという視点から,ヒトの精神神経疾患に対する合理的薬物療法のあり方を科学的に追究する」学問領域を包括して,臨床精神神経薬理学として扱う[31]。

抗てんかん薬は,わが国では1989年のゾニサミド(zonisamide:ZNS),2000年のクロバザム(clobazam:CLB)以降,滞っていた臨床導入も,2006年にガバペンチン(gabapentin:GBP)が,2007年にトピラマート(topiramate:TPM)が,2008年にラモトリギン(lamotrigine:LTG)が,そして2010年にレベチラセタム(levetiracetam:LEV)が承認され,海外のガイドラインに準じたてんかん薬物療法が可能となった。さらに,2016年にはペランパネル(perampanel:PER)とラコサミド(lacosamide:LCM)が発売となり,日本神経学会監修のてんかん診療ガイドライン2018では,これら新薬を含めた選択薬の推奨がなされている。

こうした第二世代抗てんかん薬を真に有効かつ合理的に使用していくためには,それぞれの薬剤の臨床効果のみならず,臨床薬理学的特性について十分理解した上で適応を判断していかなければならない。本稿では,臨床薬理学的側面からみたGBP,TPM,LTG,LEV,ZNS,PER,LCMの特徴を概説し,適切な臨床適用への一助としたい。

表1：第二世代抗てんかん薬の薬物動態学的特徴

新薬	生物学的利用率(%)	蛋白結合率(%)	最高血中濃度到達時間(時間)	おもな消失経路	患者内要因による消失能の変化 小児*	妊娠	腎疾患	肝疾患
GBP	40〜70	0	2〜3	腎排泄（100%）	↑	N.A.	↓	→
TPM	<80	13〜17	1〜4	肝代謝（30〜50%）：主にCYP3A4　腎排泄（50〜70%）	↑	N.A.	↓	↓‡
LTG	<100	50	1〜3	肝代謝（90%）：グルクロン酸抱合	↑	↑	↓†	↓‡
LEV	<100	0	1	腎排泄（>90%）CYP以外	↑	↑	↓	↓‡
ZNS	<100	60	4〜7	肝代謝（70%）：CYP3A4, 2C19, 3A5　腎排泄（30%）	↑	N.A.	↓	↓‡
PER	100	98	0.5〜2.5	肝代謝（>90%）：CYP3A4	N.A.	N.A.	→	↓
LCM	100	14	1〜2	肝代謝（60〜70%）：CYP2C19, 3A4, 2C9　腎排泄（30〜40%）	→	N.A.	↓	↓

GBP：ガバペンチン，TPM：トピラマート，LTG：ラモトリギン，LEV：レベチラセタム，ZNS：ゾニサミド，PER：ペランパネル，LCM：ラコサミド，CYP：cytochrome P450，N.A.：該当資料なし，↑：上昇，↓：減少，＊：成人と比べて，†：進行した腎不全時のみ，‡：重度の肝障害時のみ

A　第二世代抗てんかん薬の薬物動態学的特徴

　表1に各第二世代抗てんかん薬の薬物動態学的特徴を示した。これら第二世代抗てんかん薬のほとんどは，成人に比して小児ではクリアランスが高く，LTGおよびLEVは妊娠時にクリアランスが上昇するという報告がある[2,18,49]。また，その消失経路に応じて腎疾患および肝疾患により投与量調整が必要である[2,18]。加えて，第一世代と第二世代の併用時には，それぞれの血中濃度が変化する場合がある[7,47]（表2）。以下に各第二世代抗てんかん薬の薬物動態学的な特徴を概説する。

1. ガバペンチン（gabapentin：GBP）

　GBPは経口投与後2～3時間で血中濃度がピークに達するため，投与初期の眠気やめまいといった副作用には注意を要する。生物学的利用率（bioavailability）は40～70％であり[18]，血清蛋白質との結合は認められず，未変化体のまま尿中に排泄される[52]。GBPは，消化管のL-amino acid transporterを介して吸収され[46]，同様の機序で血液脳関門を通過して脳内に到達する[23]。臨床的な用量（600～2,400 mg/日）の範囲内では血中濃度は投与量に比例して増加するが，用量の増加に伴い吸収過程が飽和するため，生物学的利用率は減少する[18]。

　本剤は肝臓での代謝を受けず，そのほとんどが腎臓から排泄されるため，肝機能障害がある患者でも安全に使用できる。一方，腎機能障害のある患者や血液透析を受けている患者へ投与する際には注意が必要であり，クレアチニンクリアランス値を参考にしながら初回投与量および維持投与量，最高投与量，投与間隔を設定する必要がある（詳細はGBPの添付文書を参照）。また，高齢者では加齢に伴いGBPのクリアランスは低下するが，これは腎機能の低下によるものと考えられる。GBPは肝代謝を受けないため，他の併用薬との相互作用がほとんど起こらないが，制酸剤（アルミニウムあるいはマグネシウム含有）との併用時にはGBPの吸収が減少して血中濃度が低下し，一方，モルヒネとの併用によりGBPの血中濃度が上昇するため注意が必要である[8,26]。

2. トピラマート（topiramate：TPM）

　TPMは生物学的利用率が約80％であり，最高血中濃度到達時間は1～4時間である[18,21]。血清蛋白結合率は13～17％程度であり，半減期は20～30時間といわれている[18,21]。TPMは30～50％が薬物代謝酵素チトクロームP450（CYP）3A4により代謝され，50～70％は未変化体のまま尿中に排泄される[21]。代謝物として水酸化体，グルクロン酸抱合体などがあるが，いずれも抗てんかん薬としての活性はない。本剤は通常の用量範囲で直線的に血中濃度が上昇する[18,21]。

表2：第二世代抗てんかん薬の相互作用

抗てんかん薬	併用する抗てんかん薬の血中濃度
第二世代	
GBP	影響なし
TPM	バルプロ酸↓，フェニトイン↑
LTG	バルプロ酸↓
LEV	影響なし
ZNS	フェニトイン↑
PER	影響なし
LCM	影響なし
第一世代	
バルプロ酸	TPM↓，LTG↑↑
カルバマゼピン	TPM↓↓，LTG↓，LEV↓，ZNS↓，PER↓
フェニトイン	TPM↓↓，LTG↓，LEV↓，ZNS↓，PER↓
フェノバルビタール	TPM↓，LTG↓，LEV↓，ZNS↓
プリミドン	TPM↓，LTG↓，LEV↓，ZNS↓

↑：上昇，↓：減少，↓↓：著減
（第一世代どうしの相互作用は省略した）
（須貝研司：新規抗てんかん薬―薬理および有効性と問題点．医学のあゆみ 232：965-972, 2010[47]をもとに著者作成）

　TPMはCYP3A4で代謝されるため，酵素誘導のある抗てんかん薬フェニトイン，カルバマゼピン，フェノバルビタールなどとの併用で，TPMの血中濃度が約50％まで低下することが認められている[1]（表2）。また，バルプロ酸の併用時にはTPMの血中濃度が低下することが報告されているが，その程度は10～15％であり[41]（表2），臨床的に問題となるような変化ではないと考えられる。一方，TPMは弱いながらもCYP2C19の酵素阻害作用を示すので，フェニトインの血中濃度を上昇させることがあり，多剤併用療法の際には各抗てんかん薬の血中濃度モニタリングを行い，副作用の発現に留意する必要がある[4]。

　生体内に吸収されたTPMは，その50％以上が腎臓を介して排出されるため，腎機能障害などがある場合には，クレアチニンクリアランス値をモニ

ターしながら投与量の低減を考慮する必要がある。とくに、クレアチニンクリアランス値が70 mL/分未満の場合には投与量を半量にするといった慎重な投与が必要である[1]。

3. ラモトリギン（lamotrigine：LTG）

LTGは経口投与により速やかに吸収され、1～3時間で血中濃度はピークに達する[18]。生物学的利用率はほぼ100%であり[18]、血清蛋白結合率は約50%である[13]。また、単剤投与時の半減期が15～30時間と長いのが特徴である[17]。常用量の範囲では血中濃度は用量に依存して直線的に上昇する[18]。

LTGはおもにグルクロン酸抱合により代謝されるため、その半減期は代謝が競合するバルプロ酸との併用により2倍に延長し[25]、酵素誘導薬（フェニトイン、カルバマゼピン、フェノバルビタール、プリミドン）との併用により約2/3に短縮する[3,10]（表2）。したがって、これらの薬剤との併用時や併用薬を変更した場合には、LTGの投与量の調節が必要になる（後述の「C 第二世代抗てんかん薬の投与設計と有効血中濃度域」参照）。とくに、バルプロ酸との併用時には、適切なLTGの用量調整を行わなかった場合、重篤な皮膚障害や神経毒性等の副作用を発現する危険性がある[35]。また、経口避妊薬はLTGのグルクロン酸抱合を誘導して、その血中濃度を40～65%減少させるため、女性のてんかん患者では経口避妊薬服用の有無を確認する必要がある[40,42,45]。一方、LTGはおもにCYPで代謝される他の抗てんかん薬の代謝に影響を与えないとされているが、バルプロ酸の血中濃度を低下させるため、注意を要する（表2）。

妊娠中の女性では、個体間変動が大きいものの、LTGのクリアランスが65～230%上昇すると報告されており、その血中濃度の変動には注意を要する[18,38,49]。また、重度の肝硬変患者では半減期の中央値が110時間であり[18]、腎不全を合併する場合には約50時間となることが報告されているため[12]、これら疾患時には投与量を低く設定する必要がある。

4. レベチラセタム (levetiracetam：LEV)

　LEV は服用後，約 1 時間で血中濃度がピークとなり，生物学的利用率はほぼ 100％である[18]。半減期は 5〜11 時間程度であり，血清蛋白質にはほとんど結合しない[18]。投与された LEV の約 1/3 は非酸化的に不活化され，薬理作用を持たない代謝物へと変換されるが，約 2/3 は代謝されずに腎臓から排泄される[18]。

　LEV は CYP による代謝を受けないが，酵素誘導作用のある他の抗てんかん薬により LEV の血中濃度-時間曲線下面積 (area under the concentration vs. time curve：AUC) が 8％低下すると報告されている[39]。一方，バルプロ酸併用により LEV の AUC は 23％上昇するが，この上昇はバルプロ酸による生体内の脂質量が上昇した結果であると考察されている[39]。

　妊娠中の女性では，LEV のクリアランスが 243％上昇すると報告されており，投与量の調整が必要であろう[18,38,49]。LEV のクリアランスは腎機能の障害により低下し，LEV クリアランスはクレアチニンクリアランスと相関する[18]。一方，軽度〜中等度の肝障害時では，LEV クリアランスの変化はみられないが，重度の肝障害時にはクリアランスの低下が示唆されているため[14]，注意が必要である。

5. ゾニサミド (zonisamide：ZNS)

　ZNS は服用後，約 4〜7 時間で血中濃度がピークとなり，生物学的利用率は約 100％である。血中ではおもに赤血球中に蓄積する[18]。血清蛋白質との結合率は 60％であり，その結合率は血中濃度の上昇に伴い減少する[18]。また，通常の用量範囲では，ZNS の投与量-血中濃度相関は線形性を示す[18]。

　ZNS はおもに CYP3A4 で代謝され，一部 CYP3A5 および CYP2C19 が代謝に関与する[30]。ZNS 単剤投与時の半減期は 50〜70 時間であるが，CBZ や PB といった CYP 誘導薬の併用時には半減期が 25〜35 時間に短縮し[18]，ZNS クリアランスは 20〜30％上昇する[32,43]。

　ZNS はおもに肝代謝されるが，一部 (30％) は代謝されずに腎臓から排泄されるため，肝疾患および腎疾患時には注意する必要があり，緩やかな増量

と慎重なモニタリングが求められる[18]。

6. ペランパネル（perampanel：PER）

　PERは投与後，0.5～2.5時間で血中濃度がピークとなり，生物学的利用率は約100%である[37]。PERは単回経口投与後速やかに，かつ，ほぼ完全に吸収され，初回通過効果はほとんど受けない[36]。

　PERはおもに肝臓のCYP3A4で代謝され，その代謝物はPERに比べて薬理活性がほとんどない[36]。また，PERは血清蛋白質との結合率が98%と高い。PER単剤投与時の半減期は日本人健康成人で60～95時間と長いため，定常状態に達するまでの期間が10～19日を要する[37]。

　PERはおもに肝臓で代謝されるため，軽度の肝機能障害患者であっても半減期が延長し，血清蛋白質に結合していない非結合型PERの血中薬物濃度は上昇する[36]。また，CBZ等のCYP3A4誘導薬で血中薬物濃度は低下し，ケトコナゾールといったCYP3A4阻害薬で血中濃度は上昇することから，それらの薬物との併用時には慎重なモニタリングが重要である[36]。

7. ラコサミド（lacosamide：LCM）

　LCMは，その投与後1～2時間で血中濃度がピークとなり，生物学的利用率は約100%であり，食事の影響は受けない[6,37]。また，血清蛋白質との結合率は14%であり，通常の用量範囲では，LCMの投与量-血中濃度相関は線形性を示す[6]。

　LCM単剤投与時の半減期は約12～14時間である。LCMは，おもに肝臓のCYP2C19（CYP3A4およびCYP2C9も一部寄与）で代謝されて，薬理活性のないO-脱メチル体が生成される[6]。カルバマゼピンやフェニトインといったCYP誘導薬の併用時には，LCMクリアランスは約1.5倍上昇し，曝露量は約35%減少すると報告されているが[53]，別の報告では，血中LCM濃度の低下は15～20%程度であり，これら薬物の併用による投与量の調整は必要ないと考えられている[6]。

B 第二世代抗てんかん薬の有害事象

表3に第二世代抗てんかん薬のおもな有害事象を示した[9]。GBPは傾眠や浮動性めまいが認められ，まれに急性腎不全やスティーブンス・ジョンソン症候群が認められる。TPMは傾眠や浮動性めまいが高頻度に認められ，その他に重大な副作用として体重減少，腎・尿路結石，発汗減少がある。また，TPMの特徴的な副作用として認知機能障害があり，その発現率は初回投与量や漸増量が多いほど高くなる[48]。TPMの副作用として，うつ症状も報告されており[29]，その詳細については今後の情報集積が待たれる。LTGの副作用もおもにめまい等の中枢症状であり，また，投与初期に皮膚障害がみられることがあり，まれにスティーブンス・ジョンソン症候群および中毒性表皮壊死症などの重篤な皮膚障害が報告されている[16]。LEVの副作用はおもに中枢症状であり，重篤な皮膚障害は報告されていない。LEVは他の抗てんかん薬にみられる認知機能低下がなく，むしろ改善することが示されていることから[27]，高齢者や乳幼児，小児に対して使用しやすい薬剤と考えられる[50]。ZNSは臨床での使用経験が長いため，他の第二世代抗てんかん薬に比べて多

表3：第二世代抗てんかん薬のおもな有害事象

	有害事象（early-onset）						有害事象（late-onset）						
	傾眠	浮動性めまい	発作の悪化	胃腸障害	過敏症	発疹	鎮静	行動障害	膵炎	腎結石症	体重増加	体重減少	認知障害
GBP	+	+	+	(+)	(+)	−	−	−	(+)	−	+	−	−
TPM	++	++	−	−	−	−	(+)	++	−	(+)	−	+	+
LTG	+	+	−	−	(+)	+	−	−	−	−	−	−	−
LEV	+	+	−	(+)	−	−	−	+	−	−	−	−	−
ZNS	++	+	−	+	(+)	−	−	+	−	+	+	−	−
PER	++	++	(+)	+	−	−	(+)	−	−	−	+	−	(+)
LCM	++	++	−	++	(+)	+	(+)	(+)	−	−	−	−	+

++：5%以上，+：5%未満，(+)：非常にまれ
(Elger CE, et al.：Modern management of epilepsy：a practical approach. Epilepsy Behav 12：501-539, 2008[9]より引用，一部改変)

くの副作用情報が蓄積されている。ZNS では傾眠等の中枢症状に加えて,腎結石や発汗減少,悪性症候群といった副作用が認められている。各第二世代抗てんかん薬の詳細な副作用発現頻度については他の章を参照されたい。PER のおもな副作用は,浮動性めまい,傾眠,易刺激性があり,多くの場合,減量することで対応できる[44]。しかしながら,前述のとおり PER は半減期が長いため,また,副作用発現等により減量を試みても血中薬物濃度の低下には時間がかかるため,あらかじめ緩やかな増量によって副作用を軽減する投与設計を行う必要がある。LCM は,浮動性めまい,傾眠,頭痛,嘔吐,悪心といった副作用が報告されており,なかでも,めまいは他のナトリウム・チャネル阻害薬との併用時に生じやすい[44]。また,心伝導障害や重度の心疾患の既往のある患者,ナトリウム・チャネル異常を有する患者,PR 間隔の延長を起こす恐れのある薬剤を併用している患者に投与する場合は,房室ブロック等の発現に注意する必要がある[44]。

　妊娠を希望する女性の薬剤選択で重要となる催奇形性は,LTG について多くの調査・研究結果が報告されている[15,38]。英国のてんかん患者妊婦の前向き調査では,LTG 単剤服用時での大奇形発現率は抗てんかん薬を服用していない妊婦と同等であった[28]。また,米国のエキスパート・コンセンサス・ガイドラインでは妊娠を希望する女性について LTG を第 1 選択薬としていることから[20],妊娠中でも安全に使用できると考えられるが,今後の症例報告や大規模臨床研究の結果には注視する必要がある。一方,その他の第二世代抗てんかん薬については,胎児に与える影響が症例報告レベルで示唆されているものの[15,38],その頻度は十分に明らかではなく,今後の情報集積に期待する。

　2008 年に米国食品医薬品局(FDA)は,自殺リスクがプラセボ服用群に比べ,抗てんかん薬服用患者で高くなる (0.22% vs. 0.43%) というメタ解析の結果を報告し[11],その後に米国で実施されたコホート試験でも同様の結果が得られている[34]。なお,米国のコホート試験では,GBP または LTG 服用患者では TPM 服用患者に比べて自殺的行為 (suicidal acts) のリスクが高くなることが示唆されている (ハザード比はそれぞれ 1.42,1.84)。しかしながら,このような薬剤による比較試験はあくまで探索的であるため,すべての

第二世代抗てんかん薬および第一世代服用時について，患者の自殺願望やその行為に十分注意する必要がある。

C 第二世代抗てんかん薬の投与設計と有効血中濃度域（表4）

　一般的に血中濃度が定常状態に達するのに要する時間は半減期の約5倍である[31]。GBPとLEV，LCMは半減期が短いため，約2～3日という短期間に定常状態に達することができ（**表4**），投与開始後，速やかに効果が得られ

表4：第二世代抗てんかん薬の投与設計と有効血中濃度域

第二世代抗てんかん薬	半減期(時間)	定常状態到達時間(日)	維持投与量 成人(mg)	維持投与量 小児(mg/kg)	予想される有効血中濃度域 (μmol/L)	予想される有効血中濃度域 (μg/mL)
GBP	5～7	2	600～2,400	15～45	70～120	12～20
TPM					15～60	5～20
単剤投与時	20～30	4～6	200～600	4～10		
酵素誘導薬†併用時	10～15	2～3	N.A.	N.A.		
LTG					10～60	2.5～15
単剤投与時	15～30	3～6	150～400	1～5		
バルプロ酸併用時	30～90	6～19	100～200	1～3		
酵素誘導薬†併用時	8～20	2～4	200～400	5～15		
バルプロ酸+酵素誘導薬†併用時	15～30	3～6	200～400	5～15		
LEV	5～11	2	1,000～3,000	20～60	35～120	8～26
ZNS					45～180	10～38
単剤投与時	50～70	5～12	200～600	4～12		
酵素誘導薬†併用時	25～35	3～6	N.A.	N.A.		
PER	60～95	10～19	8～12	成人と同様‡	0.50～2.74	0.18～0.98
LCM	12～14	2～3	200～400	4～12	40～80	10～20

N.A.：該当なし．
†：カルバマゼピンまたはフェニトイン，フェノバルビタール，プリミドン．
‡：12歳以上の場合のみ．

ることが利点である．加えて，GBP，LEV および LCM の血中濃度は併用される他の抗てんかん薬の影響が少ないため，併用薬の有無により投与量を調整する必要はほとんどない．ただし，その半減期の短さにより，これらの薬剤は，頻回の服用回数を要し，GBP は成人でも 1 日 3 回の服用が必要である．LEV は小児・成人ともに 1 日 2 回とされているが，その半減期から 1 日 2 回が適切か懸念される[47]．一方，TPM および LTG，ZNS は，その半減期がそれぞれ 20〜30 時間，15〜30 時間，50〜70 時間であり，定常状態到達時間には約 1 週間を要する（表 4）．一方，PER は半減期が 60〜95 時間と長いため，定常状態に達するまでの期間が約 3 週間を要する．加えて，これら薬剤は前述の通り CYP やグルクロン酸抱合が代謝に関与するため，酵素誘導薬あるいは阻害薬の併用時には用量を調整する必要があり，とくに LTG については各併用時の 1 日用量が規定されている（表 4）．いずれの第二世代抗てんかん薬も，前述の通り，その体内動態は年齢，妊娠の有無，腎・肝疾患にも大きく影響されるため（表 1），第一世代と同様に，患者背景にあわせた個々の投与設計を行うことが重要である．

また，表 4 に予想される第二世代抗てんかん薬の有効血中濃度域を示した[18]．これら第二世代抗てんかん薬の治療薬物モニタリング（いわゆる TDM）は，少なくとも，治療抵抗時および副作用発現時における薬物動態学的要因の確認，もしくは新たに併用薬を追加・減少する場合の投与量の設定には有効な指標となりうる．

D 第二世代抗てんかん薬の薬理遺伝学

抗てんかん薬による薬物療法においては，これまで作用点（チャネル等）や血中薬物濃度および作用部位（脳内）濃度を規定する薬物代謝酵素（CYP 等），薬物トランスポーターの薬理遺伝学的研究が飛躍的な進展を遂げてきた[19,22,43]．ZNS のクリアランスは，CYP2C19 の欠損者（poor metabolizers）で 30％低下し[32,43]，発熱や発汗減少といった ZNS 特有の副作用発現に関係する可能性が示唆されている[43]．LCM は，CYP2C19 でおもに代謝されること

から，CYP2C19 の poor metabolizers では，CYP2C19 活性が高い extensive metabolizers に比べて，LCM 単回投与後の血中薬物濃度-時間曲線下面積（$AUC_{0-\infty}$）が 24％高いと報告されている[33]。LTG はその主要代謝酵素の1つである UDP-glucuronosyltransferase（UGT）2B7 の遺伝子変異（-161C＞T）が，LTG の血中濃度-投与量比の個体間変動要因の1つとなりうることが示唆されている[5]。また，有機カチオントランスポーター（organic cation transporter 1：OCTN1）の L503F 変異保有者では GBP の腎クリアランスが低下することが示されている[51]。一方，作用点に関しては，LEV の抗てんかん作用に関連する SV2A の遺伝子変異が LEV 反応性に与える影響を検討されているが，SV2A 遺伝子変異の有意な影響は認められていない[24]。

現在の臨床現場では，遺伝子判定結果を利用して抗てんかん薬の投与量設定と薬剤選択を行うには情報が十分ではないが，これら薬理遺伝学的情報の蓄積は，個々の患者の遺伝情報に基づく「てんかんの個別化治療」を実現するための大きな糸口となるであろう。

まとめ

本稿で概説した第二世代抗てんかん薬は，すでに薬物療法ガイドラインに組み込まれ，てんかん臨床において広く活用されている。第二世代抗てんかん薬はその適応範囲が広く，第一世代で効かなかった症例にも効く場合も多いが，第一世代に比べて副作用が少ないわけではなく，緩徐な増量が必要である。また，血中濃度-用量相関は線形性を示すものの，その個人差は大きいと考えられ，その血中濃度は第一世代との併用や年齢，妊娠，腎・肝疾患により影響されるため，第一世代抗てんかん薬と同様に各患者に応じた慎重な投与設計が不可欠である。今後は，このような臨床薬理学的な特徴を踏まえた上で，第2世代抗てんかん薬の適切な臨床使用が望まれる。

文　献

1) Adin J, Gomez MC, Blanco Y, et al.：Topiramate serum concentration-to-dose ratio：influence of age and concomitant antiepileptic drugs and monitoring implications. Ther Drug Monit **26**：251-257, 2004

2) Anderson GD：Pharmacokinetic, pharmacodynamic, and pharmacogenetic targeted therapy of antiepileptic drugs. Ther Drug Monit **30**：173-180, 2008

3) Bartoli A, Guerrini R, Belmonte A, et al.：The influence of dosage, age, and comedication on steady state plasma lamotrigine concentrations in epileptic children：a prospective study with preliminary assessment of correlations with clinical response. Ther Drug Monit **19**：252-260, 1997

4) Bialer M, Johannessen SI, Kupferberg HJ, et al.：Progress report on new antiepileptic drugs：a summary of the Eigth Eilat Conference（EILAT Ⅷ）. Epilepsy Res **73**：1-52, 2007

5) Blanca SM, Herranz JL, Leno C, et al.：UGT2B7_-161C>T polymorphism is associated with lamotrigine concentration-to-dose ratio in a multivariate study. Ther Drug Monit **32**：177-184, 2010

6) Cawello W, Stockis A, Andreas JO, et al.：Advances in epilepsy treatment：lacosamide pharmacokinetic profile. Ann N Y Acad Sci **1329**：18-32, 2014

7) Diaz RA, Sancho J, Serratosa J：Antiepileptic drug interactions. Neurologist **14**：S55-65, 2008

8) Eckhardt K, Ammon S, Hofmann U, et al.：Gabapentin enhances the analgesic effect of morphine in healthy volunteers. Anesth Analg **91**：185-191, 2000

9) Elger CE, Schmidt D：Modern management of epilepsy：a practical approach. Epilepsy Behav **12**：501-539, 2008

10) Eriksson AS, Hoppu K, Nergardh A, et al.：Pharmacokinetic interactions between lamotrigine and other antiepileptic drugs in children with intractable epilepsy. Epilepsia **37**：769-773, 1996

11) FDA：Statistical review and evaluation：antiepileptic drugs and suicidality. 2010

（http://www.fda.gov/ohrms/dockets/ac/08/briefing/2008-4372b1-01-FDA.pdf.）

12) Fillastre JP, Taburet AM, Fialaire A, et al.：Pharmacokinetics of lamotrigine in patients with renal impairment：influence of haemodialysis. Drugs Exp Clin Res **19**：25-32, 1993

13) Fitton A, Goa KL：Lamotrigine. An update of its pharmacology and therapeutic use in epilepsy. Drugs **50**：691-713, 1995

14) French J, Storer RD, Donehower LA：The nature of the heterozygous Trp53 knockout model for identification of mutagenic carcinogens. Toxicol Pathol **29**（suppl.）：24-29, 2001

15) Harden CL, Meador KJ, Pennell PB, et al.：Management issues for women with epilepsy-Focus on pregnancy（an evidence-based review）：Ⅱ. Teratogenesis and perinatal

outcomes : Report of the Quality Standards Subcommittee and Therapeutics and Technology Subcommittee of the American Academy of Neurology and the American Epilepsy Society. Epilepsia **50** : 1237-1246, 2009

16) Hirsch LJ, Weintraub DB, Buchsbaum R, et al. : Predictors of Lamotrigine-associated rash. Epilepsia **47** : 318-322, 2006

17) Hussein Z, Posner J : Population pharmacokinetics of lamotrigine monotherapy in patients with epilepsy : retrospective analysis of routine monitoring data. Br J Clin Pharmacol **43** : 457-465, 1997

18) Johannessen SI, Tomson T : Pharmacokinetic variability of newer antiepileptic drugs : when is monitoring needed? Clin Pharmacokinet **45** : 1061-1075, 2006

19) Kaneko S, Yoshida S, Kanai K, et al. : Development of individualized medicine for epilepsy based on genetic information. Expert Rev Clin Pharmacol **1** : 661-681, 2008

20) Karceski S, Morrell MJ, Carpenter D : Treatment of epilepsy in adults : expert opinion, 2005. Epilepsy Behav **7** (suppl. 1) : S1-64 ; quiz S65-67, 2005

21) Langtry HD, Gillis JC, Davis R : Topiramate. A review of its pharmacodynamic and pharmacokinetic properties and clinical efficacy in the management of epilepsy. Drugs **54** : 752-773, 1997

22) Loscher W, Klotz U, Zimprich F, et al. : The clinical impact of pharmacogenetics on the treatment of epilepsy. Epilepsia **50** : 1-23, 2009

23) Luer MS, Hamani C, Dujovny M, et al. : Saturable transport of gabapentin at the blood-brain barrier. Neurol Res **21** : 559-562, 1999

24) Lynch JM, Tate SK, Kinirons P, et al. : No major role of common SV2A variation for predisposition or levetiracetam response in epilepsy. Epilepsy Res **83** : 44-51, 2009

25) May TW, Rambeck B, Jurgens U : Influence of oxcarbazepine and methsuximide on lamotrigine concentrations in epileptic patients with and without valproic acid comedication : results of a retrospective study. Ther Drug Monit **21** : 175-181, 1999

26) McLean MJ : Gabapentin. Epilepsia **36** (suppl. 2) : S73-86, 1995

27) Meador KJ : Cognitive and memory effects of the new antiepileptic drugs. Epilepsy Res **68** : 63-67, 2006

28) Morrow J, Russell A, Guthrie E, et al. : Malformation risks of antiepileptic drugs in pregnancy : a prospective study from the UK Epilepsy and Pregnancy Register. J Neurol Neurosurg Psychiatry **77** : 193-198, 2006

29) Mula M, Trimble MR, Lhatoo SD, et al. : Topiramate and psychiatric adverse events in patients with epilepsy. Epilepsia **44** : 659-663, 2003

30) Nakasa H, Nakamura H, Ono S, et al. : Prediction of drug-drug interactions of zonisamide metabolism in humans from in vitro data. Eur J Clin Pharmacol **54** : 177-183, 1998

31) 日本臨床精神神経薬理学会専門医制度委員会 編 : 専門医のための臨床精神神経薬理学テキスト. 星和書店, 東京, 2021

32) Okada Y, Seo T, Ishitsu T, et al. : Population estimation regarding the effects of cyto-

chrome P450 2C19 and 3A5 polymorphisms on zonisamide clearance. Ther Drug Monit **30**：540-543, 2008

33) 岡垣琢也, 渡邉市紀子, Kumke T：新規抗てんかん薬 Lacosamide の薬物動態, 安全性および忍容性の検討―日本人と中国人での Lacosamide 単回経口投与後の薬物動態パラメータの比較―. 薬理と治療 **43**：1221-1228, 2015

34) Patorno E, Bohn RL, Wahl PM, et al.：Anticonvulsant medications and the risk of suicide, attempted suicide, or violent death. JAMA **303**：1401-1409, 2010

35) Patsalos PN, Perucca E：Clinically important drug interactions in epilepsy：interactions between antiepileptic drugs and other drugs. Lancet Neurol **2**：473-481, 2003

36) Patsalos PN：The clinical pharmacology profile of the new antiepileptic drug perampanel：A novel noncompetitive AMPA receptor antagonist. Epilepsia **56**：12-27, 2015

37) Patsalos PN, Spencer EP, Berry DJ：Therapeutic Drug Monitoring of Antiepileptic Drugs in Epilepsy：A 2018 Update. Ther Drug Monit **40**：526-548, 2018

38) Pennell PB：Antiepileptic drugs during pregnancy：what is known and which AEDs seem to be safest? Epilepsia **49**（suppl. 9）：43-55, 2008

39) Pigeolet E, Jacqmin P, Sargentini-Maier ML, et al.：Population pharmacokinetics of levetiracetam in Japanese and Western adults. Clin Pharmacokinet **46**：503-512, 2007

40) Reimers A, Helde G, Brodtkorb E：Ethinyl estradiol, not progestogens, reduces lamotrigine serum concentrations. Epilepsia **46**：1414-1417, 2005

41) Rosenfeld WE, Liao S, Kramer LD, et al.：Comparison of the steady-state pharmacokinetics of topiramate and valproate in patients with epilepsy during monotherapy and concomitant therapy. Epilepsia **38**：324-333, 1997

42) Sabers A, Ohman I, Christensen J, et al.：Oral contraceptives reduce lamotrigine plasma levels. Neurology **61**：570-571, 2003

43) Saruwatari J, Ishitsu T, Seo T, et al.：The clinical impact of cytochrome P450 polymorphisms on anti-epileptic drug therapy. Epilepsy & Seizure **3**：34-50, 2010

44) 重藤寛史：新規抗てんかん薬の特色と臨床的有用性. 日本内科学会雑誌 **107**：1108-1114, 2018

45) Sidhu J, Job S, Singh S, et al.：The pharmacokinetic and pharmacodynamic consequences of the co-administration of lamotrigine and a combined oral contraceptive in healthy female subjects. Br J Clin Pharmacol **61**：191-199, 2006

46) Stewart BH, Kugler AR, Thompson PR, et al.：A saturable transport mechanism in the intestinal absorption of gabapentin is the underlying cause of the lack of proportionality between increasing dose and drug levels in plasma. Pharm Res **10**：276-281, 1993

47) 須貝研司：新規抗てんかん薬―薬理および有効性と問題点. 医学のあゆみ **232**：965-972, 2010

48) Tatum WO 4th, French JA, Faught E, et al.：Postmarketing experience with topiramate and cognition. Epilepsia **42**：1134-1140, 2001

49) Tomson T, Battino D：Pharmacokinetics and therapeutic drug monitoring of newer antiepileptic drugs during pregnancy and the puerperium. Clin Pharmacokinet **46**：

209-219, 2007

50) 植田勇人：レベチラセタム．最新精神医学 **14**：355-359, 2009

51) Urban TJ, Brown C, Castro RA, et al.：Effects of genetic variation in the novel organic cation transporter, OCTN1, on the renal clearance of gabapentin. Clin Pharmacol Ther **83**：416-421, 2008

52) Vollmer KO, von Hodenberg A, Kolle EU：Pharmacokinetics and metabolism of gabapentin in rat, dog and man. Arzneimittelforschung **36**：830-839, 1986

53) Winkler J, Schoemaker R, Stockis A：Population Pharmacokinetics of Adjunctive Lacosamide in Pediatric Patients With Epilepsy. J Clin Pharmacol **59**：541-547, 2019

第 3 章

てんかん薬物療法の概要と課題

岩佐博人
(社会医療法人社団同仁会木更津病院きさらづてんかんセンター)

　てんかん治療のゴールは，有害反応なしで長期にわたって発作が消失することであるが[17]，抗てんかん薬（antiepileptic drugs：AED）による治療は重要かつ基本的な手段であることは議論の余地はない。しかし，適切なAED療法によっても完全な発作消失に至らない，いわゆる「薬剤抵抗性てんかん（drug-resistant epilepsy）」あるいは「難治性てんかん（refractory epilepsy）」の治療は，今なお切実な現実的課題である[11]。
　そうした状況の中で，近年わが国においてもいわゆる新規AEDの使用が可能となり，てんかん薬物療法の選択肢が広がりつつある。本書の初版が出版された以降も数種類のAEDが市販され，これらの薬剤を適正に使用することにより，従来のAEDで不十分な効果しか得られなかった場合でも発作抑制効果の改善が期待されている（図1）[31,58]。そうした現況を踏まえた上で，本章ではてんかんの薬物療法の概要と課題について再検討し今後の治療ストラテジー展開の糸口としたい。（発売後10年以上経過している薬剤もあることや，それらの効果や有害反応についての評価も蓄積されつつあるので，最近はあえて「新規」という表現を付加しない場合もあるが，ここでは「新規抗てんかん薬」という表現はおおむねガバペンチン以降発売された薬剤を総称して用いた。）

A　てんかん薬物療法の流れ

　図2にAED療法のアウトラインを示した。具体的には，発作型に対して効果が期待できるAED（first-line AED，第1選択薬）を選択し，有害反応

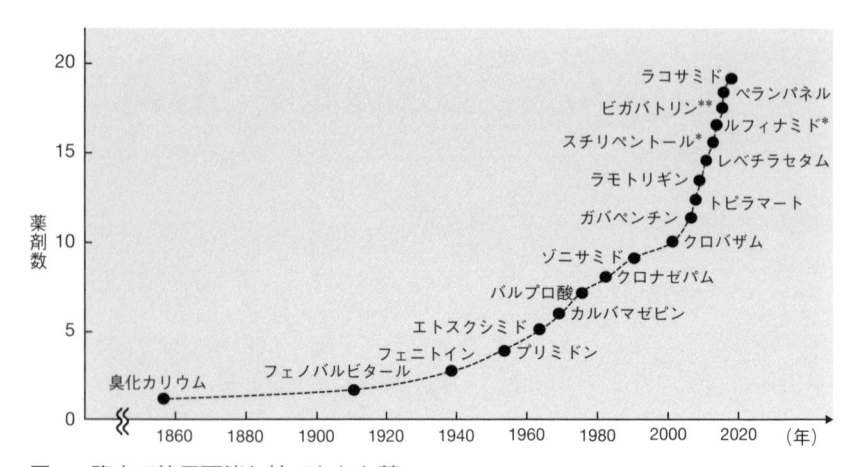

図1：臨床で使用可能な抗てんかん薬
内服薬として国内で使用が認可されているものを示した。
＊印は特定の症候群での使用のみ認可されているもの
＊＊は特定の条件が満たされる場合での使用のみが認可されているもの

が出現しない限り，臨床的に発作が完全に消失する投与量まで漸増する．その際，個々のAEDの特性に注意を払って服用量の調整を行うが，約2ヵ月程度の経過観察または5回程度の発作の出現が予想される期間を目安に選択したAEDの治療効果を判定する[35]．第1選択薬で発作が完全に抑制された場合はそのAEDを継続して服用していくが，治療効果が不十分な場合には他のAEDへ変更して単剤療法を継続するか（switch），あるいは他のAEDを付加投与（add-on）して多剤併用を行うかの選択が必要となる（図2）．その際，AEDの治療反応性に応じていかなる対処が望ましいかの判断の目安を図3に示した[14,19]．

近年のAEDを含めた薬剤選択の指針ついては，日本神経学会，日本てんかん学会，および海外のガイドラインや提言が示されているが，いくつかの新たなAEDについても第1選択薬候補としてのエビデンスが示されている[20,27,28,37,52,53,63]．

第3章　てんかん薬物療法の概要と課題

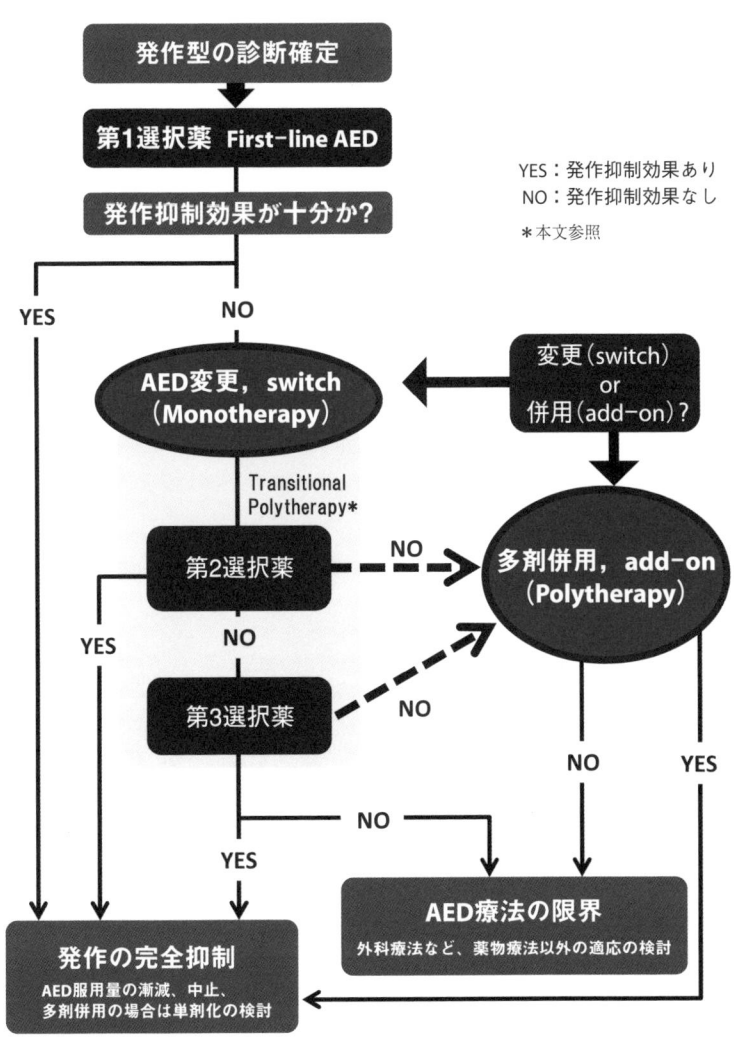

図2：AED療法のアウトライン

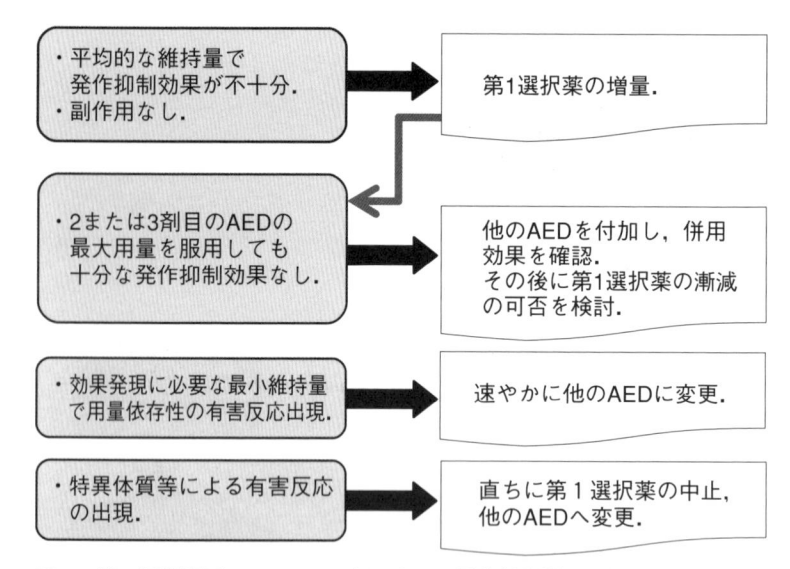

```
┌─────────────────────────┐      ┌─────────────────────────┐
│・平均的な維持量で       │─────▶│ 第1選択薬の増量.        │
│ 発作抑制効果が不十分.   │      │                         │
│・副作用なし.            │      │                         │
└─────────────────────────┘      └─────────────────────────┘
                                              │
┌─────────────────────────┐      ┌─────────────────────────┐
│・2または3剤目のAEDの    │◀─────│ 他のAEDを付加し，併用   │
│ 最大用量を服用しても    │      │ 効果を確認.             │
│ 十分な発作抑制効果なし. │      │ その後に第1選択薬の漸減 │
│                         │      │ の可否を検討.           │
└─────────────────────────┘      └─────────────────────────┘

┌─────────────────────────┐      ┌─────────────────────────┐
│・効果発現に必要な最小維持量│───▶│ 速やかに他のAEDに変更. │
│ で用量依存性の有害反応出現.│    │                         │
└─────────────────────────┘      └─────────────────────────┘

┌─────────────────────────┐      ┌─────────────────────────┐
│・特異体質等による有害反応│────▶│ 直ちに第1選択薬の中止，│
│ の出現.                 │      │ 他のAEDへ変更.          │
└─────────────────────────┘      └─────────────────────────┘
```

図3：第1選択薬（first-line AED）によって発作抑制効果が認められなかった場合の対処

(Deckers CLP：CNS Drugs 16：156-153, 2002[14]), French JA, et al.：Epilepsia 50（suppl. 8）：63-68, 2009[19]を参考に著者作成)

B　AED 単剤療法の意義と限界

1. 単剤療法（monotherapy）のメリット

　単剤療法のメリットとしては，薬物の体内動態が把握しやすく治療推奨濃度に達するための服薬量を推定しやすく，有害反応の発現を防止する上でも有利であることなどが挙げられる．また，発作消失後のAEDの減量や中止に至るプロセスでの用量調整も行いやすい[18,19]．医療経済的には，コスト面での軽減にも繋がる[19]．さらに，妊娠・出産時，および腎機能や肝障害など特殊な状況における薬剤選択や用量の調整もしやすい．

　こうしたさまざまな側面における有用性からも，単剤療法はてんかん薬物療法の"gold standard"である[19]．

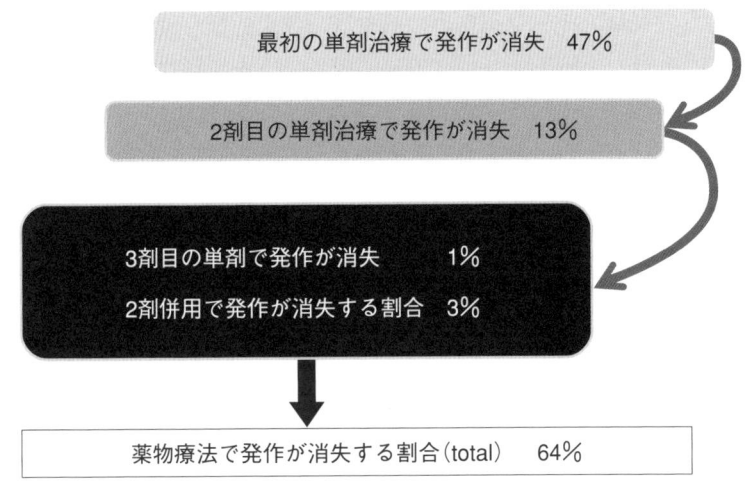

```
最初の単剤治療で発作が消失  47%

2剤目の単剤治療で発作が消失  13%

3剤目の単剤で発作が消失      1%
2剤併用で発作が消失する割合  3%

薬物療法で発作が消失する割合(total)  64%
```

図4：抗てんかん薬による発作抑制効果
(Kwan P, et al.：Seizure 9：464-468, 2000[38]，Kwan P, et al.：N Engl J Med 34：314-319, 2000[39]を参考に著者作成)

2．AED 単剤治療による治療効果の概要

　単剤療法の発作抑制効果に関しては，これまでもさまざまな検証が行われている。470例の未治療のてんかん患者についての検討では，第1選択薬（first-line AED）による単剤治療で47%が，第2番目の選択薬によってさらに13%で発作の消失が認められた。しかし，3番目の選択薬による単剤治療で発作が抑制されたのは1%のみで，2剤併用による場合でも発作が消失した割合は3%にすぎないことが示されている（図4）[7,39,40]。さらに3剤以上のAED 併用によって発作が消失したものはいなかったことも示されている。服用していた AED は，カルバマゼピン（carbamazepine：CBZ），バルプロ酸（valproic acid：VPA），ラモトリジン（lamotrigine：LTG）であり，最初の選択薬で発作が消失した場合の用量は一般的な維持量の範囲内であったことが記されている。てんかん類型では，症候性あるいは潜因性のてんかんのほうが，特発性てんかんよりも第1選択薬によって発作が消失しにくい傾向があることも指摘されている[7,14]。

こうした知見は，第1選択薬への治療反応性が治療予後を推定する上で大きな目安となり，治療開始後比較的早い段階で薬剤抵抗性の可能性を推定し得ることを示唆するものである。また実践的には，2剤目ぐらいまでは単剤療法による効果が期待できるが，それ以降についてはAED変更による単剤療法かあるいは多剤併用に移行するかは柔軟かつ総合的な判断が必要となることも推定される。同時に，てんかん外科など薬物療法以外の治療法の適否を考えていく上でも第1選択薬による初期治療での治療反応性が重要なポイントとなる[38]。

3. いわゆる新規 AED による単剤療法の意義

　先述したように，これまでに新規AEDの単剤または併用での有用性がさまざまな報告で示されている[7,20,24]。例えば，トピラマート（topiramate：TPM），オキシカルバゼピン（oxcarbazepine：OXC）は難治性の成人焦点てんかんにおける単剤または付加投与いずれにも選択薬として推奨されており，LTG，ガバペンチン（gabapentin：GBP），レベチラセタム（levetiracetam：LEV），チアガビン（tiagabine：TGB），ゾニサミド（zonisamide：ZNS）は付加投与時の有用性が示されている。また，TPM，LTGはレノックス・ガストー症候群のdrop attackに対する治療薬として，さらに，TPMは難治性の全般性強直間代発作に対する選択薬としても推奨されている[20]。これらのAEDのうちOXC，TGBは日本では認可されていない。

　また，新たに診断された焦点てんかんに対する第1選択薬としての有効性を検討した結果では，CBZ，フェニトイン（phenytoin：PHT）といった従来のAEDだけでなく，TPM，LTG，GBP，OXC，ビガバトリン（vigabatrin：VGB）などの新規AEDの有用性が示されている[20,24]。ILAEのガイドラインによれば，成人焦点発作に対する初期単剤治療における選択薬の候補として，GBPおよびLTGが挙げられている[24]。

　焦点てんかんに対するCBZと新規AED（LTG，TPM，GBP等），および全般てんかんと未決定てんかんに対するVPAと新規AED（LTG，TPM等）との長期的な有効性について検討した無作為対照試験（randamised controlled trial：RCT）の結果でも，焦点てんかんにおいてLTGは有効性や忍容性および副作用の発現などの面でCBZに匹敵することが示されている。また，全般てんかんに対しての有効性はVPAが有利であるが，耐用性についてはLTGがVPAに優ることも示されている[46,47]）。

さらに発作抑制効果の面だけでなく，新規AEDの大半はチトクロムP450（CYP）による代謝を受けず相互作用を起こしにくいものも多く，薬物代謝上の特性からも有用性が高いことが挙げられている[48]）。

現在では単剤使用が認可されているLEV，LTGは，ガイドラインレベルでも焦点起始発作への第1選択薬として推奨されており，てんかん薬物療法の指針は新規AEDを含んだパラダイムへと変遷してきているともいえよう。一方，新規AEDでも，OXCについては重篤な有害反応（皮膚障害）の発現率が高いことなどの要因から，日本での発売は見送られたものもある。また，PERおよびLCMについても単剤使用が認められており，今後のエビデンスの蓄積とともにさらに評価が定まってくるものと思われる。

しかしながら，てんかん薬物療法の実際においては，一律に従来の薬剤より新しい薬剤が全ての面で優れているという画一的な判断をすべきではない。また，ガイドライン等の推奨は主として発作型診断に相応した治療効果のエビデンスに基づいているが，実際の薬剤選択においては発作抑制効果のみではなく，妊娠の際の胎児への影響や，精神症状発現のリスクなどを加味した複合的な側面からの判断が必要である。すなわちいずれのAEDを選択するかは，臨床効果とデメリットを見極めながらケースバイケースでの柔軟な判断をすべきであることは言うまでもない（図5）[33,54]）。

C　AED療法の限界と難治性（薬剤抵抗性）てんかん（refractory or drug-resistant epilepsy）

1．難治性てんかん（薬剤抵抗性てんかん）とは？

難治性てんかんについては断定的な定義はないものの，薬剤反応性という

薬剤選択の基本的ポイント

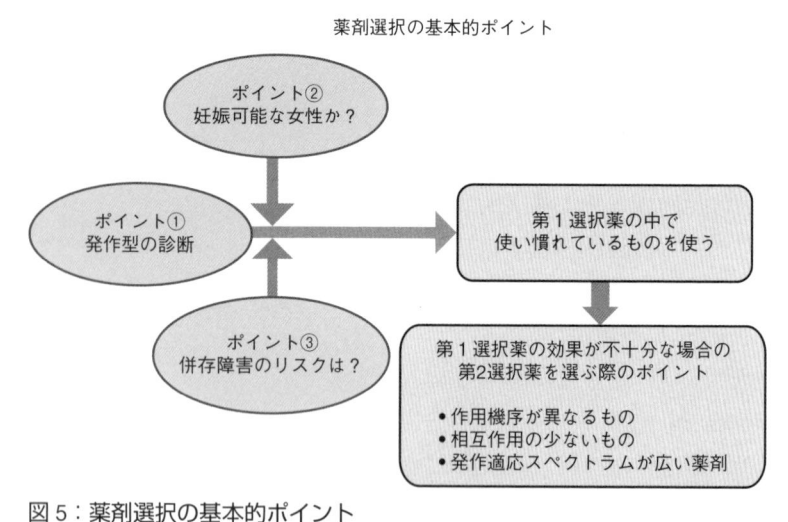

```
        ポイント②
        妊娠可能な女性か？
              ↓
ポイント①  →  第1選択薬の中で
発作型の診断    使い慣れているものを使う
              ↑           ↓
        ポイント③      第1選択薬の効果が不十分な場合の
        併存障害のリスクは？  第2選択薬を選ぶ際のポイント
                       ・作用機序が異なるもの
                       ・相互作用の少ないもの
                       ・発作適応スペクトラムが広い薬剤
```

図5：薬剤選択の基本的ポイント
(岩佐博人編著：てんかん臨床に向きあうためのシナリオ．新興医学出版社，東京，2021[33])）

視点を主軸にしたILAEによる共通概念が提言されている[41]。これによると，難治性てんかんは，適切で十分なAED療法によっても発作の完全抑制が得られていない，あるいは得られにくいてんかんであり，単剤または付加投与による2種類程度のAEDによっても完全な発作抑制に至らないてんかんを指す。薬剤抵抗性に関するILAEによる分類および予後の評価は，AEDの有効性および有害反応の有無に応じて3段階のレベルで評価されているが，治療開始前の発作間欠期の最低3倍の期間か，あるいは治療開始後12ヵ月間の観察期間かいずれか長いほうを判定期間とするとされている。この期間に発作抑制が実現しなかった場合は，服用中のAEDによる治療は困難であり薬剤の変更が望まれる[4]。一方，薬剤反応性てんかん（drug-response epilepsy）とは，上述した期間において適切な薬物療法によって発作が消失しているてんかんである[41]。

2. 薬剤抵抗性発現に関連するてんかんの分子病態

①てんかんとの関連が示唆される遺伝子異常と薬剤抵抗性

　いくつかのてんかん症候群の分子病態として遺伝子異常が報告されているが，それらの遺伝子異常と AED の治療効果が関連している場合がある[35,59]。例えば，常染色体優性夜間前頭葉てんかん（ADNFLE）はニコチン作動性アセチルコリン受容体（nAChR）遺伝子異常が関連しているが，遺伝子変異の差によって CBZ などの効果に差が出現する。また全般てんかん熱性けいれんプラス（generalized epilepsy febrile seizure plus：GEFS＋）および乳児重症ミオクロニーてんかん（severe myoclonic epilepsy in infancy：SMEI）は，いずれも電位依存性 Na^+ チャネル遺伝子および $GABA_A$ 受容体サブユニット遺伝子異常が関連していることが報告されている。しかし，AED 反応性の点では GEFS＋はベンゾジアゼピン化合物（BZ）に対する感受性が温存されているが，SMEI では，BZ による治療効果がほとんど認められないことが多い[7,29]。これらの AED の治療効果の差は，それぞれのてんかんの遺伝子変異の差と関連しており，AED 選択の際にてんかん関連遺伝子の異常が重要なファクターであることを示唆している[35,36,61]。

　いまだ十分なエビデンスが蓄積されていないものもあるが，遺伝子異常が関連しているてんかん症候群の治療の際に効果が期待できる AED の候補を表1に示した[36]。

②多剤排出トランスポーター（multi-drug reflux transporter）による薬剤抵抗性の発現

　脳内における *MDR1* や *MRP2* からコードされる多剤排出トランスポーターの過剰発現が，AED に対する治療抵抗性を出現させる要因の1つである可能性も示唆されている[44,62]。

　しかしながら，現在のところ直接的にこのメカニズムに作用する AED は開発されていない。今後，AED 療法の治療予後を改善していくための重要なターゲットである。

表 1：てんかん症候群の遺伝子変異と AED 治療効果予測

Epilepsy gene	Epilepsy phenotype-sa	Mutations	AEDs
Sodium ion channel			
SCN1A	ADEFS+	D188W, Y780C, T875M, K1270T, V1353L, V1428A, I1656M, R1657C, D1742G, M1852T, T1067A, T875M, (c. 1212G>A)	phenytoin, carbamazepine*, lamotrigine, topiramate, valproate, oxcarbamazepine
	SMEI	del2528G	
SCN2A	ADEFS+	R19K, R187W, R188W, R524Q	
	BENISs	R233Q, V892L, N1001K	
SCN1B	ADEFS+	R85C, R85H, C121W, C121T	
Potassium ion channel			
KCNQ2	BFNC	Q78fsX132, 105delS, (c. 1118+1G>A), N258S, A196V, L197P, R207W, S247W, 939insG, A294G, R333W, 2034delC, 2513delG	retigabine, carbamazepine*, zonisamide, topiramate
KCNQ3	BFNC	W309R, G263V, R330C	
Calcium ion channel			
CACNA1A	CPS, CTS	I1710T	carbamazepine*, gabapentin, topiramate, lamotrigine, oxcarbazepine?, levetiracetam?
CACNA1G	JME	A570V	valproate, ethosuximide, benzodiazepines
CACNA1H	CAE	H515Y	ethosuximide, zonisamide
CACNB4	GEPSE	C104F	

ADEFS+：autosomal dominant epilepsy with febrile seizure plus, ADNFLE：autosomal dominant nocturnal frontal lobe epilepsy, BFNC：benign familial neonatal convulsion, ADPEAF：autosomal dominant partial epilepsy with auditory features, AEA：absence epilepsy with ataxia, BFNIS：benign familial neonatal-infantile seizures, CAE：child absence epilepsy, CPE：cryptogenic pediatric partial epilepsy, CPS：complex partial seizures, CTS：clonic-tonic seizure, FS：febrile seizure, GEPSE：generalized epilepsy praxis-induced seizures episodic ataxia, GTCS：generalized

表1：つづき

Epilepsy gene	Epilepsy phenotype-sa	Mutations	AEDs
GABA_A receptor			
GABRA1	JME	A322D	valprotate, barbiturates, benzodiazepines, tiagabine, vigabatrin, topiramate
GABRG2	CAE	R43Q 2)	
GABRD	ADEFS+	K289M, Q351X,	phenobarbital, benzodiazepine, tiagabine, vigobatrin, gabapentin, topiramate
	ADEFS+	E177A, R220C, R220H	
Neuronal nicotinic acetylcholine receptor			
CHRNA2	ADNFLE	I279N	Carbamazepine zonisamide, benzodiazepines
CHRNB2	ADNFLE	V287L, V287M, I312M	
CHRNA7	JME	(c . I V S 9+5 G>A),(c . 1354G>A),(c. 1466C>T)	valproate, benzodiazepines, zonisamide
Others			
EFHC1	JME	P77T, D210N, R221H, F229L, D253Y	valproate
LGI1	ADPEAF	S145R, C42R, I298T, A110D	carbamazepine, valproate, sulthiame, topiramate

tonic-clonic seizures, ICEGTC：intractable childhood epilepsy, IGE：idiopathic generalized epilepsy, IS：infantile spasms, JAE：juvenile absence epilepsy, JME：juvenile myoclonic epilepsy, MTS：mesial temporal sclerosis, SIGEI：severe idopathic generalized epilepsy of infancy, SMEI：severe myoclonic epilepsy of infancy, SMEB：severe myoclonic epilepsy of infancy borderline
(Kaneko S, et al.：Development of Individualized Medicine for Epilepsy Based on Genetic Information. Expert Reviews Clinical Phamacol 1：661-681, 2008[36]より引用改変)

③AED治療抵抗性発現に関連するその他の要因

　発作型やてんかん症候群類型など臨床診断の再検討はもちろんのこと，コンプライアンスや心理社会的側面を含めた個々の患者が抱える複合的な背景についての検討は，真の「難治性」であるかどうかの判断に不可欠な作業である。詳細は他の文献に譲るが，こうした側面を再検討したうえで薬剤抵抗性への対処を進めていくことが重要である[41]。

　また一般的な医学的要因として，脳内の炎症性の病態や腫瘍性疾患など脳の器質性病変や，限局性皮質異形成，海馬硬化などいくつかの病理学的異常がてんかんの難治化と関連していることも指摘されているが，こうした形態学的変化と難治化のメカニズムとの関連はいまだ不明の部分もある[9,29]。

D　多剤併用療法（polytherapy）の意義と限界

1. AED変更（switch）か付加投与（add-on）か？

　前述したように，最初に選択したAED（first-line AED）で発作が完全に抑制された場合は，選択したAEDを継続して服用していくことになるが，治療効果が不十分な場合には他のAEDへ変更（switch）して単剤療法を継続するか，あるいは他のAEDを付加投与（add-on）して多剤併用を行うかの選択が必要となる（図2，3）。基本的には，2ないし3剤目までは単剤による治療が推奨される[14,19]。選択したAEDの有効性の判断は，約2ヵ月程度の経過観察または5回程度の発作の出現が予想される期間を目安に治療効果を判定する場合が多い。また，単剤療法を続けるか否かについての断定的な指標はないが，前述したように2剤目（または3剤目）のAEDによる単剤療法でも十分な発作抑制効果がない場合には，多剤併用療法ないしてんかん外科など薬物療法以外の治療手段の適応についても考慮する必要が生じる（図3）[14,19]。

2. AED変更時のtransitional polytherapy

　最初に用いたAEDを他のAEDに変更（switch）する場合も，通常最初の

AEDの服用を継続したまま,もう一剤を付加投与することになる。図2に示したように,実質的にはこの時点においても多剤併用 (transitional polytherapy) の状況が生じる。したがって,2剤目以降のAEDを選択する場合は,第1選択薬との薬剤間相互作用や各AEDの作用機序などについて十分留意した上での併用薬の選択が必要である[34]。

もし2剤目 (あるいは3剤目) のAEDで発作抑制効果が得られた場合には,最初の選択薬の慎重な漸減を図り,2番目のAEDによる単剤療法への切り替えを検討していく。それぞれの薬物代謝特性や相互作用を念頭においた上で,効果が期待される2番目 (あるいは3番目) のAEDの用量を決めていくことになるが,発作抑制効果を維持しつつ有害反応の出現を防ぐ用量調整をしていくことが肝要である。AEDの漸減のスピードについては,一般的にはAED減量によるwithdrawal seizureを防ぐために緩やかな減量が望ましい (図3)[14,19]。

先に投与されていたAEDの中止が困難で結果的に多剤併用を維持する場合でも,いかなる時点で不用なAEDの漸減を図るかについて,より長期にわたる慎重な経過観察が必要となる。この際,多剤併用による有害反応の増大を未然に防止するとともに,発作の再発による患者の心理社会的なデメリットにも配慮した柔軟な判断が必要である。

3. 合理的な多剤併用療法 (rational polytherapy) とは?
①AED併用が有用であるか否かの評価

概略的にみた場合,合理的多剤併用療法とは,2つの薬剤を併用した際に単剤服用時以上の発作抑制効果が認められ,かつ併用によって副作用の増悪が認められないことが基本的な条件といえよう[14]。2つのAEDの併用が有効か否かを判断する状況について,いくかの局面が推定される。例えば,2剤の併用によって,効果が相乗的あるいはそれ以上の効果が得られ,かつ副作用や,コストパフォーマンスの上で問題が増大していない場合は,多剤併用が有意義であると考えられる。逆に,併用によっても単剤服用時以上の効果が得られず,副作用も増強したような場合は,その多剤併用が有用であると

は考えにくい。このような場合は，付加した薬剤の漸減，中止を図るべきである。これらの指標を念頭において AED 併用の効果を最大限かつ安全に引き出していくことが合理的多剤併用療法の基本条件である[43]。

②発作抑制効果が期待できる AED の組み合わせ（combination）は？

具体的な治療場面では，いかなる AED の組み合わせが有効なのかについても重要なポイントである。多剤併用は 1940 年ごろから提唱された PHT とフェノバルビタール（phenobarbital：PB）の併用療法に端を発すると言われている。この場合，複数の AED を服用することによって薬理作用を倍増させて強力な抗けいれん作用が惹起されることが期待された。単剤治療のみでは発揮できなかった発作抑制効果が多剤併用により相乗的に増加するという期待が多剤併用を行う最も大きな理由であった[60]。しかし，同様の作用機序をもつ複数の AED を併用するだけでは必ずしも効果の倍増には繋がらない可能性が高い。例えば先述したように，Na^+ チャネルの機能不全や機能消失が分子基盤にあるようなてんかんでは，いくら Na^+ チャネルをターゲットとするような複数の AED を併用しても効果は期待できない[36]。

現在では，薬理学的作用機序の異なる薬物の併用のほうが効果の増強を期待できる場合が多く，反対に，同様の作用機序の薬剤を併用してもそれらの相乗効果はあまり期待できないとする見解が趨勢である[3,34]。この点に関する具体的な知見として，Na^+ チャネル抑制効果をもつ薬剤と，GABA 伝達系を介する抑制機能を高める薬剤の併用，あるいは，Na^+ チャネルブロッカーとしての作用をもつ AED と複合的な作用機序を有する AED の併用が他の作用をもつ AED との併用時よりも治療効果が高いことが報告されている[38]。

各薬剤の詳細については他の章に譲るが，参考までに各 AED の作用機序の概要を表2に示した。AED の作用基盤については全てが解明されているわけではないが，併用療法を行う場合はそれぞれの薬剤の作用機序を念頭において使用することが重要である[31]。

表2：AEDの作用機序

AEDs	Na$^+$ channel blockade	T-type Ca^{2+} channel blockade	Non-T-type Ca^{2+} channel blockade	GABA mimesis	Antiglutamate	Monoamine release
Phenytoin	＋＋＋		＋	＋		
Phenobarbital	＋＋		＋	＋＋＋	＋＋	
Carbamazepine	＋＋＋		＋	＋	＋	＋＋＋
Valproic acid	＋＋	＋＋	＋＋	＋	＋＋＋	
Ethosuximide		＋＋＋				
Benzodiazepines	＋		＋	＋＋＋		
Zonisamide	＋	＋＋	＋		＋＋	＋＋＋
Gabapentin			＋＋＋	＋＋		
Lamotrigine	＋＋＋				＋	
＊1 Oxcarbazepine	＋＋＋		＋		＋	
＊2 Tiagabine				＋＋＋		
＊3 Felbamate	＋		＋	＋	＋＋	
＊4 Vigabatrin				＋＋＋		
Levetiracetam			＋＋	＋		
Topiramate	＋＋		＋	＋＋	＋＋	＋＋＋

＊1，2，3，4は日本では未承認，または特定の条件下でのみ認可されている。
(Kaneko S, et al.：Expert Reviews Clinical Phamacol 1：661-681, 2008[36])より引用改変)

③併用薬選択の際に考慮すべき薬理遺伝学的要因

　AEDの多くは肝臓のCYP酵素群による代謝を受ける。したがって，薬物の治療効果や投与量を決める上でCYPの活性は重要な要因となる。表3におもなAEDの代謝に関与するCYPアイソザイムを示した。CBZ，PHT，PB，PRM，VPAなどのAEDは複数のCYPの基質となるばかりでなく，いくつかのCYP活性に対して誘導ないし抑制作用を持っている[1,21]。単剤投与の場合に比べて多剤併用の場合はそれぞれのAEDの代謝が変化し複雑な影響を及ぼすため，そのため併用AEDを選択する際には各薬剤の代謝特性を十分念頭におく必要がある[1,12]。

表3：AED代謝に関与するCYP

CYP	Substrates of AED
3A4	CBZ, PHT, PB, ZNS, DZP, CLB, FBM, OXC
2D6	CBZ?, PB?, ZNS, VPA
2C9	PB, PHT, VPA
2C19	N-CLB, DZP, MPB, VPA, FBM, OXC, TPM, PHT
1A2	DZP, VPA
2B1	VPA, PB
2B2	VPA
2B4	VPA
2E1	VPA
2C8	CBZ, PHT
2C10	PHT
4A1	PB?
4B1	VPA

CBZ：carbamazepine, PHT：phenytoin, PB：phenobarbital, ZNS：zonisamide, DZP：diazepam, VPA：valproic acid, FBM：felbamate, TPM：topiramate, OXC：oxcarbazepine,
OXC, FBMは日本では未承認
(Kaneko S, et al.：Expert Reviews Clinical Phamacol 1：661-681, 2008[36]より引用改変)

　また，2D6，2C9，2C19などのように，それぞれの酵素活性に変化をきたす変異アレルが存在する場合は，変異アレルの種類によって酵素の活性低下（intermediate metabolizer：IM）や不活性（poor metabolizer：PM），あるいは酵素自体の欠損，逆に活性の亢進（ultrarapid extensive metabolizer：UM）がみられる。したがって個々の患者における変異アレルの同定は服用量の決定や有害反応の発現を防止する上でも重要な指標となる[30,31]。
　このような薬理遺伝学的な要因は，とくに多剤併用の際に留意すべき因子であるが，表3のように，いわゆる新規AEDはCYPによる代謝を受けずに薬物間相互作用が惹起されにくく，多剤併用の際に有利なものもある[48,55]。

E AED療法の限界

1. いかなる段階で AED 療法の限界を判断するか？

　AED療法の限界，すなわち薬物療法のみでは十分な治療効果が実現できないという判断を下すための明確な基準はない。例えば，新たにてんかんの診断を受けた後の治療予後のフォローが可能であった780例について検討した報告によれば，504例（64.6％）の患者でAED治療への反応性が認められたが，12ヵ月の観察期間中，35.4％の患者はAED療法によっても十分な発作の抑制は認められなかった。AEDによる治療反応性を認めた504例のうち399例（79％）は治療開始12ヵ月後には発作が消失し，残りの105例のうち63例はその後発作がコントロールされたが，42例（5.4％）は発作の再発を認め，難治性を呈した。また，治療反応性を示した504例のうち92％は第1選択薬で発作が抑制されており，全体としてみると最初のAEDで50.4％，2番目の選択薬で10.7％，3番目の選択薬では2.3％に治療反応性が認められたが，4番目以降のAEDによって治療効果を認めたものは0.8％にすぎなかった。また，2剤併用で効果を認めたものは8％であったが，3剤または4剤のAED併用によって効果を認めたものはそれぞれ1例のみであった。治療反応性を認めた93％のケースでは，1～3年以内に発作が消失した。また，再発は平均で25ヵ月（12～97ヵ月の範囲）程度で認められたが，8年間の観察期間後に再発したケースもあった[50]。

　これらの一連の結果は，2番目の選択薬まではAED単剤療法である程度の発作抑制が期待できるが，3剤目以降のAED単剤治療ないし多剤併用によって発作が抑制される可能性は高くないこと，また治療開始後1～3年間ぐらいの比較的早い段階で治療予後が推定できることを示唆している[10]。見方を変えれば薬物療法の限界についても，同様の段階で判定し得ることになる。実際の薬物療法の実践においても，これらの目安を念頭において，個々のケースのAED療法の限界を判断し，適切な時期に次のステップの治療計画を立てていく必要がある[19,49]。

2. 多剤併用は単剤療法よりも効果があるのか？

多剤併用は単剤療法と比較して，実際にどの程度治療効果の増強が望めるのかについても現段階では明確な評価は困難である[14]。

比較的大規模な後方視的な検討では，2～3剤の併用では発作抑制効果の増強が認められており，3剤併用していた患者の20～50％で，50％程度の発作の減少が認められている。しかし，4剤以上の併用ではメリットがないことが指摘されている[58]。他の報告でも，3剤のAEDを併用した患者の20～50％で，約50％程度の発作抑制が認められたことが示されている[15,26]。これらの知見は，2～3剤程度のAED併用によって，さらなる発作抑制効果が期待できる場合があることを示している。

しかし，第1選択薬で発作が消失しなかった症例について，AED変更による単剤療法を継続した場合と，多剤併用を行った場合とで治療効果を比較した研究では発作抑制効果に若干の差が認められたものの，治療予後に明確な差がなかったことも報告されている（図6）[38]。一方，最初のAEDによる発作抑制効果が不十分であった場合には，できるだけ早い段階で多剤併用を行ったほうが良好な効果が得られたという報告や[7]，2剤目以降も単剤療法

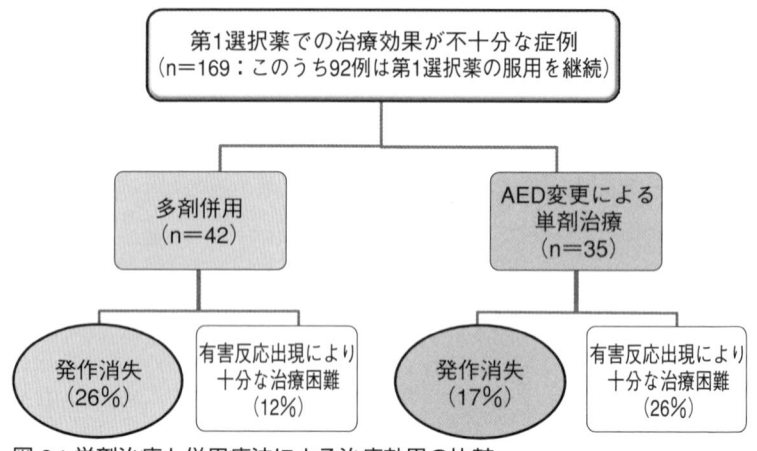

図6：単剤治療と併用療法による治療効果の比較
（Kwan P, et al.：Seizure 9：464-468, 2000[38] より著者作成）

を維持するほうが多剤併用よりも有効であるという確定的な根拠はないという知見もある[3,16]。

こうしたさまざまなデータを考慮すると，単剤療法の限界が想定される際には，各薬剤の薬理作用や有害反応の予防および個々の患者の多面的な要因などを十分に考慮した上での多剤併用は試みる意味があると言えよう[23,57]。

3. 新規AEDの付加による多剤併用の有用性について

新規AEDの多くは，基礎的な側面からもてんかんの生物学的基盤に関連する伝達系に作用して抗てんかん作用を発現させるものが多い[5]。また，てんかんの分子基盤として重要な意味を担っているNa^+チャネルやCa^{2+}チャネルなどのイオンチャネルへの効果など[14,15]，作用機序の特性からも併用効果が期待できるものが少なくない[42,51]。さらに，代謝特性などの面で他剤との相互作用を起こしにくいものが多い[58]。

こうした新規AEDの総体的な利点から考えると，これらの薬剤は合理的な多剤併用療法を目指す上での有益な選択肢といえよう。日本てんかん学会(JES)による，新規AEDに関する治療ガイドラインは，clinical question (CQ)形式で提示されているものであり，推奨度の判断も提示されている。JESのガイドラインによれば，わが国で使用可能な新規AEDは成人の難治性焦点てんかんの併用治療薬として有用であり，強く実施が勧められる(推奨度A)と判断されている[21]。全ての新規AEDの併用効果が十分に検討されているわけではないが，いくつかの発作型に対するVPA＋LTG，また焦点発作に対するCBZ＋VGT，LTG＋VGT，TGB＋VGT，GBP＋LTG，LTG＋TPMの組み合わせが有効であることなどが報告されている[2]。ただし，一定の結果が得られていない場合や十分なエビデンスの蓄積がない組み合わせもあるので，今後のより詳細な検討が期待される。

いくつかの報告および自験データなどをベースに併用薬として推奨されるAEDの組み合わせを表4に示した[2,60]。ただし併用時におけるこれらのAEDの評価については，さまざまな次元での検討結果や，必ずしも十分な母集団での検討がされていないものも含まれている。実際の併用療法の実施におい

表4：推奨される AED 併用

服用 AED と併用薬剤	併用推奨度	併用による効果，留意事項など
phenytoin または carbamazepine 服用時		
併用する AED　・lamotrigine	−	・LTG の血中濃度上昇による有害反応
・topiramate	−	・TPM の濃度低下，PHT 濃度上昇による有害反応
・levetiracetam	＋	・相乗効果の可能性あり
・oxcarbazepine	−	・OXC 濃度低下，PHT 濃度上昇による有害反応
lamotrigine または oxcarbazepine 服用時		
併用する AED　・gabapentine	＋＋	・併用が推奨される，LTG＋GBP は効果不明
・levetiracetam	＋＋	・併用が推奨される，
・topiramate	＋	・併用効果可能性あり
・zonisamide	＋／−	・併用効果の可能性はあるが，データ不足
・pregabalin	＋＋	・併用が推奨される
valproate または divalproex 服用時		
併用する AED　・phenytoin	−	・遊離 PHT 濃度上昇による有害反応
・carbamazepine	−	・VPA により CBZ-epoxide の増加，VPA＋CBZ は効果あり
・lamotrigine	＋／−	・併用効果ありとする報告もある。発疹リスク増大
・topiramate	＋／−	・体重増加，神経系の有害反応の増大の可能性
・levetiracetam	＋＋	・併用が推奨される
・zonisamide	＋	・併用効果可能性あり

CBZ：carbamazepine, LTG：lamotrigine, OXC：oxcarbazepine, PHT：phenytoin, TPM：topiramate, VPA：valproate
＋＋，＋：推奨される併用 AED，−：望ましくない併用 AED，：＋／−：データ不足のため併用効果は断定できない
OXC は日本では未承認，pregabalin は AED としては認可されていない
(Baulac M：Epileptic Disord 5：125-132, 2003[2]．St Louis EK：Current Neuropharmacol 7：96-105, 2009[60] より引用改変，著者作成)

ては，治療効果の増強のみでなく有害反応の出現についても十分配慮しながら，個々のケースごとに発作抑制効果を評価していくことが望まれる。
　さらに近年発売された新規 AED の併用による治療効果についても今後の

データの集積を基にした評価が待たれる。

F AED療法の限界の克服に向けて

　現在臨床で用いられているAEDは，てんかん発作（seizure）の抑制を主たる治療目標としており，複合的な病態である「てんかん（epilepsy）」自体を治療ターゲットにしているわけではない。発作を抑制するだけでなく，発作の起こりやすさ，すなわち「けいれん準備性（seizure susceptibility）」を減弱，消失させるような薬物療法が理想であるが，AEDによる根本的治療を実現していくには，さらなる病態解明や薬理遺伝学的側面の詳細な解明を待たねばならない。

　また，てんかんの分子病態や薬物療法に関する新たな知見も蓄積されつつあり，薬物療法の新たな方向性についてのヒントを投げかけている[6,7]。AED療法の限界を少しでも超えていくためには，こうした知見を随時取り込みながら，EBMに基づく新規AEDの適応を含む治療指針の確立が望まれる。また，現時点では，日常臨床に即応用できるようなプロトコールはいまだ確定されてはいないが，治療反応性の分子基盤にかかわる個人差を考慮した個別化治療（individualized medicine）の視点も，薬剤抵抗性（難治性）てんかんの治療予後改善につながる，重要な領域である[30,36]。

　また現時点でいずれも認可はされていないが，結節硬化症（tuberous sclerosis complex）治療に用いられるmTOR（mammalian target of rapamycin）阻害薬であるeverolimus（エベロリムス）や，一部のてんかん症候群への有用性が報告されているcannabidiol（カンナビジオール，いわゆる医療用大麻）など，これまでのAEDの作用機序とは異なる切り口からの新たな薬物療法の有用性についても今後十分な評価が待たれる[45,64]。さらに，現時点での大半のAEDは「発作」の抑制を主眼としているが，反復する発作を引き起こすけいれん準備性，言葉を換えれば「てんかん原性」そのものへの治療効果を念頭に置いた視点や，「てんかん発症予防」という側面からのより根源的な治療ストラテジーについても検討を進める必要があろう[32,56]。

「AED療法の限界」は，外科治療や迷走神経刺激など薬物療法以外の適応について考慮していくステージでもあるが[13,40]，薬物療法の「終了」を意味するものではない。てんかん外科などの適応が想定される場合であっても，さらに有効な薬物療法実現への努力は継続しなくてはならない。患者が「てんかん」という障害を抱えつつも満足度の高い人生を過ごしていくためには，それぞれの治療手段のメリットとデメリットをバランスよく見立てた適用が重要である[33]。また，治療の初期段階はもとより発作消失後も十分かつ継続的な心理社会的アプローチを怠ってはならない。その意味では発作の消失は治療の「ゴール」ではなく，「スタート」であるとも言えよう。

文　献

1) Anderson GD：Pharmacogenetics and enzyme induction/inhibition properties of antiepileptic drugs. Neurology **63**（suppl. 4）：S3-S8, 2004

2) Baulac M：Rational conversion from antiepileptic polytherapy to monotherapy. Epileptic Disord **5**：125-132, 2003

3) Beghi E, Gatti G, Tonini C, et al.：Adjunctive therapy versus alternative monotherapy in patients with partial epilepsy failing on a single drug：a multicentre, randomised, pragmatic controlled trial. Epilepsy Res **57**：1-13, 2003

4) Beleza P：Refractory epilepsy：a clinically oriented review. Eur Neurol **62**：65-71, 2009

5) Bialer M, Johannessen SI, Kupferberg HJ, et al.：Progress report on new antiepileptic drugs：A summary of Eighth Eilat Conference（EILAT Ⅷ）. Epilepsy Res **73**：1-52, 2007

6) Brodie MJ, French JA：Management of epilepsy in adolescents and adults. THE Lancet **356**：323-329, 2000

7) Brodie MJ, Kwan P：Staged approach to epilepsy management. Neurology **58**：S2-S8, 2002

8) Brodie MJ, Kwan P：Epilepsy in elderly people. BMJ **331**：1317-1322, 2005

9) Brodie MJ：Are Drug-Resistant and Drug-Sensitive Patients the Same? Epilepsy & Seizure **3**：131-140, 2010

10) Camfield PR, Camfield CS, Goedon K, et al.：If a first antiepileptic drug fails to control a child's epilepsy, what are the chances of success with the next drug? J Pediatrics **131**：821-824, 1997

11) Chapell R, Reston J, Snyder D, et al.：Management of treatment-resistant epilepsy. Agency for Healthcare Research and Quality **77**：1-8, 2003

12) Cloyd JC, Remmel RP：Antiepieptic drug pharmacokinetics and interactions：Impact on treatment of epilepsy. Pharmachotherapy **20**（suppl. 8 Pt2）：139S-151S, 2000

13) Cramer JA, Menachem EB, French J：Review of treatment options for refractory epilepsy：new medications and vagal nerve stimulation. Epilepsy Research **47**：17-25, 2001

14) Deckers CLP：Place of polytherapy in the early treatment of epilepsy. CNS Drugs **16**：156-153, 2002

15) Deckers CLP：Over treatment in adults with epilepsy. Epilepsy Res **52**：43-52, 2002

16) Deckers CL, Genton P, Sills GJ, et al.：Current limitations of antiepileptic drug therapy：a conference review. Epilepsy Res **53**：1-17, 2003

17) Duncan JS, Sander JW, Sisodiya SM, et al.：Adult epilepsy. Lancet **367**：1087-1100, 2006

18) Faught E：Monotherapy in adults and eldery persons, Neurology **69**（suppl. 3）：S3-S9, 2007

19) French JA, Faught, E：Rational polytherapy. Epilepsia **50**（suppl. 8）：63-68, 2009

20) French JA, Kanner AM, Bautista J, et al.：Efficacy and tolerability of the new antiepileptic drugs I：Treatment of new onset epilepsy, Report of the Therapeutics and Technology Assessment Subcommittee and Quality Standards Subcommittee of the American Academy of Neurology and the American Epilepsy Society, Neurology **62**：1252-1260, 2004

21) 藤原建樹，他：日本てんかん学会ガイドライン作成委員会，新規抗てんかん薬を用いたてんかんの薬物療法治療ガイドライン．てんかん研究 **28**：48-65，2010

22) Garnett WR, St. Louis EK, Henry TR, et al.：Transitional polytherapy：tricks of the trade for monotherapy to monotherapy AED conversions. Current Neuropharmacl **7**：83-95, 2009

23) Gilliam FG：Limitations of monotherapy trials in epilepsy. Neurology **60**(suppl. 4)：S26-30, 2003

24) Glauser T, Ben-Menachem E, Bougeois B, et al.：ILAE treatment guidelines：Evidence-based analysis of antiepileptic drugs efficacy and effectiveness as initial monotherapy for epileptic seizures and syndromes, Epilepsia **47**：1094-1120, 2006

25) Gram L：Pharmacokinetics of new antiepileptic drugs, Epilepsia **37**(suppl. 6)：S12-S16, 1996

26) Holmes GL：Over treatment in children with epilepsy. Epilepsy Res **52**：35-42, 2002

27) 井上有史，西田拓司：てんかん治療の Expert Consensus．てんかん研究 **22**：128-139，2004

28) 井上有史，他：（日本てんかん学会ガイドライン作成委員会）成人てんかんにおける薬物治療ガイドライン．てんかん研究 **23**：249-253，2005

29) 岩佐博人，兼子　直：難治性てんかんの薬物療法．脳の科学 **23**：951-959，2001

30) 岩佐博人，兼子　直：てんかん薬物療法における新たな視点―オーダーメイド治療の可

能性と課題―. 神経進歩 **49**：745-756, 2005

31) 岩佐博人, 兼子　直（日本臨床精神神経薬理学会専門医制度委員会　編）：Ⅲ-6-12　てんかん症候群の治療, 臨床精神神経薬理学テキスト改訂第2版. 星和書店, 東京, 2008, pp422-437.

32) 岩佐博人, 原広一郎, 峯清一郎, 他：抗てんかん薬の減量・中止は可能か？　精神科 **35**：311-317, 2019

33) 岩佐博人　編著：てんかん臨床に向きあうためのシナリオ. 新興医学出版社, 東京, 2021

34) Jobst BC：Treatment algorithms in refractory partial epilepsy. Epilepsia **50**(suppl. 8)：51-56, 2009

35) Kaneko S, Okada M, Iwasa H, et al.：Genetics of epilepsy, current status and perspectives, Neurosci Res **44**：11-30, 2002

36) Kaneko S, Yoshida S, et al.：Development of Individualized Medicine for Epilepsy Based on Genetic Information. Expert Reviews Clinical Phamacol **1**：661-681, 2008

37) Karceki S, Morrel MJ, Carpenter D：Treatment of epilepsy in adults：expert opinion. Epilepsy & Behavior **7**：S1-S64, 2005

38) Kwan P, Brodie MJ：Epilpsy after the first drug fails：substitution or add-on? Seizure **9**：464-468, 2000

39) Kwan P, Brodie MJ：Early identification of refractory epilepsy. N Engl J Med **34**：314-319, 2000

40) Kwan P, Sperling MR：Refractory seizures：try additional antiepileptic drugs (after two have failed) or go directly to early surgery evaluation? Epilepsia **50** (suppl. 8)：57-62, 2009

41) Kwan P, Arzimanoglou A, Berg AT, et al.：Definition of drug resistant epilepsy：Consensus proposal by the ad hoc Task Force of the ILAE Commission on Therapeutic Strategies. Epilepsia **51** (6)：1069-1077, 2010

42) Landmark CJ：Targets for antiepileptic drugs in the synapse, Med Sci Monit **13**：RA1-7, 2007

43) Leppik IE：Monotherapy and polypharmacy. Neurology **55** (suppl. 3)：S25-S29, 2000

44) Löscher W, Klotz U, Zimprich F. et al.：The clinical impact of pharmacogenetics on the treatment of epilepsy. Epilepsia **50**：1-23, 2009

45) Manford M：Recent advances in epilepsy. J Neurol **264**：1811-1824, 2017

46) Marson A, Al-Kharusi, Alwaidth M, et al.：The SANAD study of carbamazepine, gabapentine, lamotrigine, oxycarbazepine, or topilamate for treatment of partial epilepsy：an unblended randamised controlled trial. Lancet **369**：1000-1015, 2007

47) Marson A, Al-Kharusi, Alwaidth M, et al.：The SANAD study of valproate, lamotrigine, oxycarbazepine, or topilamate for generalized and unclassifiable epilepsy：an unblended randamised controlled trial. Lancet **369**：1016-1026, 2007

48) Mintzer S, Mattson RT：Should enzyme-inducing antiepileptic drugs be considered

firs-line agents? Epilepsia **50** (suppl. 8): 42-50, 2009

49) Mohanraj R, Brodie MJ: Pharmacological outcomes in newly diagnosed epilepsy. Epilepsy Behav **6**: 382-387, 2005

50) Mohanraj R, Brodie MJ: Diagnosing refractory epilepsy: response to sequential treatment schedules. Eur J Neurol **13**: 277-282, 2006

51) Meldrum BS, Rogawski MA: Molecular Targets for Antiepileptic Drug Development Neurotherapeutics. **4**: 18-61, 2007

52) National Clinical Guideline Centre (UK): The Epilepsies, The Diagnosis and Management of the Epilepsies in Adults and Children in Primary and Secondary Care. Pharmacological Update of Clinical Guideline 20, NICE Clinical Guidelines, No. 137, 2012 (https://www.nice.org.uk/guidance/cg137)

53) 日本神経学会監,てんかん診療ガイドライン作成委員会編:てんかん診療ガイドライン 2018. 医学書院,東京,2018

54) 日本てんかん学会編:てんかん専門医ガイドブック改訂第2版―てんかんにかかわる医師のための基本知識―.診断と治療社,東京,2020

55) Perucca E: Clinical pharmacology and therapeutic use of new antiepileptic drugs, Fundamental and Clinical Pharmacol **15**: 405-417, 2001

56) Pitkänen A, Löscher W, Vezzani A, et al.: Advances in the development of biomarkers for epilepsy. Lancet Neurol **15**, 843-856, 2016

57) Reynolds E: Treating refractory epilepsy in adults. BMJ **332**: 562-563, 2006

58) Shorvon SD, Rijckevorsel KV: A new antiepileptic drug. J Neurol Neurosurg Psychiatry **72**: 426-429, 2002

59) Sisodiya SM, Marini C: Genetics of antiepileptic drug resistance. Current Opinion in Neurogy **22**: 150-156, 2009

60) St Louis EK: Truly "rational" polytherapy: Maximizing efficacy and minimizing drug interactions, drug load, and adverse effects. Current Neuropharmacol **7**: 96-105, 2009

61) Tate SK, Depondt C, Sisodiya SM, et al.: Geneteic predictors of the maximum doses patients receive during clinical use of the anti-epileptic drugs carbamazepine and phenytoin. Pro Natl Acad Sci **105**: 5507-5512, 2005

62) Tishler DM, Weinberg KI, Hinton DR, et al.: MDR1 gene expression in brain of patients with medically intractable epilepsy. Epilepsia **36**: 1-6, 1995

63) Wheless JW, Clarke DF, Arzimanoglou A, et al.: Treatment of pediatric epilepsy: european expert opinion Epileptic Disord **9** (4): 353-412, 2007

64) Wirrell EC, Nabbout R: Recent advances in the drug treatment of Dravet syndrome. CNS Drugs **33**: 867-881, 2019

第 **4** 章

ガバペンチンのてんかん治療における意義

（国際医療福祉大学医学部脳神経内科）**赤松直樹**,
（国際医療福祉大学名誉教授）**辻　貞俊**

　ガバペンチン（gabapentin：GBP, 1-aminomethyl-cyclohexyl-acetic acid, 本邦商品名ガバペン®）は，ドイツのワーナーランバート社（現　ファイザー）で1970年代に開発されたγアミノ酪酸（GABA）の誘導体である。当初の予想は，中枢神経の主要な抑制性神経伝達物質であるGABAの誘導体であれば，過剰な神経活動を抑制する効果があり，抗てんかん作用があるのではないかというものである。しかしながらその後の研究により，GBPは *in vitro* の実験でGABA受容体およびベンゾジアゼピン受容体に親和性を示さないことがわかった。しばらく作用機序は不明であったが，近年GBPの結合蛋白は，電位依存性Ca^{2+}チャネル$\alpha_2\delta$サブユニットであると判明した[11,27]。興奮性神経伝達において前シナプスに作用し，そこでのカルシウム流入を抑制し神経伝達物質であるグルタミン酸の放出を抑制する。さらに，GABA神経系においてはGBPはGABAトランスポーターの活性化をきたし，脳内GABA量を増加させる[23]。GABAトランスポーターに対する作用は従来の抗てんかん薬にはなかった作用であり，注目すべき作用機序である。

　GBPは欧米においては1993年に臨床使用が承認され，2001年に小児にも適応が拡大されている。90ヵ国以上で承認されている抗てんかん薬である。新規発症てんかんに対する単剤療法としても，40ヵ国以上で承認されている。日本においても2006年に，他の抗てんかん薬で十分な効果がない焦点発作に対して併用療法（付加的投与）で承認された。GBPは諸外国で，疼痛とくに神経障害性疼痛や線維筋痛症の治療薬としても使用されている[4,14,25]。

A　ガバペンチンの薬理学的特性

　経口投与での，生物学的利用率（bioavailability）は，300 mg 内服で 60％，600 mg 内服で 40％，1,600 mg 内服で 35％と報告されている[12]。これは，腸管からの吸収が能動輸送（active transport system）によって行われるためである[3]。服用量が増加してもこの吸収機構が飽和するために，投与量に比例して血中濃度が上昇するわけではないことを示している。GBP の血中での半減期は，5～9時間と比較的短いので，1日3回の分服が必要とされている。血中では，ほとんど蛋白結合がなく遊離体で存在する。したがって他の蛋白結合薬との，蛋白結合部位での相互作用を考慮しなくてよい。GBP は，能動輸送されて脳内に移行する。

表1：ガバペンチンの臨床特性のまとめ

本邦での適応	焦点発作，二次性全般化発作の付加的療法 （単剤治療が諸外国では承認されている）
剤形	200 mg 錠，300 mg 錠，400 mg 錠（ファイザー製薬）
初期投与量	300～900 mg/日
維持投与量	900～2,400 mg/日（欧米では 3,600 mg）
相互作用	多剤との相互作用は臨床的には通常問題とならない。 アルミニウム，マグネシウムを含む制酸剤との併用で吸収が約20％低下する。
血中濃度治療参考域	2～20 μg/mL
おもな副作用	眠気，めまい，失調，頭痛，複視，倦怠感
利点	忍容性が高い，多剤との相互作用がない
欠点	発作抑制効果がやや弱い 焦点発作にのみ有効，ミオクロニー発作増加例がある
作用機序	①Ca チャネル $\alpha_2\delta$ サブユニットに結合，グルタミン遊離抑制 ②GABA トランスポーターの活性化による脳内 GABA 増加
生物学的利用率	65％以下，増量によりさらに低下する
半減期	5～9 時間
排泄	未変化体で腎排泄
血中蛋白結合	5％以下

GBPは，肝代謝を受けないで未変化体で腎から排泄される．正常な腎機能患者では，先に述べたように排泄半減期は5〜9時間である．腎機能低下患者では投与量を，クレアチニンクリアランスを参考に調節する．透析患者では，200 mg/日もしくは300 mg/日隔日投与が推奨されている．高齢者では，腎機能が低下していることがあるので，腎機能を考慮して投与量を決めることが必要である．一方，小児では成人よりもクリアランスは早いとされている[5]．

　肝代謝を受けないGBPは酵素誘導作用もないので，他の抗てんかん薬との相互作用は報告されていない[24]．したがって，他の抗てんかん薬に追加投与する場合，相互作用による血中濃度変動を考慮しなくて済む．高齢者等で抗てんかん薬以外の薬剤を服用している患者においても，この点は有利である．マグネシウムおよびアルミニウムを含有する制酸剤（マーロックス®等）と併用すると，GBPの吸収が約20%減少すると報告されている．

　GBPの血中濃度測定の臨床上の意義は確立していない．もちろん，臨床効果と副作用にもとづいて投与量を決定するのは当然のことであるが，血中濃度測定はいくらか参考にはなる．臨床治験時の血中濃度測定結果から，治療参考域は2〜20 μg/mL程度とされている．2 μg/mL以下では効果がほとんどみられなかったとする報告がある．過量服用による副作用例で，血中濃度85 μg/mLでも振戦と軽度の認知機能障害を生じたのみで重篤な副作用には至らなかったとの報告もある．

B　ガバペンチンの有効性

1．成人の難治焦点てんかんに対する有効性

　難治焦点てんかんにおける付加的投与でのランダム化二重盲験で，有効性が示されている．これらの治験から，難治てんかんにおける付加的投与の有効性は確立していると考えてよい．

　英国の127例を対象とした試験では，1〜2剤の抗てんかん薬で発作が消失していない焦点てんかんに，GBP 1,200 mg/日もしくはプラセボを投与し，

表2：難治性焦点てんかんに対するガバペンチンの付加的投与の効果（無作為ランダム化試験）

治験（著者）	Dose (mg)	n	50%レスポンダー率（%）	発作減少率（中央値）（%）	中止率（%）
UK gabapentin study	1,200	52	25.0	29.2	12
	placebo	61	9.8	12.5	6
Sivenius	1,200	9	33.0	57.0	—
	900	16	12.5	25.0	—
	placebo	18	16.7	16.7	—
US gabapentin study	1,800	53	26.4	31.9	4
	1,200	91	17.6	20.0	2
	600	49	18.4	24.3	6
	placebo	95	8.4	5.9	1
Yamauchi	1,800	35	20.0	27.6	—
	1,200	80	16.3	25.2	—
	placebo	75	6.7	7.1	—

12週間発作回数を観察した[30]。レスポンダー率（発作が50％以上減少した患者の率）は，GBP 1,200 mg群25.0％，プラセボ群9.8％であり有意な発作抑制効果が確認された。

米国の難治焦点てんかん患者306例の報告では，既存の抗てんかん薬1～2剤で発作が難治である患者に，GBP 600 mg/日，1,200 mg/日，1,800 mg/日もしくはプラセボを追加投与して12週間発作回数を観察した[29]。レスポンダー率は，プラセボ群8.4％，GBP 600 mg/日群18.4％，GBP 1,200 mg/日群17.6％，1,800 mg/日群26.4％であった。

本邦のYamauchiらの報告では，1～2剤の薬剤で治療中の難治焦点てんかん190例を対象としている[31]。ランダム化二重盲験で，GBP 1,200 mg/日，1,800 mg/日もしくはプラセボを追加投与して12週間発作回数を観察し，本剤の有効性を証明している。レスポンダー率は，プラセボ群6.7％，GBP 1,200 mg/日群16.3％，1,800 mg/日群20.0％であった。本試験により本邦においてもGBPが承認されている。

2. 成人の焦点てんかんに対する単剤療法

新規に診断した成人焦点てんかん 271 例を対象として，GBP 300 mg/日，600 mg/日，900 mg/日およびカルバマゼピン（carbamazepine：CBZ）600 mg/日にランダムに割り振った米国の治験がある。GBP は 300 mg 群と比較して高用量群で発作抑制が有意に認められ，1,800 mg 群と CBZ 群は同等の発作抑制効果であった[8]。この結果は，単剤での有効性を支持するものである[1]。

英国の新規に診断した成人焦点てんかん 599 例を対象とした治験では，GBP 群（最高 3,600 mg）とラモトリギン（lamotrigine：LTG）群（最高 300 mg）に，ランダム化し比較した[7]。評価はトライアルに留まっている期間（retention time）としている。治験を完了した（トライアルに留まった）患者は，GBP 群 71％，LTG 群 67％であったが，統計学的には両者が同等の効果をもつことの証明にはならなかったとしている。

2007 年に発表された有名な研究である英国の SANAD study がある[18]。この研究はランダム化試験ではあるが非盲検である。しかしながら，症例数は 1,400 人以上という大規模研究であり，実際の臨床状況での治験である。新規に診断した焦点てんかんを，CBZ，GBP，LTG，オキシカルバゼピン（oxcarbazepine：OXC），トピラマート（topiramate：TPM）に割り振り観察した。この治験では，GBP は忍容性が他剤よりも良好であったが，発作抑制効果は他の抗てんかん薬のほうが良好であった。

3. 高齢発症てんかんに対する治療効果

米国の退役軍人（VA）における研究がある[26]。65 歳以上で新規発症焦点てんかん 593 例を対象とした。最初の抗てんかん薬治療として，GBP 1,500 mg/日，LTG 150 mg/日，CBZ 600 mg/日の群にランダムに振り分けて治療した治験である。評価項目である，12 ヵ月間の retention rate は CBZ よりも，GBP と LTG が有意に高かった。発作消失率には，有意差がなかった。発作抑制効果は差がないが，GBP は CBZ よりも忍容性がよいという結果である。この結果は，高齢新規発症の焦点てんかんにおいては，LTG と GBP

が第 1 選択薬となることを示すものである。

4. 全般てんかんに対する治療効果

難治性全般てんかんに対する GBP 1,200 mg/日付加的投与とプラセボ付加を比較した治験があるが，有意差がなかったという結論である[8]。欠神発作に対するクロスオーバー，付加的投与治験においても有効性は認めていない。ミオクロニー発作に対しては，増悪することが症例報告されている[28]。

上記の治験から，GBP は全般てんかんに対しては有効性が示されていない。ミオクロニー発作はかえって悪化させることがあるので注意を要する。

5. てんかん診療ガイドラインにおける GBP の位置付け

日本てんかん学会のガイドラインでは，難治性焦点てんかんの併用療法では GBP は推奨度 A とされている。新規発症焦点てんかんの単剤治療としては，推奨度 B とされている。高齢者てんかんにおいては LTG について推奨される，と記載されている[22]。

2018 年の日本神経学会（4 学会合同ガイドライン）のガイドラインにおいても，高齢発症焦点てんかん，特発性焦点てんかんで推奨されている[21]。

英国 NICE ガイドラインでは，GBP は症候性焦点てんかんで第 2 選択薬，二次性全般化強直間代発作で第 2 選択薬と記載されている[20]。

米国のてんかん学会・神経学会（AAN/AES）合同ガイドラインでは，GBP は新規発症焦点てんかんの単剤治療として推奨（レベル A）されている。難治焦点てんかんの併用療法としても推奨（レベル A）されている[12]。

国際抗てんかん連盟 ILAE のガイドラインでは，成人焦点てんかんの初期単剤治療においては，GBP はおそらく有効（possibly efficacious or effective, レベル C），高齢者焦点発作では有効性が確立した（established as efficacious or effective as initial monotherapy, レベル A）としている[13]。

C　ガバペンチンの副作用

　GBPは，初期には，眠気（傾眠），めまい，失調，倦怠感といった中枢神経系の抑制作用にもとづく副作用がみられることがある[5]。これらの副作用は初期に一過性のこともあるので，経過をみる必要がある。本邦での臨床治験での報告でも同様の傾向があり，二重盲験でのおもな有害事象は傾眠と浮動性めまいであった。妊娠に対する安全性は確立していない[19]。

D　ガバペンチンの使用上の留意点

　GBPは，焦点発作に効果があるが，全般発作にはあまり効果がなく，ミオクロニー発作は悪化させることがある点に留意する必要がある[2]。発作型および脳波を確認して，焦点てんかんである患者に投与する。

　副作用の項で述べた，中枢神経系の抑制作用による副作用に注意する必要がある。添付文書にあるように，3日間で段階的に増量して維持量に到達することができる。米国の報告では，初日から900 mg/日の投与でも副作用の増加はないとするものもある[10]。副作用は初期に一過性の場合があるので，出現した場合は緩徐な増量等を行い，改善がないかしばらく経過をみることも必要である。GBPは半減期が短いので，1日3回投与が必要である。

　小児（3～12歳）では，10～15 mg/kgで開始し，維持量は25～35 mg/日とされている。

　十分な効果がない，眠気，めまい等の副作用が出現した等の理由で中止する場合，3～4日毎に300 mg位ずつ徐々に減量する。急速な減量で発作誘発のリスクがあるとされている。

E　てんかん治療におけるガバペンチンの意義

　GBPは，難治焦点てんかんにおいて付加的療法での有効性がランダム化試験で示されている[17]。これらの試験は最高投与量が1,800～2,400 mg/日で行

われ，この用量においては重篤な副作用はなかった。さらに本剤は蛋白結合がない，他剤との相互作用がない，肝代謝を受けない等の比較的単純な薬理学的特性をもつ。これらの点からは，難治焦点てんかんにおいて付加的投与するには，有利で有用な薬剤であるといえる。レスポンダー率（50％以上の発作減少割合）は 1,800 mg/日の付加的投与でランダム化試験では 20〜25％と，治療効果は比較的 mild あるいは modest である。

単剤投与あるいは発症時に最初に投与する（initial monotherapy）薬剤としての有効性は，高齢者を除きエビデンスが十分ではない。現時点では，小児および通常の成人てんかんの最初の単剤療法としては，欧州においては第 2 選択薬となっている[18]。

高齢初発の焦点発作においては，GBP は忍容性の面から第 1 選択薬の 1 つとして位置づけられている。高齢発症てんかんには，比較的てんかん原性が低い例があり，GBP のような効果が比較的 modest な薬剤で発作を抑制でき，忍容性もよいのであろう。

文　献

1) American Academy of Neurology：（https://www.aan.com/go/practice/guidelines）
2) Asconape J, Diedrich A, DellaBadia J：Myoclonus associated with the use of gabapentin. Epilepsia **41**（4）：479-481, 2000
3) Ben-Menachem E, Persson LI, Hedner T：Selected CSF biochemistry and gabapentin concentrations in the CSF and plasma in patients with partial seizures after a single oral dose of gabapentin. Epilepsy Res **11**（1）：45-49, 1992
4) Bennett MI, Simpson KH：Gabapentin in the treatment of neuropathic pain. Palliative Medicine **18**（1）：5-11, 2004
5) Beydoun A, Uthman BM, Sackellares JC：Gabapentin：pharmacokinetics, efficacy, and safety. Clin Neuropharmacol **18**（6）：469-481, 1995
6) Beydoun A：Monotherapy trials with gabapentin for partial epilepsy. Epilepsia **40**(suppl. 6)：S13-16, 1999
7) Brodie MJ, Chadwick DW, Anhut H, et al.：Gabapentin versus lamotrigine monotherapy：a double-blind comparison in newly diagnosed epilepsy. Epilepsia **43**（9）：993-1000, 2002
8) Chadwick D, Leiderman DB, Sauermann W, et al.：Gabapentin in generalized seizures. Epilepsy Res **25**（3）：191-197, 1996

9) Chadwick DW, Anhut H, Greiner MJ, et al.: A double-blind trial of gabapentin monotherapy for newly diagnosed partial seizures. Neurology **51** (5): 1282-1288, 1998

10) Fisher RS, Sachdeo RC, Pellock J, et al.: Rapid initiation of gabapentin: a randomized, controlled trial. Neurology **56** (6): 743-748, 2001

11) Gee NS, Brown JP, Dissanayake VU, et al.: The novel anticonvulsant drug, gabapentin (Neurontin), binds to the subunit of a calcium channel. J Biol Chem **271** (10): 5768-5776, 1996

12) Gidal BE, DeCerce J, Bockbrader HN, et al.: Gabapentin bioavailability: effect of dose and frequency of administration in adult patients with epilepsy. Epilepsy Res **31** (2): 91-99, 1998

13) Glauser T, Ben-Menachem E, Bourgeois B, et al.: ILAE treatment guidelines: evidence-based analysis of antiepileptic drug efficacy and effectiveness as initial monotherapy for epileptic seizures and syndromes. Epilepsia **47** (7): 1094-1120, 2006

14) Gómez-Pérez FJ, Perez-Monteverde A, Nascimento O, et al.: Gabapentin for the treatment of painful diabetic neuropathy: dosing to achieve optimal clinical response. The British Journal of Diabetes & Vascular Disease **4** (3): 173-178, 2004

15) LaRoche SM, Helmers SL: The new antiepileptic drugs: scientific review JAMA **291** (5): 605-614, 2004

16) Leiderman DB: Gabapentin as add-on therapy for refractory partial epilepsy: results of five placebo-controlled trials. Epilepsia **35** (suppl. 5): S74-76, 1994

17) Marson AG, Kadir ZA, Hutton JL, et al.: Gabapentin add-on for drug-resistant partial epilepsy. Cochrane Database Syst Rev, CD001415, 2000

18) Marson AG, Al-Kharusi AM, Alwaidh M: The SANAD study of effectiveness of carbamazepine, gabapentin, lamotrigine, oxcarbazepine, or topiramate for treatment of partial epilepsy: an unblinded randomised controlled trial. Lancet **369** (9566): 1000-1015, 2007

19) Montouris G: Gabapentin exposure in human pregnancy: results from the Gabapentin Pregnancy Registry. Epilepsy Behav **4** (3): 310-317, 2003

20) National Institute for Health and Clinical Excellence: (http://www.nice.org.uk/)

21) 日本神経学会診療ガイドライン: (http://www.neurology-jp.org/guidelinem/neuro/index.html)

22) 日本神経学会監修,「てんかん診療ガイドライン」作成委員会編集: てんかん診療ガイドライン 2018. 医学書院, 東京, 2018

23) Petroff OA, Rothman DL, Behar KL, et al.: The effect of gabapentin on brain gamma-aminobutyric acid in patients with epilepsy. Ann Neurol **39** (1): 95-99, 1996

24) Radulovic LL, Wilder BJ, Leppik IE: Lack of interaction of gabapentin with carbamazepine or valproate. Epilepsia **35** (1): 155-161, 1994

25) Rowbotham M, Harden N, Stacey B, et al.: Gabapentin for the treatment of postherpetic neuralgia: a randomized controlled trial. JAMA **280** (21): 1837-1842, 1998

26) Rowan AJ, Ramsay RE, Collins JF, et al.: New onset geriatric epilepsy: a randomized

study of gabapentin, lamotrigine, and carbamazepine. Neurology **64**：1868-1873, 2005

27) Sills GJ：The mechanisms of action of gabapentin and pregabalin. Curr Opin Pharmacol **6**（1）：108-113, 2006

28) Striano P, Coppola A, Madia F, et al.：Life-threatening status epilepticus following gabapentin administration in a patient with benign adult familial myoclonic epilepsy. Epilepsia **48**（10）：1995-1998, 2007

29) The US Gabapentin Study Group No. 5.：Gabapentin as add-on therapy in refractory partial epilepsy：a double-blind, placebo-controlled, parallel-group study. Neurology **43**（11）：2292-2298, 1993

30) UK Gabapentin Study Group：Gabapentin in partial epilepsy. Lancet **335**（8698）：1114-1117, 1990

31) Yamauchi T, Kaneko S, Yagi K, et al.：Treatment of partial seizures with gabapentin：double-blind, placebo-controlled, parallel-group study. Psychiatry Clin Neurosci **60**（4）：507-515, 2006

第 5 章

トピラマートのてんかん治療における意義

藤原建樹

国立病院機構静岡てんかん・神経医療センター 名誉院長

　トピラマート（topiramate：TPM）は 1979 年に創製された fructopyranose 骨格に sulfamte 構造を有する新規抗てんかん薬である（図1）。電位依存性 Na チャネル抑制作用，電位依存性 L 型 Ca チャネル抑制作用，AMP/カイニン酸型グルタミン酸抑制機能，GABA 存在下における $GABA_A$ 受容体機能増強作用，および炭酸脱水素阻害作用などの幅広い作用機序により発作抑制効果を発揮するとみなされている。海外では 1995 年成人の焦点発作に対する併用治療薬として英国で承認されて以来，世界 108 ヵ国において承認を受けている。海外の臨床試験では成人の焦点発作に対する併用療法のみならず，小児の焦点発作，レノックス・ガストー症候群（LGS），全般てんかんの強直間

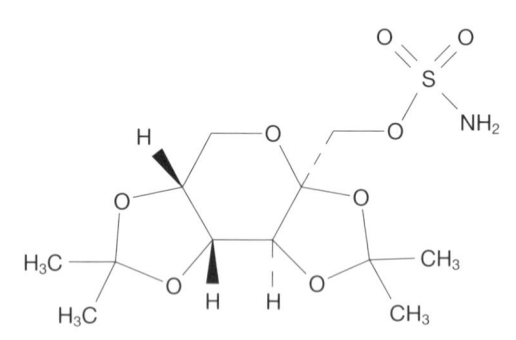

図1：トピラマート（TPM）の構造式
一般名：トピラマート topiramate
化学名：(−)-2,3：4,5-Di-O-isopropylidene-β-
　　　　D-fructopyranose sulfamate
分子式：$C_{12}H_{21}NO_8S$ = 339.36

代発作に対する併用療法，ならびに単剤療法としての有効性を示す成績が得られている。本邦においては2007年7月に「他の抗てんかん薬で十分な効果が認められないてんかん患者の焦点発作（二次性全般化発作を含む）に対する抗てんかん薬との併用療法」を効能・効果として上市され，広く臨床現場で使用されている。

A　トピラマートの薬物動態

本剤100 mg単回投与後のバイオアベイラビリティーは約80％であり，蛋白結合率は15～41％である。本剤は約20％が代謝を受けるが，その多くは未変化のまま尿中に排泄される。TPMのヒト代謝に関与するおもなチトクローム P450分子種はCYP3A4とされている[20]。

健康成人にTPM 1回50 mgを1日2回13日間（計25回投与）反復経口投与した場合，血漿中濃度は5日目以降ほぼ定常状態に達した[21]。

消失半減期は約19～25時間である。腎機能が正常であれば4～8日で定常状態に達する。TPMは主として腎臓より排泄されるため，腎機能障害のある患者では，本剤のクリアランスが低下することがあるので，クレアチニンクリアランスが70 mL/分未満の場合には，投与量を半量にするなど慎重に投与することが求められている[40,41]。

外国人健康高齢者（65～81歳）にTPM 100 mgを単回経口投与した場合，健康高齢者では健康成人に比べC_{max}および$AUC_{0\sim\infty}$はそれぞれ23％および25％増加し，T1/2が13％延長した[21]。

B　トピラマートの薬物相互作用

本剤は腎排泄型薬剤で肝酵素への影響が軽微なことから相互作用への影響は少ない。フェニトイン（phenytoin：PHT）あるいはカルバマゼピン（carbamazepine：CBZ）に本剤を併用する場合はPHT，CBZの酵素誘導作用のためTPMの血中濃度が約50％減少するとの報告がある。このためPHT，

CBZの減量，中止に伴い本剤の血中濃度が上昇することがある。その一方，TPMがPHTの血中濃度を上昇させることも報告されている[20]。国内臨床試験によると，TPMの併用抗てんかん薬への影響についてはPHTの増加，CBZの減量が示唆されたものの，投与前後で大きく変動した薬物は認められなかった[27]。

C トピラマートの副作用

本剤の副作用として体重減少や代謝性アシドーシスが知られている。頻度不明であるが閉塞隅角緑内障およびそれに伴う急性近視が報告されている。服薬1ヵ月以内に起こりやすく，急速な視力低下，眼痛に注意が必要である。乏汗およびそれに伴う高体温などの報告がある[40,41]。小児では成人より高率に起こりやすい[30]。承認時までの国内臨床試験における安全性解析対象例303例中，副作用が228例（75.2％）に認められ，おもな副作用は傾眠90例（29.7％），体重減少75例（24.8％），浮動性めまい44例（14.5％），無食欲および大食症候群32例（10.6％）等であった。小児では行動面，認知面の悪化がしばしば問題になる。これらの既往歴を有する小児ではとくに起こりやすい[12]。

D トピラマートの用法・用量

本剤血中濃度の臨床的な意義は明らかでなく，用量調整は臨床発作に基づいて行われるため，実地診療では幅広い用量で使用されている。

通常，成人には1回量50 mgを1日1回または1日2回服用で開始する。以後，1週間以上の間隔をあけて漸増し維持量として1日量200〜400 mgを2回に分割投与する。1日最高600 mgまでとされている。本剤は眠気，浮動性めまい，認知系有害事象が起こりやすく，これを避けるため，海外では緩徐な漸増法（開始用量50 mg/日，1週ごとに50 mg/日ずつ増量），あるいはより緩徐な漸増法（開始用量25 mg/日，1週ごとに25 mg/日ずつ増量）が

試みられている。

　Bitonらは本剤の初期用量の調整方法について報告している[3]。開始用量50 mg/日，その後1週間ごとに50 mgずつ漸増し8週間で目的量400 mg/日に達する群（緩徐な漸増法）と開始用量100 mg/日，その後1週間ごとに100 mgから200 mgずつ漸増し，3週間で目的量400 mg/に達する群（早い漸増法）に分けて本剤の効果と副作用を比較した[3]。緩徐な漸増群は早い漸増群に比べて有害事象の累積発現率（$p=0.048$），有害事象による一時中断あるいは中止した症例の割合（0.040）が有意に低かった。

　GubermanらはCBZを服薬している成人患者を対象に本剤の低用量での有効性を検証している。目的用量を200 mg/日と低く設定し，開始用量25 mg/日，その後1週間ごとに25 mgずつ漸増し8週間で200 mg/日に達する群（より緩徐な漸増法）と開始用量50 mg/日，その後1週間ごとに50 mgずつ漸増し，4週間で200 mg/日に達する群（緩徐な漸増法）に分けて本剤の有効性について群間比較した[16]。有害事象の累積発現率ならびに治療中断の割合は従来の用法・用量よりも総じて低く，より緩徐な漸増群と緩徐な漸増群の間に有意の差はなかった。酵素誘導作用をもつ抗てんかん薬との併用療法での本剤の推奨用量は200 mg/日で十分であり，100 mg/日で効果の発現をみることが多かった。酵素誘導作用をもたない抗てんかん薬との併用療法ではさらに少ない用量でも十分と思われた。副作用を避けるためにはより緩徐な漸増方法による用量調整は有効とみなされた。

　米国の添付文書によると，小児（2〜16歳）てんかん患者に対する推奨用量は，5〜9 mg/kg/日であり，これを1日2回に分けて投与する。最初の1週間は25 mg（または，25 mg未満で1〜3 mg/kg/日の範囲内）を就寝前に1回投与する。その後，臨床効果が得られるまで1〜2週間隔で1〜3 mg/kg/日ずつ漸増する（1日2回に分けて）。用量漸増は臨床症状に基づいて行うことと記載されている。本剤の小児に対する用法・用量は低用量（0.5〜1 mg/kg/日）から開始し，緩徐に漸増（毎週0.5〜1 mg/kgずつ）するのがポイントと言われている[14]。

E 海外の診療ガイドラインにみる本剤の位置づけ

　米国神経学アカデミーならびに米国てんかん学会から共同でエビデンスレベルに基づく新規抗てんかん薬の使用に関する勧告がなされている[9,10]。それによると，本剤は成人焦点てんかん（併用ならびに単剤），特発性全般てんかん（全般強直間代発作），症候性全般てんかん，小児の焦点てんかんなどの5種類の幅広いてんかん類型に対し適応があると勧告されている。臨床試験の実証度が評価されたためである。2005年に刊行された米国からの成人てんかんのエキスパートコンセンサスガイドラインによれば，本剤は症候性焦点てんかんに対しCBZとの併用療法において，特発性全般てんかんに対しバルプロ酸（valproic acid：VPA）との併用療法において，それぞれ第1選択薬として位置づけられている[19]。

　新薬の有効性を発作の長期転帰，生活の質，医療経済的な視点で比較した大規模な無作為化非盲検試験（Standard and New Antiepileptic Drugs Study：SANAD）が英国から報告されている。焦点てんかんをもつ1,721名の患者をCBZ，ガバペンチン（gabapentin：GBP），ラモトリギン（lamotrigine：LTG），オキシコドン（oxycodone：OXC），TPMの5群に無作為に振り分け単剤治療の効果を発作転帰，生活の質，治療の継続性などで包括的に比較した[25]。治療継続性は，効果不十分あるいは忍容できない副作用などによる治療中断に至るまでの期間の長短で評価した。その結果，本剤群はCBZ群とは継続性について有意差はなかったが，LTG群に比べて有意に劣っていた。発作抑制効果（1年間の寛解にいたる期間）の面では本剤群とCBZ群との間に有意の差はなかった。

　同じように全般てんかんもしくは未分類てんかんをもつ716名の患者について VPA，LTGおよび本剤の3群間で有効性を比較した[26]。発作抑制効果に関してはVPA群と本剤群との間に有意の差はなかったが，治療脱落までの期間ではVPA群が本剤群に比べて有意に優れていた（ハザード比 1.57 [1.19〜2.08]）。本剤は全般てんかんに対して優れた発作抑制効果を示していたが，忍容性の面でVPAに及ばなかった。

F 各種てんかん発作ならびにてんかん症候群に対する有効性

1. 成人難治焦点てんかんに対する有効性
①海外での臨床試験

難治焦点てんかんに対するTPM併用治療の有効性に関するメタ解析がコクラングループから報告されている[18]。1,312例が参加した10編のRCTが対象となった。このうちの1つは専ら小児を対象としていた(n=86)。TPM服薬群におけるレスポンダー率(50%以上の発作減少を示した患者の100分率)の相対危険度は2.85 (2.27〜3.59) であり，難治焦点てんかんに対するTPM併用治療の発作抑制効果はプラセボ群に対して有意に優れていた。ちなみに各新薬におけるレスポンダー率の対照群に対するオッズ比はGBP服薬群1.93 (1.37〜2.71)[24]，LTG服薬群2.71 (1.87〜3.91)[34]，レベチラセタム (levetiracetam：LEV) 服薬群3.81 (2.78〜5.22)[6]，OXC服薬群2.96 (2.20〜4.00)[5]などであった。

一方，TPM服薬群の効果不十分あるいは忍容できない副作用などによる治療中断率の相対危険度は2.26 (1.55〜3.31) であった[18]。ちなみに各新薬における治療中断率のオッズ比はGBP服薬群1.05 (0.68〜1.61)[24]，LTG服薬群1.12 (0.78〜1.61)[34]，LEV服薬群1.25 (0.87〜1.80)[6]，OXC服薬群2.17 (1.59〜2.97)[5]などであった。本剤は優れた発作抑制効果を示す一方，治療中断率が比較的高いことがうかがわれる。

成人焦点てんかんに対するTPMの併用療法に関する8編のRCTを集計したFrenchらのレビューによれば，200 mgから800 mg/日の用量によるレスポンダー率は200 mg/日で27％，平均450 mg/日で50.6％と用量依存性の違いがあった[10]。1日投与量を200 mg, 400 mg, 600 mgの3群に分けて効果を比較したRCTによれば400 mg/日群のレスポンダー率は49％で，200 mg/日の27％より優れており，用量依存性の効果が確かめられた[8]。600 mg/日と400 mg/日群との間に差はなかった。副作用は用量依存性に増加していた。

②国内での臨床試験

成人難治焦点てんかんに対してTPMを付加投与した国内で行われたRCT

によれば，TPM群（n=61）はプラセボ群（n=65）に比べ発作減少率（TPM群33.40％vs. プラセボ群13.70％）で有意に優れており（p=0.006），とくに二次性全般化発作で優れていた[27]。おもな副作用は，傾眠，浮動性めまい等の中枢神経系ならびに体重減少であった。多くの事象は軽度から中等度であった。TPMの至適用量を検討した国内からのオープン試験によると，レスポンダー率は200 mg/日以上の用量ではほぼ一定であった。漸増時最高用量別のレスポンダー率は400 mg/日までの用量で認められたが600 mg/日では認められず，海外での成績が追認された[29]。

2. 単剤療法の有効性

新たにてんかんと診断された613例（6歳以上の小児ならびに成人）を対象に主治医が臨床的判断に基づきVPAかCBZ単剤療法を選択した後に，無作為化しTPMの効果を比較したRCTが海外から報告されている[33]。VAP 1,250 mg/日群，CBZ 600 mg/日群，TPM 100 mg/日群およびTPM 200 mg/日群の4群に割り付け，6ヵ月間単剤治療を行った。その結果，これらの4群間で発作消失患者の割合に有意の差は認められなかった。TPMはCBZ，VPAと同等の効果を示していた。

3歳以上の小児および成人焦点てんかん（n=252）に対するTPMの単剤の効果を低用量群と高用量群とで比較したRCTによると発作再発までの期間は高用量群が低用量群より有意に長かった（p=0.01）[13]。

新たに診断された焦点発作もしくは全般強直間代発作を持つ6歳以上の小児から成人てんかん患者（n=470）を対象にしたTPM単剤治療に関するRCTが報告されている[1]。高用量群（TPM 400 mg/日）と低用量群（TPM 50 mg/日）に無作為に割り付けした。発作再発までの期間は高用量群が低用量群よりも有意に長かった（p=0.0002）。高用量群は低用量群に比して，12ヵ月の時点での発作消失頻度で優れていた（p=0.001）。高用量群は，焦点発作（p=0.009），全般強直間代発作でともに優れていた（p=0.005）。認知面での副作用による中止の割合は低用量群で2％，高用量群で7％，であった。9ヵ月時点での脱落率は前者で7％，後者で19％であった。副作用は用量依存性を示していた。

3. 特発性全般てんかんに対する効果

 3～59歳の強直間代発作をもつ特発性全般てんかん患者（n＝80）に対するTPMの併用治療効果に関するRCTによれば，ベースラインからの強直間代発作の平均発作減少率は，TPM群がプラセボ群に比べて有意に減少していた（56.7％ vs. 9.0％：p＝0.019）[2]。レスポンダー率の割合もTPM群がプラセボ群より有意に高かった（56％ vs. 20％：p＝0.001）。忍容性の点では両群に差はなかった。特発性全般てんかんの全般強直間代発作に対しTPMの併用治療は有効であった。

 若年ミオクロニーてんかんに対する本剤の有効性を示唆する少数例でのRCTが報告されている[4)23]。

4. 小児のてんかん

 新たに診断された6～16歳までの未治療のてんかん患者（n＝119）を対象にCBZ，VPAおよびTPMそれぞれの単剤での効果を比較した海外からのRCTによれば，発作抑制効果，治療継続性のいずれにおいても薬剤間に有意差はなかった[39]。

 新たに診断された焦点発作もしくは強直間代発作を持つ小児（n＝151）に対するTPM単剤の治療効果に関するRCTが報告されている[15]。TPM 50 mg/日の低用量群（n＝74），400 mg/日の高用量群（n＝77）の2群に割り付けて治療効果を比較したところ，1年後の発作消失の確率は低用量群で62％，高用量群で85％であった。治療継続にかかわる副作用は低用量群で4％，高用量群で14％であった。TPM単剤治療は新たに診断された小児の焦点てんかん/混合てんかんに有効とみなされた。

 国内では，2013年11月に他の抗てんかん薬で十分な効果が認められない2歳以上の小児のてんかん患者の焦点発作に対する併用療法として追加承認を取得している。2014年には細粒剤が製造承認されている。

 2～15歳の症候性または潜因性局在関連性てんかん患者59名に本剤を付加投与した国内の臨床試験が報告されている[30]。焦点発作発現頻度減少率の中央値は34.0％であった。おもな副作用は血中重炭酸塩減少20.3％，傾眠

15.3%，乏汗症 10.2%，食欲減退 5.1% であり，血中重炭酸塩減少と乏汗症は成人より高率であった。小児の焦点発作に対する TPM の併用療法は有用な治療方法であることが確認された。

日本人小児の薬物動態は，海外における小児てんかん患者を対象とした薬物動態試験の結果と概ね類似していた[31]。

小児のてんかん患者 48 例を対象として，長期投与試験（最高用量 9 mg/kg/日または 600 mg/日のいずれか低い投与量まで，最長 36 週）を実施したところ，各評価期間の焦点発作発現頻度減少率の中央値は，12 週後で 46.2%，24 週後で 49.5%，36 週後で 55.6% であった[21]。おもな副作用は，血中重炭酸塩減少 29.2%，傾眠 22.9%，乏汗症 12.5%，発汗障害 8.3%，尿中リン増加および食欲減退各 4.2% であった。

適応外ではあるが，浜野らは小児の難治てんかん症例（n＝53）に対する本剤の併用療法の有効性を報告している[17]。それによると 50% 以上発作が減少した有効例は 53 例中 25 例，47.2%（焦点発作：16/36 ［44.4%］，全般発作：9/17 ［52.9%］）であり，発作型別の有効率に差はなく増悪例も認めなかった。本剤の小児てんかんに対する使用経験例が国内の学会で多数報告されている。著者は有効率などが明示されている学会抄録を収集・分析し，その成績を 2009 年の日本てんかん学会で報告した[11]。小児期発症の難治てんかんに対する本剤併用で 50% 以上発作が減少した有効率は平均すると 43.5%（91/209）であり，高い治療効果が示されていた（表1）。てんかん類型別に本剤の有効率をみると，焦点てんかん 45.4%（44/97），全般てんかん 41.7%（35/84），未決定てんかん 50%（3/6）などであり，焦点てんかんにも全般てんかんにも高い治療効果を示していた（表2）。本剤の治療有効性スペクトラムの広さが示唆された。

5. てんかん性脳症に関する効果

①レノックス・ガストー症候群（LGS）に対する効果

小児ならびに成人（1〜29 歳）の LGS 98 例を対象とした TPM 併用治療（6 mg/kg/日）に関する RCT 報告によると，失立発作のベースラインからの発

表1：小児期発症難治てんかんに対するトピラマートの併用治療効果

報告者		患者数	有効例	有効率（％）
高橋ら	2008	6	3	50.0
岩崎ら	2008	11	5	45.5
渡邊ら	2008	21	10	47.7
川脇ら	2008	35	16	45.7
鳥邊ら	2008	29	10	34.5
熊田ら	2008	17	6	35.2
服部ら	2008	22	9	40.9
浜野ら	2009	53	25	47.2
富士根ら	2009	15	7	46.7
計		209	91	43.5％

有効率：50％以上発作が減少した患者数の100分率
（藤原建樹：新規抗てんかん薬への期待．第43回日本てんかん学会ワークショップ，2009[11]より）

作減少率はプラセボ群では−5.1％であったが，本剤群では14.8％であった（p=0.041）[35]。主たる発作型の50％以上発作減少率はTPM群がプラセボ群よりも優れていた（33％ vs. 8％：p=0.002）。おもな副作用は中枢系のものであったが，TPM群では副作用のために試験を中止した患者はいなかった。失立発作は受傷の危険が高く，本症候群の諸発作型のうちでも最も生活の質を妨げる発作型である。TPM併用療法はLGSの発作，とくに失立発作を減少させ，忍容性にも優れ，LGSに対する有効なオプションとみなされた。

②ドラベ（Dravet）症候群

Dravet症候群はあらゆる薬物治療に抵抗し，有効な薬剤の開発が急務である。本症候群へのTPMの併用効果に関する前方視的な多施設，オープン試験によるTPM追加の効果は，18例中3例（16.6％）で発作が消失，10例（55.6％）で50％以上の発作減少が得られている[7]。発作が増悪した症例はなかった。TPMはゆっくりと漸増，最大12 mg/kg/日まで試みている。

表2：小児期発症難治てんかんに対するトピラマートのてんかん類型別の併用効果

報告者	焦点てんかん 患者数	焦点てんかん 有効例	全般てんかん 患者数	全般てんかん 有効例	未決定てんかん 患者数	未決定てんかん 有効例
高橋ら 2008	—	—	—	—	6*	3
岩崎ら 2008	11	5	—	—	—	—
渡邊ら 2008	—	—	21	10	—	—
川脇ら 2008	16	8	19	8	—	—
鳥邊ら 2008	19	8	10	2	—	—
熊田ら 2008	5	2	12	4	—	—
浜野ら 2009	36	16	17	9	—	—
富士根ら 2009	10	5	5	2	—	—
計	97	44	84	35		
有効率（%）	45.4		41.7		50.0	

有効率：50%以上発作が減少した患者数の100分率
＊Dravet症候群
（藤原建樹：新規抗てんかん薬への期待．第43回日本てんかん学会ワークショップ，2009[11]より）

　高橋らはDravet症候群の11症例（7.1±6.2歳）を対象としTPMの治療効果を検討した[38]。投与前2ヵ月と投与後2ヵ月，投与後6ヵ月目を含む2ヵ月間の発作回数を比較したところ，けいれん発作に対する投与後2ヵ月での評価は，発作消失が1例，50%以上発作減少が6例，50%未満～無効が3例，悪化が1例であった。服用を6ヵ月間続けたのは10例で，発作消失が1例，50%以上発作減少が7例，50%未満～無効が2例，悪化が0例であった。以上から，本剤はDravet症候群のけいれん発作に有効と思われた。
③ウエスト症候群
　ウエスト症候群に対する本剤の有効性に関してはいまだ大規模なRCTは報告されていないが，少数例でのRCTあるいは観察研究で本剤の有効性が報告されている[32]。TPMはホルモン療法が困難な本症候群患者の治療選択肢になりうる可能性があり，今後の臨床試験の蓄積が待たれる。

G てんかん以外の有効性

片頭痛の予防治療に有効とするRCTがあり，米国では片頭痛の適応が認められている[36,37]。てんかんの場合よりは少ない用量（100 mg/日）で効果が発現している。また双極性障害の治療にも有効と言われている[28]。肥満の治療にも使われている[22]。今後，てんかん以外にも適応が拡大していく可能性がある。

まとめ

TPMの有効性に関する国内外の文献をレビューした。国内では小児と成人焦点てんかんの併用治療のみが承認されているが，海外の臨床試験によるエビデンスは小児，成人を問わず，焦点発作にも全般発作にも有効であることを示している。さらにレノックス・ガストー症候群，Dravet症候群，ウエスト症候群などの主要なてんかん性脳症にも効果が期待される。開始用量を少なくしてゆっくりと漸増することでさまざまな副作用を減ずることができる。

文　献

1) Arroyo S, Dodson WE, Privitera MD, et al.：Randomized dose-controlled study of topiramate as first-line therapy in epilepsy. Acta Neurol Scand **112**：214-222, 2005
2) Biton V, Montouris GD, Ritter F, et al.：A randomized, placebo-controlled study of topiramate in primary generalized tonic-clonic seizures. Topiramate YTC Study Group. Neurology **52**：1330-1337, 1999
3) Biton V, Edwards KR, Montouris GD, et al.：Topiramate TPS-TR Study Group. Topiramate titration and torelability. Ann Pharmacother **35**：173-179, 2001
4) Biton V, Bourgeois BF；YTC/YTCE Study Investigators：Topiramate in patients with juvenile myoclonic epilepsy. Arch Neurol **62**：1705-1708, 2005
5) Castillo S, Schmidt DB, White S：Oxcarbazepine add-on for drug-resistant partial epilepsy. Cochrane Database Syst Rev.(3)：CD002028, 2000
6) Chaisewikul R, Privitera MD, Hutton JL, et al.：Levetiracetam add-on for drug-resistant localization related (partial) epilepsy. Cochrane Database Syst Rev.(1)：CD001901, 2001

7) Coppola G, Capovilla G, Montagnini A, et al.：Topiramate as add-on drug in severe myoclonic epilepsy in infancy：an Italian multicenter open trial. Epilepsy Res **49**：45-48, 2002

8) Faught E, Wilder BJ, Ramsay RE, et al.：Topiramate placebo-controlled dose-ranging trial in refractory partial epilepsy using 200-, 400-, and 600-mg daily dosages. Topiramate YD Study Group. Neurology **46**：1684-1690, 1996

9) French JA, Kanner AM, Bautista J, et al.：Efficacy and tolerability of the new antiepileptic drugs, I：Treatment of new-onset epilepsy：report of the TTA and QSS Subcommittees of the American Academy of Neurology and the American Epilepsy Society. Epilepsia **45**：401-409, 2004

10) French JA, Kanner AM, Bautista J, et al.：Efficacy and tolerability of the new antiepileptic drugs, II：Treatment of refractory epilepsy：report of the TTA and QSS Subcommittees of the American Academy of Neurology and the American Epilepsy Society. Epilepsia **45**：410-423, 2004

11) 藤原建樹：新規抗てんかん薬への期待. 第43回日本てんかん学会ワークショップ. 弘前, 2009,10,23

12) Gerber PE, Hamiwka L, Connolly MB, et al.：Factors associated with behavioral and cognitive abnormalities in children receiving topiramate. Pediatr Neurol **22**（3）：200-203, 2000

13) Gilliam FG, Veloso F, Bomhof MA, et al.：A dose-comparison trial of topiramate as monotherapy in recently diagnosed partial epilepsy. Neurology **60**：196-202, 2003

14) Glauser TA：Topiramate use in pediatric patients. Can J Neurol Sci **25**(3)：S8-12, 1998

15) Glauser TA, Dlugos DJ, Dodson WE, et al.：EPMN-106/INT-28 Investigators. Topiramate monotherapy in newly diagnosed epilepsy in children and adolescents. J Child Neurol **22**：693-699, 2007

16) Guberman A, Neto W, Gassmann-Mayer C；EPAJ-119 Study Group：Low-dose topiramate in adults with treatment-resistant partial-onset seizures. Acta Neurol Scand **106**：183-189, 2002

17) 浜野晋一郎, 折津友隆, 南谷幹之, 他：小児難治てんかんにおけるトピラマートの部分発作と全般発作に対する有用性. てんかん研究 **27**：3-11, 2009

18) Jette N, Hemming K, Hutton JL, et al.：Topiramate add-on for drug-resistant partial epilepsy. Cochrane Database Syst Rev.(3)：CD001417, 2002

19) Karceski S, Morrell MJ, Carpenter D：Treatment of epilepsy in adults：expert opinion, 2005. Epilepsy Behav **7**（suppl. 1）：S1-64, 2005

20) 北山慎二, 山本恵章, 大月信彦, 他：新規抗てんかん薬．トピラマート. Medical Science Digest **33**：38-41, 2007

21) 協和キリン株式会社：社内資料.

22) Leombruni P, Lavagnino L, Fassino S：Treatment of obese patients with binge eating disorder using topiramate：a review. Neuropsychiatr Dis Treat **5**：385-392, 2009

23) Levisohn PM, Holland KD：Topiramate or valproate in patients with juvenile myoclonic

epilepsy : a randomized open-label comparison. Epilepsy Behav **10** : 547-552, 2007

24) Marson AG, Kadir ZA, Hutton JL, et al. : Gabapentin add-on for drug-resistant partial epilepsy. Cochrane Database Syst Rev.(3) : CD001415, 2000

25) Marson AG, Al-Kharusi AM, Alwaidh M, et al. : The SANAD study of effectiveness of carbamazepine, gabapentin, lamotrigine, oxcarbazepine, or topiramate for treatment of partial epilepsy : an unblinded randomised controlled trial. Lancet **369** : 1000-1015, 2007

26) Marson AG, Al-Kharusi AM, Alwaidh M, et al. : The SANAD study of effectiveness of valproate, lamotrigine, or topiramate for generalised and unclassifiable epilepsy : an unblinded randomised controlled trial. Lancet **369** : 1016-1026, 2007

27) 松田一己, 八木和一：トピラマート（KW-6485）の症候性局在関連性てんかんに対する第Ⅲ相臨床試験―プラセボを対照とした二重盲検並行群間比較試験. 新薬と臨床 **56** : 1385-40, 2007

28) Mula M, Cavanna AE, Monaco F : Psychopharmacology of topiramate : from epilepsy to bipolar disorder. Neuropsychiatr Dis Treat **2** : 475-488, 2006

29) 大沼悌一, 久郷敏明, 武田明夫, 他：トピラマート（KW-6485）の難治てんかんに対する後期第Ⅱ相試験―漸増法による有効性, 安全性および至適用量の検討. 新薬と臨床 **56** : 1659-1681, 2007

30) 大塚頌子：小児の症候性または潜因性局在関連性てんかんに対するトピラマートの有効性検証試験. てんかん研究 **31** : 19-29, 2013

31) 大塚頌子, 重松秀夫, 吉永治美, 他：小児の局在関連性てんかんに対するトピラマートの薬物動態ならびに安全性と有効性の検討. てんかん研究 **32** : 13-24, 2014

32) Ormrod D, McClellan K : Topiramate : a review of its use in childhood epilepsy. Paediatr Drugs **3** : 293-319, 2001

33) Privitera MD, Brodie MJ, Mattson RH, et al. : EPMN 105 Study Group. Topiramate, carbamazepine and valproate monotherapy : double-blind comparison in newly diagnosed epilepsy. Acta Neurol Scand **107** : 165-175, 2003

34) Ramaratnam S, Marson AG, Baker GA : Lamotrigine add-on for drug-resistant partial epilepsy. Cochrane Database Syst Rev.(3) : CD001909, 2001

35) Sachdeo RC, Glauser TA, Ritter F, et al. : A double-blind, randomized trial of topiramate in Lennox-Gastaut syndrome. Topiramate YL Study Group. Neurology **52** : 1882-1887, 1999

36) Silberstein SD, Lipton RB, Dodick DW, et al. : Efficacy and safety of topiramate for the treatment of chronic migraine : a randomized, double-blind, placebo-controlled trial. Headache **47** : 170-180, 2007

37) Silberstein S, Lipton R, Dodick D, et al. : Topiramate treatment of chronic migraine : a randomized, placebo-controlled trial of quality of life and other efficacy measures. Headache **49** : 1153-1162, 2009

38) 髙橋宏佳, 髙橋幸利, 美根　潤, 他：Dravet 症候群における Topiramate の治療効果. 脳と発達 **42** : 273-276, 2010

39) Wheless JW, Neto W, Wang S ; EPMN-105 Study Group : Topiramate, carbamazepine, and valproate monotherapy : double-blind comparison in children with newly diagnosed epilepsy. J Child Neurol **19** : 135-141, 2004
40) 八木和一：新規抗てんかん薬トピラマート．新薬と臨床 **56**：1353-1384，2007
41) 八木和一，山内俊雄 監訳：トピラマート．てんかん治療におけるトピラマートの使用に関するレビュー．エイディスインターナショナルリミテッド，大阪，2008

第 **6** 章

ラモトリギンのてんかん治療における意義

兼本浩祐

(愛知医科大学 精神科学講座)

　抗てんかん薬の開発はおもに4つの時期に分けて考えるとわかりやすい。第1世代はフェニトイン (phenytoin：PHT) とフェノバルビタール (phenobarbital：PB) に代表される時期で，有効だが，服用する側の負担が大きい薬剤が開発された時期であり，第1次世界大戦と第2次世界大戦を経て1960年代までの極めて長期間にわたる時期である。第2世代はカルバマゼピン (carbamazepine：CBZ) とバルプロ酸 (valproic acid：VPA) という忍容性が比較的高く，標的症状の明確な薬剤が出現した時期であり，1970年代から抗てんかん薬の治療は革新的な変化を体験したとも言えよう。第3世代は，今回，本書の対象となっている薬剤をはじめ，$GABA_A$受容体作動性あるいはグルタミン受容体抑制性という観点からその働きの特徴を整理することが可能な薬剤群であり，1980年から世紀の変わり目までに開発されたものである。第4世代は薬剤の発現機序が不明な点の多いレベチラセタム (levetiracetam：LEV) を便宜上分けてあるが第3世代に含んで考えて良い。

　図1に主要な抗てんかん薬の開発時期とプロフィールを略図化したが，抗てんかん薬の薬剤プロフィールは，本来，忍容性・有効性・選択性の3つの軸からなる三次元で示されるべきであり，これに重篤で危険性の高い副作用および薬剤相互作用が付加情報として付け加わったものと考えられる。図1はこの三次元を大きさ，矢印の方向，濃淡の3つの要素で表現することを試みたものである。

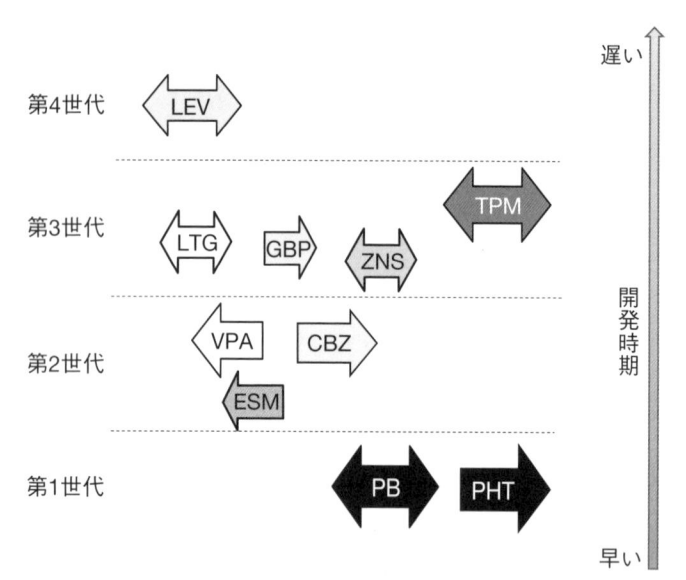

図1：主要な抗てんかん薬の開発時期とプロフィール
矢印の方向は左方向が全般てんかん，右方向が焦点性てんかんへの選択性を表す．矢印の濃淡は濃いものが忍容性が相対的に低いもの，うすいものが相対的に高いものを表す．矢印の大きさは有効性を表す．

A　ラモトリギンの標的症状

1．薬効の広域性と単剤療法の可能性

　ラモトリギン（lamotrigine：LTG）は，興奮性のグルタミン酸受容体を抑制することからも，全般てんかん，焦点性てんかんのいずれにも有効な広範な薬効を示すことが予想されるが，実際の臨床治験からもそうした予想は裏付けられている。図2，図3に提示したようにLTGは，特発性全般てんかん，焦点性てんかん，さらにてんかん性脳症をカバーする広い範囲で有効性を発揮することが示されている（図3）[3,20]。米国のエキスパート・コンセンサス・ガイドラインにおいても[13]，LTGは焦点性てんかん，特発性全般てんかんのいずれに対しても良い適応があるいくつかの薬剤の中に入っている。

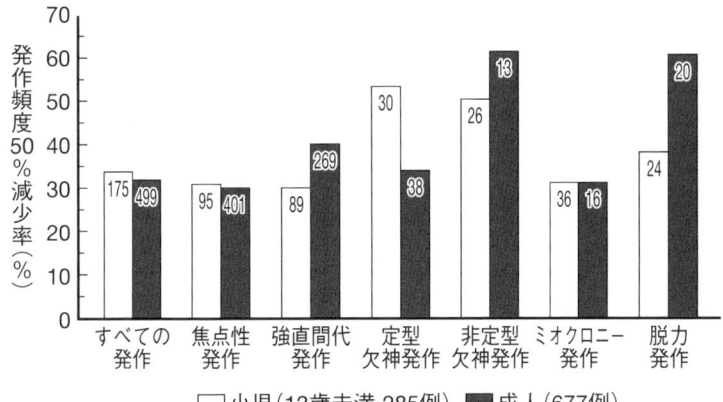

図2：発作型別ラモトリギン併用療法の有効性
小児：難治性てんかんを対象とする5非盲検試験の集計。ラモトリギン追加投与12週時
成人：難治性てんかんを対象とする27非盲検試験の集計。ラモトリギン追加投与12週時
(Besag FMC, et al.：J Pediatrics 127：991-997, 1995[3] より引用)

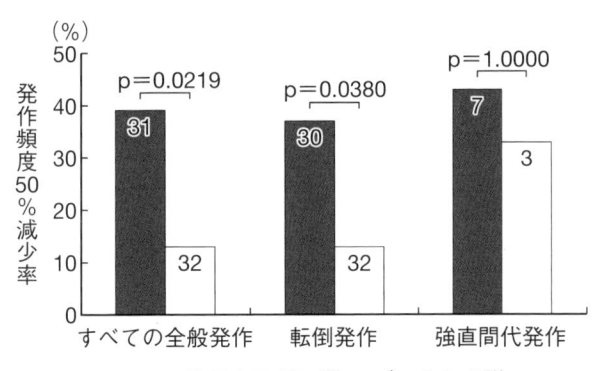

図3：レノックス・ガストー症候群における発作頻度50％減少率
(大田原俊輔, 飯沼一宇, 藤原建樹, 他：ラモトリギンの難治てんかんに対する単盲検比較試験—ゾニサミドを対照とした小児第Ⅲ相比較試験. てんかん研究25：425-440, 2008[20] より)

このことからは，発作型によって差はあるものの，基本的にはすべてのてんかん類型において，最初の抗てんかん薬が無効であった場合に追加して用いることが可能な薬剤であると考えることは妥当であろう。

英国で1999年に設立されて標準的治療の確立に向けて努力しているNICE (National Institute for Clinical Excellence) のガイドラインでは，ミオクローヌス発作以外のほとんどの主要な発作型に対して第1選択薬で使うことが可能であるとされている。ただし，このガイドラインは，開業医も含めた一般の非専門医への啓発を含めて書かれたガイドであるため平明ではあるが，公表されたガイドラインを読む限りでは根拠となる資料などは挙げられていない。

2. 抗うつ効果

LTGの標的症状を考える場合，何より特徴的なのは特異な抗うつ作用の存在であろう。側頭葉てんかんを中心として，てんかんにおいて抑うつ症状の割合が増大していることが今世紀に入ってから強調され始めたが（図4），てんかんにおける抑うつには特発性のうつ病とは異なり，かつててんかん性不機嫌と呼ばれていたような状態も相当数が含まれていると最近では考えられ

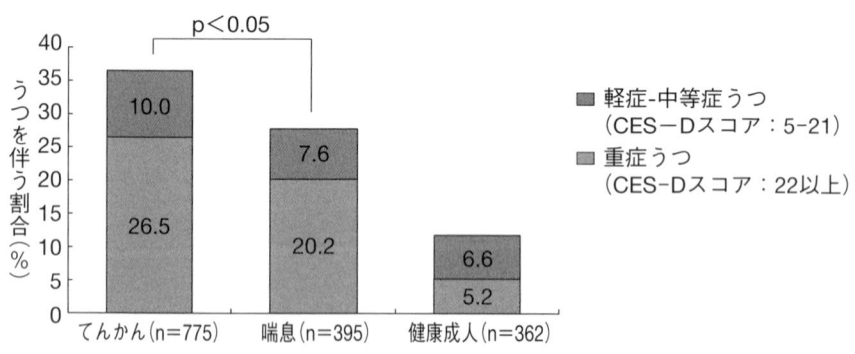

図4：うつ症状の有症状率
CES-D：Center of Epidemiology Studies-Depression Scale
(Ettiger A. et al.：Neurology 63：1008-1014, 2004[10] より引用)

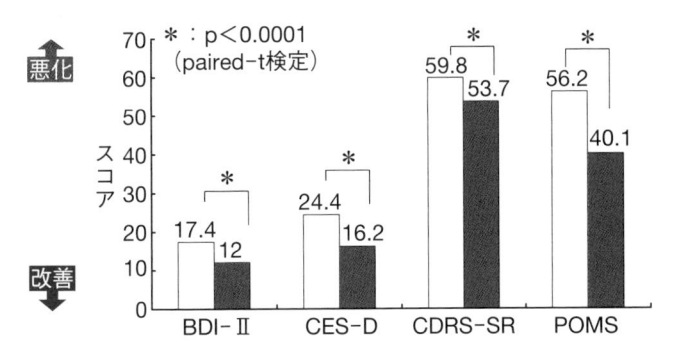

図5：ラモトリギンのてんかん患者の気分症状への影響
BDI-Ⅱ：Beck Depression Inventory Ⅱ
CES-D：Center for Epidemiological Studies-Depression Scale
CDRS-SR：Cornell Dysthymia Rating Scale-Self Report
POMS：Profile of Mood Status
対象：軽度〜中等度のうつ症状を有するてんかん患者（18歳以上）
方法：非盲検試験。ラモトリギンを現在の治療に付加し，7週以上にかけて漸増し，維持用量を12週間投与した。
(Fakhoury TA, et al.：EpilepsyBehav 10：155-162, 2007[11] より引用)

ている[10]。多くの総説で抗うつ薬の有効性が主張されているが，抗うつ薬の有効性に関しては説得力のあるランダム化比較試験（randomized controlled trial：RCT）に基づいたデータが十分にあるわけではない。これと比較して，LTGがてんかんにおける抑うつや双極性障害におけるうつ状態に対して効果があるというエビデンスは十分に蓄積されつつあり，精神症状の発生が懸念されるようなてんかんに関して，LTGが優先して選択されるべき薬の1つであるという考えには説得力がある（図5）[11]。PBやPHTといった従来から精神機能への影響が証明されている薬剤と比較してLTGがマイナスの影響が少ないのは当然としても，VPA（図6）[8]やCBZ（図7）[17]といった精神機能へのプラスの効果が期待されてきた薬剤よりも好ましい結果が精神作用については指摘されており，この点は特筆すべきことであろうと考えられる。

気分状態のプロフィール
(Profile of Mood States：POMS) 32週

スコア変化　観察開始時からの
改善 ↑
悪化 ↓

気分全般 13.8 / 0.4
混乱・困惑 1 / 0.4
疲労・惰性 1.2 / −0.7
活力・活動 1.6 / −1.3
怒り・敵意 2.9 / 0.4
抑うつ・落胆 3.8 / −0.6
緊張・不安 3.3 / 1.9

■ ラモトリギン(n=42)，□ バルプロ酸(n=36)

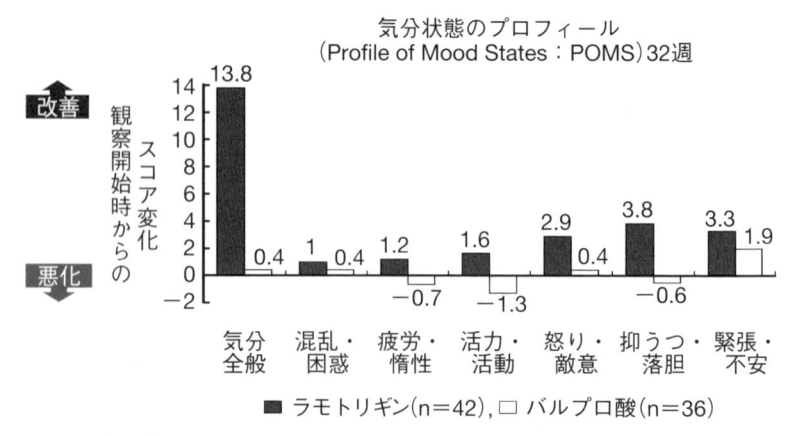

図6：バルプロ酸との比較
対象：新たにてんかんと診断された患者（12歳以上）
方法：二重盲検試験。ラモトリギン単剤またはバルプロ酸単剤に割り付け，8週間の増量期間後，さらに24週間維持投与した。投与開始時と投与10週目および32週目にPOMSを実施し気分の変化を評価した。
統計解析は実施していない
(Edwards KR, et al.：Epilepsy Behav 2：28-36, 2001[8])より引用)

B　ラモトリギンの臨床上の特徴

1. 有効性と忍容性

　全体的な抗てんかん作用の強さという点では，LTGは，LEVやTPMと比較すると中等度であるとの評価が多い。**表1，図8**は川崎医院と愛知医科大学での検討の結果であるが，焦点意識減損発作を対象に投薬後3ヵ月で比較した場合，LTGは，GBPよりも効果は優れているが，トピラマート（topiramate：TPM）よりは有効率は低いという結果であった。こうした結果は，他の調査とよく一致している（**図9**)[9]。

　他方でLTGの中断率の低さは際立っている。**図10**に示したように，われわれの検討では，3ヵ月後の中断率がTPMでは3割を超えたのに対して，LTGでは16％に留まっており，有意な差異があった。GBPは，忍容性の問題ではなく，効果不十分で投薬を中止した患者が多数含まれており，忍容性

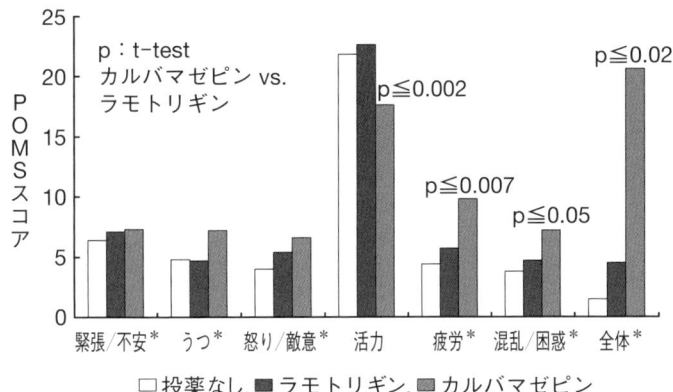

気分状態のプロフィール
(Profile of Mood States：POMS)

図7：ラモトリギンのてんかん患者の気分への影響（カルバマゼピンとの比較）
*スコアが低いほど良い状態（活力を除く）
対象：健康成人（24〜52歳）25例
方法：二重盲検交叉試験。カルバマゼピンまたはラモトリギンを二重盲検下で10週間投
　　　与した。各治療薬の投与終了時とWash Out期間の終了時にPOMSを実施した。
(Meador KJ, et al.：Neurology 56：1177-1182, 2001[17]）より引用）

の問題だけを考えた場合，LTG＞GBP＞TPMの順で忍容性は高いと考えられた。大規模な抗てんかん薬比較のオープン・スタディであるSANAD studyでも，LTGの脱落率の低さは確認されている（図11）[16]。

図12に忍容性と有効性を2つの軸として，主要な第3世代の抗てんかん薬を整理してある。

2．薬剤相互作用と半減率

LTGはおもに肝臓でのグルクロン酸抱合を通して代謝されるが，図13に示したように，CBZ，PHT，PB，プリミドン（primidone：PRM）など肝臓におけるCYPの活動を促進する薬剤と，VPAなどグルクロン酸抱合に拮抗する薬剤では，半減期に極端な差を生ずる[4]。結果として，とくにVPAとの併用では血中濃度の急激な上昇が起こり，副作用の項目で触れる薬疹を惹起しやすくなる可能性がある。

表1：Basic clinical data

	Lamotrigine (n=105)	Topiramate (n=70)	Gabapentin (n=98)
Sex (F/M)	44/61	30/44	45/53
Age (y. o.)	35.9 (SD=8.4)	36.0 (SD=12.4)	37.6 (SD=9.4)
Epilepsy Type			
TLE	26%	28%	41%
non-TLE PE	42%	37%	55%
LG	22%	19%	1%
Others	10%	16%	3%
Concomitant drugs	2.7 (SD=1.1)	2.5 (SD=1.1)	2.7 (SD=0.9)

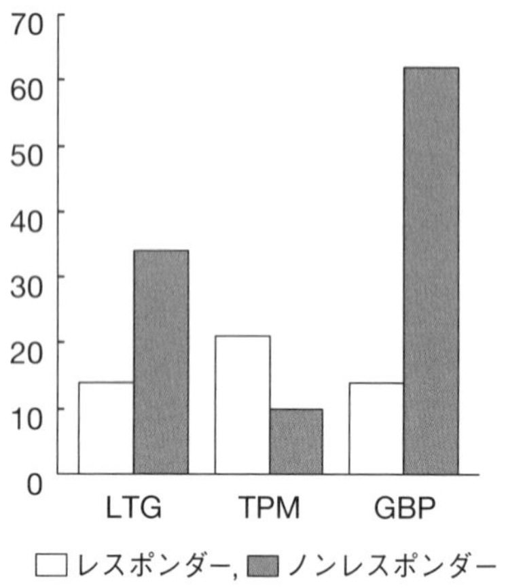

☐ レスポンダー, ■ ノンレスポンダー

図8：焦点意識減損発作に対する LTG, GBP, TPM の比較

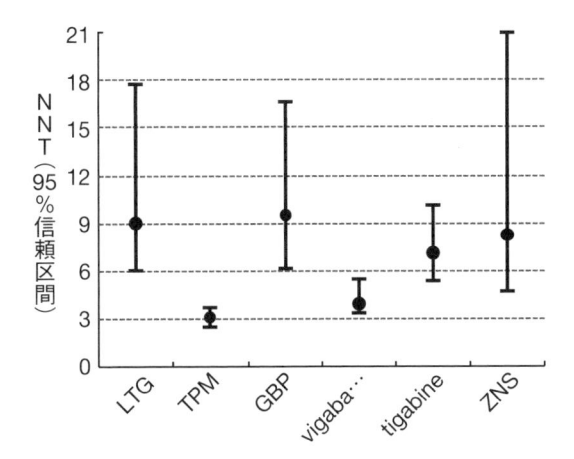

図9：各抗てんかん薬の NNT
(Elferink J A, et al.：BMJ 314：603, 1997[9])より引用)

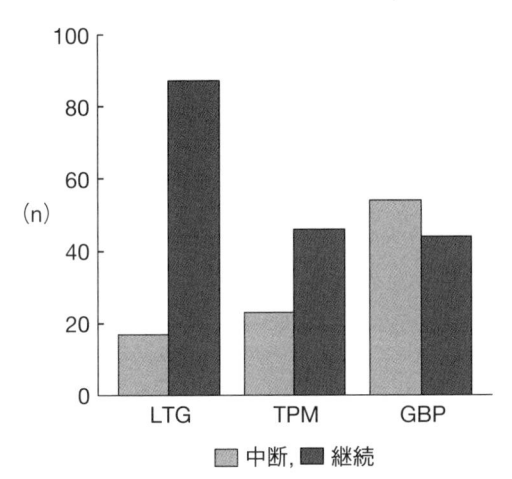

図10：中断率についての LTG, GBP, TPM の比較

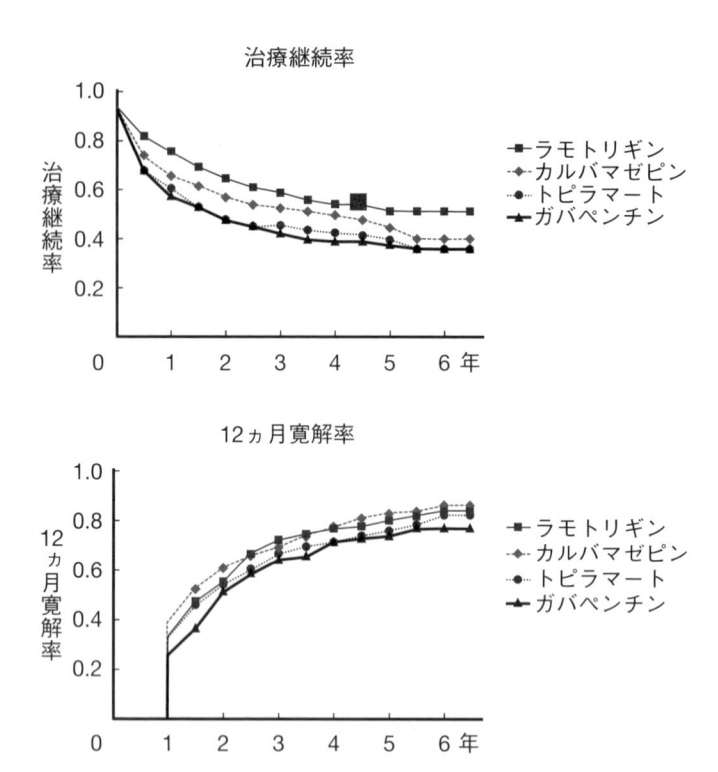

図 11：SANAD study—焦点性てんかん
対象：カルバマゼピンの単独投与が必要と考えられるてんかん患者（5歳以上）1721例
方法：非盲検下で無作為にカルバマゼピン（378例），ガバペンチン（377例），ラモトリギン（378例），トピラマート（378例）に割り付け，それぞれ単独で投与した。ラモトリギンは6週間かけて増量し，維持用量は16歳未満では3〜6 mg/kg/日，16歳以上の成人では150 mg/日を基準に投与した。
評価項目：
・治療継続期間：発作のコントロール不良および/または副作用による投与中止，他剤の追加が必要となるまでの期間
・12ヵ月寛解までの期間：発作消失状態が12ヵ月維持されるまでにかかった期間
(Marson A, et al.：Lancet 369：1000-1015, 2007[16]より引用)

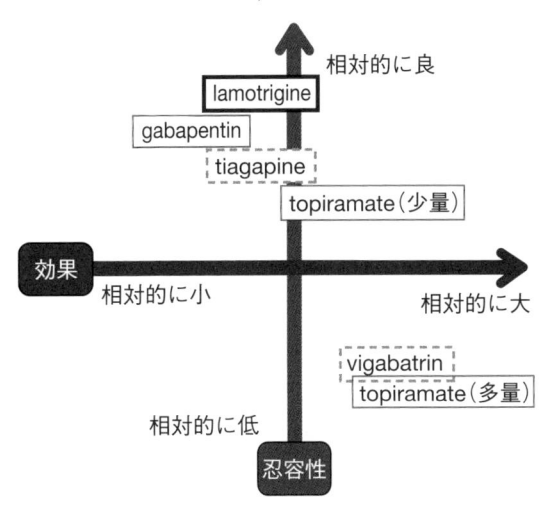

図12：新規抗てんかん薬の有効性と忍容性の比較
（兼本浩祐，大島智弘，田所ゆかり，他：成人期てんかんに対する新規抗てんかん薬．臨床精神薬理 10：581-587, 2007[14])）

A：健康成人（併用薬なし） 32.8
B：肝代謝酵素誘導薬*併用 12.6
C：バルプロ酸ナトリウム併用 70.3

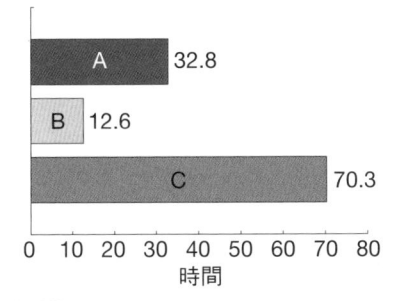

図13：併用薬別ラモトリギンの半減期
*カルバマゼピン，フェニトイン，フェノバルビタール，プリミドンなど
（BitonV：Expert Opin Drug Metab Toxicol 2：1009-1018, 2006[4]) より引用）

C ラモトリギンの副作用

1. 薬疹

　LTGの最大の実際的な副作用は，頻度から考えれば薬疹である。LTGと関連して出現する皮疹は，多形紅斑（erythema multiforme：EM），スティーブンス・ジョンソン症候群（Stevens-Johnson syndrome：SJS），中毒性表皮壊死症（toxic epidermal necrolysis：TEN），薬剤性過敏症症候群（drug-iduced hypersensitivity syndrome：DIHS）の4種類であり，いずれも全身に紅斑が出現するものである。これらの薬疹は，図14に提示したように2系統に分けて考えると臨床上わかりやすい。一方は，EM→SJS→TENと至る薬疹の系列であり，少なくともSJSからTENには移行型があり，いずれも失明や死亡などのリスクがあるという点でEMとは区別をしておく必要がある。発症のピークは図15に提示したように投薬後2ヵ月までが圧倒的に多く，3ヵ月を超えると重症薬疹の可能性は著しく減少すると考えてよい[12]。

　対照的に，DIHSは薬疹そのものが自然に消長を繰り返し，さらに投与後2ヵ月を超えて出現することが多いため，意識しないと見落とす場合がある。

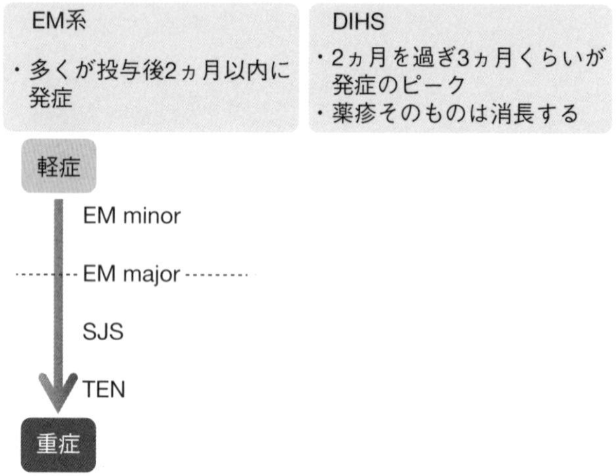

図14：LTGで誘発される薬疹

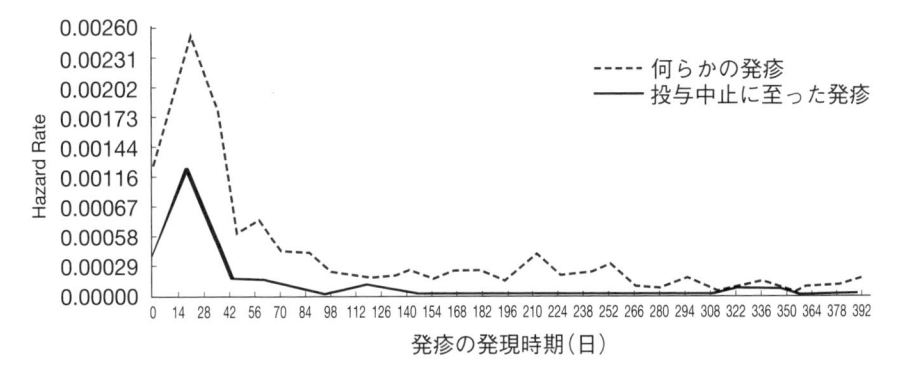

図15:ラモトリギンに関連する発疹の発現時期
(Guberman A, et al.：Epilepsia 40：985-991, 1999[12]より引用)

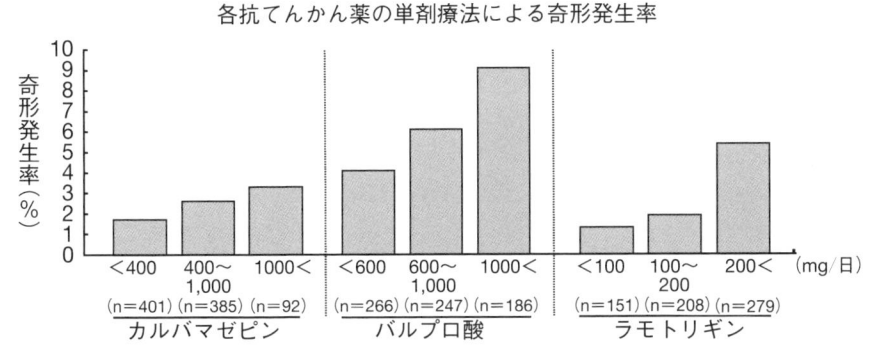

図16:抗てんかん薬の奇形発生リスク
(Morrow J, et al.：J Neurol Neurosurg Psychiatry 77：193-198, 2006[19]より引用)

ウイルスの特殊な再賦活化によるとされ，劇症肝炎などによる高い致死率があり，緊急の治療が必要とされる．

SJS，TEN，DIHSはいずれも，皮膚科の専門医に可能な限り早期に紹介しなければならない．VPAを服用例で血中濃度が急速に上昇した場合，CBZなどの服用ですでに薬疹の既往歴がある場合などは，とくに発生率は高まるとされている．

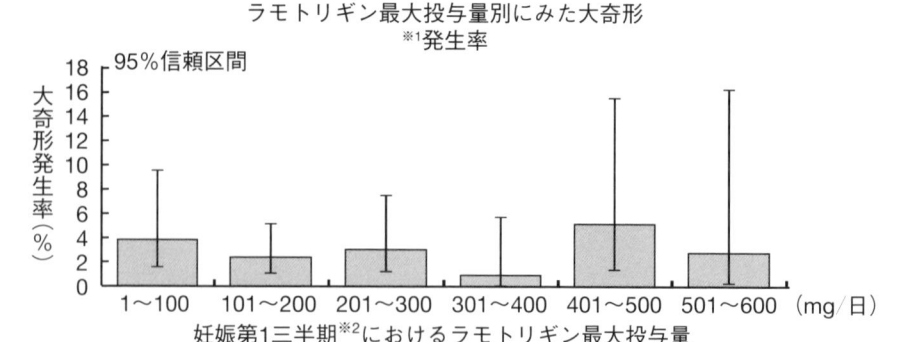

ラモトリギン最大投与量別にみた大奇形
※1発生率

[棒グラフ：妊娠第1三半期※2におけるラモトリギン最大投与量（mg/日）別の大奇形発生率（％）、95％信頼区間付き。区分：1～100、101～200、201～300、301～400、401～500、501～600]

図17：ラモトリギンの大奇形発生リスク
※1 大奇形：治療を要する先天奇形
※2 妊娠第1三半期：最終月経の初日～90日間
(Cunnington M, et al.：Epilepsia 48：1207-1210, 2007[7])より引用）

2. 妊娠・出産時[15]

催奇性に関しては，図16に示したように，LTGを200 mg以上投与した場合には，他の抗てんかん薬と変わりなくほぼ6％程度の催奇性が予想される[19]。ただし，図17に示したように，LTGと催奇性の間に用量依存性はないという指摘もあり，結論はなお1つではない[7]。1,000 mg以上の大量のVPAの投薬を可能な限り避けるという意味では，VPAの大量投与を発作抑制のために要する若年ミオクロニーてんかんなどでは，VPA＋LTGの2剤投与も考慮する余地もある。

授乳については，相対的乳児摂取量（relative infant dose：RID）と新生児における各AEDの半減期の双方からみることになるが，LTGは相対的にRIDが高く，半減期は中間程度となる。このため，ZNSやPBほどではないものの，授乳の際に一定の注意深い観察を要する。出産後，妊娠中と比べて，急速に濃度が上昇することも，この場合配慮しておく必要がある。

3. 認知機能

LTGは，認知機能に対する影響が比較的少なく[1,18]，図18で示したよう

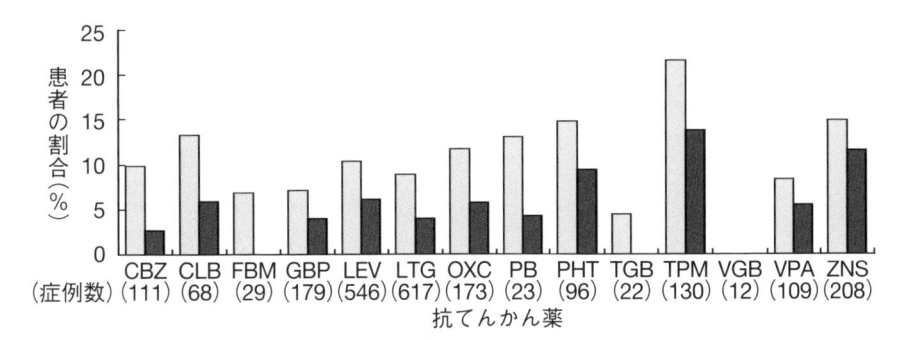

[グラフ: 認知機能への抗てんかん薬の影響]

□ 忍容できない認知機能低下, ■ 投与中止が必要となった認知機能低下

図18：認知機能への抗てんかん薬の影響
対象：1剤以上の抗てんかん薬を服用し，5年以上受診している16歳以上のてんかん患者
方法：認知機能低下について，カルテに記入された患者からの訴えと医師の記載をレビューした。
(Arif H, et al.：Epilepsy Behav 14：202-209, 2009[2])より引用)

に，少なくともZNSとTPMと比較すると有意に認知機能の問題による投薬の中断は少なかった[2])。また，図19に提示したように眠気を訴える頻度も低い薬剤である[6])。

4．体重変化

ZNSとTPMが体重減少，VPAとGBPが体重増加をもたらすのに対して，LTGは体重に対してとくに影響を与えない（表2)[5])。

D ラモトリギンの使用上の留意点

LTGの使用に際して最も注意を要するのは，薬疹への十分な説明と備えに尽きる。LTGは，併用薬によって血中半減期が大きく変化する薬剤であり，半減期の延長するバルプロ酸を服用中の場合，血中濃度が初期から高くなることで薬疹の出現率も高める可能性がある。したがって，プロトコールに従った慎重な増量を要する。

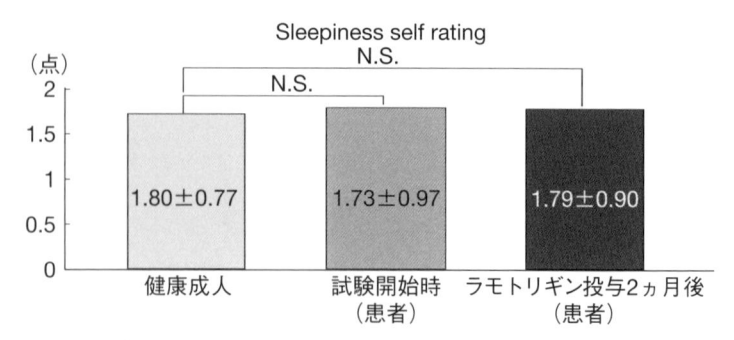

Sleepiness self rating

```
         N.S.
     N.S.
(点)  ┌────────────┐
 2   ┌──────┐ N.S.
1.5
     1.80±0.77  1.73±0.97  1.79±0.90
 1
0.5
 0    健康成人    試験開始時   ラモトリギン投与2ヵ月後
                 （患者）         （患者）
```

図 19：眠気への影響
対象：あらたにてんかんと診断された患者（19～37 歳）15 例，および健康成人 15 例（19～34 歳）
方法：患者群はラモトリギンを単独で 2 ヵ月使用した。健康成人は試験開始時，てんかん患者は試験開始時およびラモトリギン投与 2 ヵ月後に眠気を自己評価した。
(Bonanni E, et al.：ClinNeurophysiology 112：1018-1022, 2001[6] より引用)

表 2：抗てんかん薬の体重への影響

体重増加	体重減少	影響なし	不明
カルバマゼピン	トピラマート	ラモトリギン	エトスクシミド
ガバペンチン	ゾニサミド	レベチラセタム	フェノバルビタール
バルプロ酸	Felbamate	フェニトイン	Oxcarbazepine
Pregabalin			Tiagabine

(Biton V：Neurologist 12：163-167, 2006[5] より引用)

　LTG は，患者にとっては服用しやすい薬剤であり，しかも非常に広い範囲の発作に対して適応がある。また，抑うつを含む精神症状が懸念される患者に対しては優先して投薬されるべき薬剤であると考えられる。しかし，てんかん発作重積状態を含む可及的速やかで強力な発作の抑制が期待されてるような場面においては，急速飽和が危険性の高い副作用の発生率を高めることと有効性においてより優れた薬剤があることから，必ずしも最優先の薬剤ではないと思われる。

文　献

1) Aldenkamp AP, Arends J, Bootsma HPR, et al.：Randomized double-blind parallel-group study comparing cognitive effects of a low-dose lamotrigine with valproate and placebo in healthy volunteers. Epilepsia **43**：19-26, 2002

2) Arif H, Buchsbaum R, Weintraub D, et al.：Patients-reported cognitive side effects of antiepileptic drugs：Predictors and comparison of all commonly used antiepileptic drugs. Epilepsy Behav **14**：202-209, 2009

3) Besag FMC, Wallace SJ, Dulac O, et al.：Lamotrigine for the treatment of epilepsy in childhood. J Pediatrics **127**：991-997, 1995

4) Biton V：Pharmacokinetics, toxicology and safety of lamotrigine in epilepsy. Expert Opin Drug Metab Toxicol **2**：1009-1018, 2006

5) Biton V：Weight change and antiepileptic drugs：health issues and criteria for appropriate selection of an antiepileptic agent. Neurologist **12**：163-167, 2006

6) Bonanni E, Galli R, Gori S, et al.：Neurophysiological evaluation of vigilance in epileptic patients on monotherapy with lamotrigine. Clin Neurophysiol **112**：1018-1022, 2001

7) Cunnington M, Ferber S, Quartey G, et al.：Effect of dose on the frequency of major birth defects following fetal exposure to lamotrigine monotherapy in an International observational study. Epilepsia **48**：1207-1210, 2007

8) Edwards KR, Sackellares JC, Vuong A, et al.：Lamotrigine monotherapy improves depressive symptoms in epilepsy：A double-blind comparison with valproate. Epilepsy Behav **2**：28-36, 2001

9) Elferink JA, Van Zwieten-Boot BJ：Analysis based on number needed to treat shows differences between drugs studied. BMJ **314**：603, 1997

10) Ettiger A, Reed M, Cramer J, et al.：Depression and comorbidity in community-based patients with epilepsy or athma. Neurology **63**：1008-1014, 2004

11) Fakhoury TA, Barry JJ, Miller M, et al.：Lamotrigine in patients with epilepsy and comorbid depressive symptoms. Epilepsy Behav **10**：155-162, 2007

12) Guberman A, Besag FMC, Brodie M, et al.：Lamotrigine-associated rash：risk/benefit considerations in adults and children. Epilepsia **40**：985-991, 1999

13) Karceski S, Morrell MJ, Carpenter D：Treatment of epilepsy in adults：expert opinion, Epilepsy Behav **7**：S1-S64, 2005

14) 兼本浩祐，大島智弘，田所ゆかり，他：成人期てんかんに対する新規抗てんかん薬．臨床精神薬理 **10**：581-587，2007

15) 加藤昌明：抗てんかん薬．薬物治療コンサルテーション―妊娠と授乳―（伊藤真也，村島温子 編）．南山堂，東京，2020，pp529-548

16) Marson A, Al-Kharusi A, Alwaidh M, et al.：The SANAD study of Effectiveness of carbamazepine, gabapentin, lamotrigine, oxcarbazepine or topiramate forpartial epilesy：an unblinded randomised controlled trial. Lancet **369**：1000-1015, 2007

17) Meador KJ, Loring DW, Ray PG, et al.：Differential cognitive and behavioral effects of

carbamazepine and lamotrigine. Neurology **56** : 1177-1182, 2001

18) Meador KJ, Loring DW, Vahle VJ, et al. : Cognitive and behavioral effects of lamotrigine and topiramate in healthy volunteers. Neurology **64** : 2108-2114, 2005

19) Morrow J, Russell A, Guthrie, E. et al. : Malformation risks of antiepileptic drugs in pregnancy : a prospective study from the UK Epilepsy and Pregnancy Register. J Neurol Neurosurg Psychiatry **77** : 193-198, 2006

20) 大田原俊輔, 飯沼一宇, 藤原建樹, 他：ラモトリギンの難治てんかんに対する単盲検比較試験―ゾニサミドを対照とした小児第Ⅲ相比較試験. てんかん研究 **25** : 425-440, 2008

第 7 章
レベチラセタムのてんかん治療における意義

寺田清人, 井上有史

てんかんと発達の横浜みのる神経クリニック
国立病院機構静岡てんかん・神経医療センター

　レベチラセタム (levetiracetam：LEV) は 1999 年にアメリカで承認され, 現在 49 ヵ国以上で使用されている抗てんかん薬 (antiepileptic drag：AED) である。他の AED とは異なるメカニズム (シナプス小胞の SV2A への結合により神経伝達物質の放出を抑制) を持ち, 腎排泄で他の AED と相互作用を認めないなどの特徴がある。日本では 2010 年に成人の難治性焦点てんかんに対する併用薬剤として承認されたが, その後小児への適応焦点発作の単剤療法, 薬剤抵抗性の強直間代発作の併用療法としても承認された。また剤型としてはドライシロップや静注用製剤も販売されている。本稿ではその特徴, 有効性, 注意点などについて概説する。

A　レベチラセタムの有効性

1. 成人の焦点てんかんに対する有効性

　LEV の難治性焦点てんかんに対する有効性については, 欧米から 3 つの大規模二重盲検試験が[9,19,75], アジアからも 3 つの二重盲検試験が報告されている[81,85,87]。これらの試験ではプラセボ群に対して 1,000 mg 群, 2,000 mg 群もしくは 3,000 mg 群が比較された。実薬群では LEV が週単位で漸増され, 開始前 8～12 週間と維持量 12～14 週間の焦点発作回数減少率の中央値 (median percentage reduction in seizures：MPR), 50％レスポンダー率 (responder rate：50％RR), 100％レスポンダー率 (100％RR：発作抑制率) などが解析された。一部の試験ではさらに 75％レスポンダー率 (75％RR), 発作型ご

表1：難治性焦点てんかんに対する二重盲検試験におけるレベチラセタムの効果

			プラセボ群	1,000 mg群	2,000 mg群	3,000 mg群
焦点発作回数減少率（中央値）	全体	Cereghino ら	6.8%	32.5%		37.1%
		Shorvon ら	6.1%	17.7%	26.5%	
		Ben-Menachem & Falter	7.2%			39.9%
		Tsai ら	31.5%		47.8%†	
		Wu ら	13.7%			55.9%†
		Glauser ら	16.3%			43.3%†, *
		Piña-Garza ら	7.1%			43.6%**
		八木ら	6.1%	19.6%		27.7%
	焦点意識保持発作	Cereghino ら	34.4%	54.7%		44.8%
		Shorvon ら	9.1%	38.1%	46.3%	
		八木ら	32.9%	26.9%		31.2%
	焦点意識減損発作	Cereghino ら	6.4%	34.2%		45.6%
		Shorvon ら	9.1%	12.4%	24.4%	
		八木ら	−0.6%	21.6%		25.2%
	焦点起始両側強直間代発作	Cereghino ら	24.4%	84.7%		64.5%
		Shorvon ら	16.8%	37.4%	28.2%	
		八木ら	4.3%	25.9%		80.8%

とのMPRなども検討された（表1）。これらの試験の結果，MPRはプラセボ群で6.1～31.5％，1,000 mg群で17.7～32.5％，2,000～3,000 mg群で26.5～55.9％，50％レスポンダー率はそれぞれ3.8～26.0％・22.8～33.0％・28.6～55.9％，100％レスポンダー率はそれぞれ0.0～2.0％・3.0～5.0％・2.0～10.8％となり，多くのデータで統計的な有意差がみられた（表1）。これらの結果は，LEVにより最大55.9％の発作回数の減少が期待でき，LEVにより発作が50％以上減少する患者が最大55.9％，発作が消失する患者が最大10.8％期待できることを意味する。発作型ごとのMPRは焦点意識保持発作ではプラセボ群で9.1～34.4％，1,000 mg群で26.9～54.7％，2,000～3,000 mg群で31.2～46.3％，焦点意識減損発作ではそれぞれ−0.6～9.1％・12.4～34.2％・24.4～

表1：つづき

		プラセボ群	1,000 mg群	2,000 mg群	3,000 mg群
50% レスポンダー率	Cereghino ら	10.8%	33.0%		39.8%
	Shorvon ら	10.4%	22.8%	31.6%	
	Ben-Menachem & Falter	16.7%			42.1%
	Tsai ら	10.6%		43.5%†	
	Wu ら	26.0%			55.9%†
	Glauser ら	19.6%			44.6%†，＊
	Piña-Garza ら	19.6%			43.1%＊＊
	八木ら	13.8%	31.3%		28.6%
75% レスポンダー率	Cereghino ら	1.0%	12.8%		20.4%
	Shorvon ら	3.7%	10.9%	16.8%	
	Tsai ら	2.1%		28.3%†	
100% レスポンダー率	Cereghino ら	0.0%	3.0%		8.2%
	Shorvon ら	0.9%	5.0%	2.0%	
	Ben-Menachem ら	1.0%			8.2%
	Tsai ら	0.0%		8.5%†	
	Wu ら	2.0%			10.8%†
	Glauser ら	1.0%			6.9%†，＊
	Piña-Garza ら	5.9%			15.5%＊＊
	八木ら	0.0%	3.1%		4.8%

†：fall-back option があるため規定量以下の患者も含む。
＊：小児のため 60 mg/kg/日
＊＊：4 歳以下で 50 mg/kg/日，6 ヵ月以下で 40 mg/kg/日
灰色の背景色：プラセボ群に比べて統計的に有意差を持つ。
（寺田清人，井上有史：Levetiracetam の臨床効果—海外と日本—．臨床精神薬理 **13**：1685-1691, 2010[80]) 一部改変）

45.6%，焦点起始両側強直間代発作ではそれぞれ 4.3～24.4%・25.9～84.7%・28.2～80.8% となり，発作の抑制効果が（**表1**でみられるようにプラセボ効果の高いと思われる）焦点意識保持発作よりも，焦点意識減損発作さらには焦点起始両側強直間代発作でより強力であることが示されている。

これらのうち，Ben-Menachem ら[9] の研究では二重盲検試験の後に LEV の

単剤治療も評価された。単剤治療への移行の際にはLEVの用量を維持しつつ，12週間以内に徐々に他のAEDを減量・中止し，増悪がみられない場合にのみ単剤治療となった。239名中86名が単剤療法も試され，単剤治療ではMPRは73.8％，50％レスポンダー率は59.2％，100％レスポンダー率は18.4％であった。このことから，LEVが単剤でも有効性があることが示されている。わが国における単剤療法の試験においても発作消失が73.8％であったと報告されている[45]。

さらに，成人の難治性焦点てんかん患者を対象とした多数症例による市販後PhaseⅣ試験（KEEPER trial：1,030名[58]，SKATE study：1,541名[77]）では，MPRがそれぞれ62.3％・50.2％，50％レスポンダー率が57.9％・50.2％，75％レスポンダー率が40.1％・32.2％，100％レスポンダー率が20.1％・16.2％と報告されており，二重盲検試験よりもさらに良好な結果が報告されている。

これらの結果からLEVが焦点てんかんの治療に有効であることが示されているが，これらの数字は他剤にて抑制が困難であった難治性焦点てんかん患者を対象とした数字であることも忘れてはならない。Brodieら[16]は新規にてんかん（焦点てんかんも全般てんかんも含む）と診断された患者を対象に，LEVとcontrolled-release carbamazepine（CBZ-CR）との効果を比較した。必要に応じてそれぞれ3,000 mg，600 mgを最大量として漸増した。100％レスポンダー率は6ヵ月時点ではそれぞれ73.0％・72.8％，1年時点で56.6％・58.5％であった。この結果から，LEVとCBZ-CRはほぼ同様の有効性を持ち，二重盲検試験よりも良好な成績で，LEV単剤でもてんかん患者の56.6％で発作抑制が期待できることが示されている。

どのようなタイプの焦点てんかんにLEVが有効なのかを示す確証の高いデータはない。しかし，Benign epilepsy of childhood with centrotemporal spikesに有効[20]，高齢発症のてんかんに有効[8]，前頭葉てんかんに比べて側頭葉てんかんに有効[8]，てんかん外科の術後に発作が抑制されなかった患者に有効[43,59]，外傷後てんかんに有効[47]，ラモトリギン（lamotrigine：LTG）との併用がより効果的[47]とする報告もある。

2. 小児の焦点てんかんに対する有効性

　Glauser ら[33]は4〜16歳の，Piña-Garza ら[67]は1ヵ月から4歳の小児の難治性焦点てんかん患者におけるLEVの有効性を二重盲検試験にて報告した（表1）。MPRはプラセボ群でそれぞれ16.3%・7.1%，実薬群で43.3%・43.6%，50%レスポンダー率はプラセボ群でそれぞれ19.6%・19.6%，実薬群で44.6%・43.1%，100%レスポンダー率はプラセボ群で1.0%・5.9%，実薬群で6.9%・15.5%で，いずれの年齢群でもMPRと50%レスポンダー率に統計的な有意差がみられた。またわが国での試験でもMPRが43.2%と同等の結果が報告されている[61]。

3. 高齢者の難治性焦点てんかんに対する有効性

　前述の通り，LEVは高齢発症のてんかんに有効とする報告がある[8]。また，高齢者に対する有効性はPhase IV試験（KEEPER trial[26]，SKATE study[77]）でも示されている。65歳以上の患者がKEEPER trialで78名，SKATE studyで68名存在し，それぞれMPRは80.1%（SKATE studyにはMPRの記載なし），50%レスポンダー率は76.9%・66.2%，75%レスポンダー率は56.9%・45.6%，100%レスポンダー率は40.0%・32.4%であった。これらの効果は成人に比べても良好に思われたが，さらなる検証には二重盲検試験が必要である。

4. 特発性全般てんかん（IGE）に対する有効性

　LEVは焦点てんかんだけでなく，全般てんかんにも有効性が報告されている。Berkovic ら[11]は難治な全般性強直間代発作を有するIGE患者で二重盲検試験を行った。MPRはプラセボ群で44.6%，実薬群で77.6%，50%レスポンダー率は45.2%・72.2%，100%レスポンダー率は10.7%・34.2%で，いずれの数値も統計的に有意に実薬群で良好であった。さらに，Noachtar ら[63]は難治性のミオクロニー発作を伴うIGE患者で二重盲検試験を行った。50%レスポンダー率はプラセボ群で23.3%，実薬群で58.3%，100%レスポンダー率は5.0%・25.0%で，いずれのデータも統計的に有意に実薬群で良好であった。

これらの結果から，LEVはIGEにおける全般性強直間代発作やミオクロニー発作に対しても有効であることが示されている。わが国を含めたアジア各国との共同試験では50％レスポンダー率77.8％，100％レスポンダー率29.6％であった[86]。

5. その他の病態・疾患・症候群に対する有効性

それ以外の病態・疾患・症候群に対しては二重盲検試験がされていないが，一部で有効性が報告されている。この中には乳児重症ミオクロニーてんかん（Severe myoclonic epilepsy of infancy：SMEI）[78]，ウンフェルリヒト・ルントボルク（Unverricht Lundborg）病[24,54]，ミトコンドリア異常を伴うミオクローヌスてんかん（Myoclonic epilepsy with ragged red fibers：MERRF）[24]，ラフォラ（Lafora）病[13]，レノックス・ガストー症候群（強直発作を除く発作型）[25]，ミオクロニー失立発作（Myoclonic astatic epilepsy：MAE）[51]，Myoclonic absence[51]，Benign myoclonic epilepsy in infancy[51]，Negative myoclonus[30]，Continuous spikes and waves during slow sleep[3]，Landau-Kleffner症候群[48]，光過敏性てんかん[46]，けいれん重積状態[71]などが含まれるが，欠神発作に対する有効性については否定的な報告が多い[4,50]。

6. 他のAEDとの比較

前述のように，CBZ-CRとの比較では，LEVとCBZ-CRはほぼ同様の効果，忍容性があることが示唆されている[16]。Otoulら[64]はLEVと他の新薬（gabapentin：GBP，LTG，OXC，tiagabine：TGB，topiramate：TPM，zonisamide：ZNS）の効果をメタ解析により比較した。50％レスポンダー率の比較ではLEVはすべての他の新薬より優れた効果を示し，とくにGBPとLTGに対しては統計的な有意差を示した。継続率の比較ではGBPとLTG以外の薬物よりも優れた継続率を示し，とくにOXCとTPMに対しては統計的な有意差を示した。このため，LEVは他の新薬に比較しても優れた発作抑制作用，忍容性を有することが示唆されている。

7. 発作の逆説的増加

　AEDにより発作が増加する，もしくは新しい発作型が出現することがあるが（逆説的増加）[7,66]，LEVでも同様の報告がある。Nakkenら[62]は成人てんかんにおいては50％レスポンダー率が39.7％，100％レスポンダー率が9.0％という状況で25％以上の発作の増加が17.9％の患者でみられ，5.1％で二次性全般化傾向が出現し，3.8％では重積となったと報告した。発作の増加は開始4週間以内に生じた。また，小児てんかんでは50％レスポンダー率が20.5％，100％レスポンダー率が6.8％で発作の増加が43.2％でみられ，6.8％で新規の発作型が，9.1％で重積が出現した。増悪までの平均期間は7.7週間であった。これらの増悪は全例がLEVの中断により改善した。この報告で，彼らは逆説的増加が精神発達遅滞の患者，開始後2ヵ月以内，高投与量で生じやすいと結論している。他のopen-label試験でも3.2～23.2％で発作の増加が報告されている[21,58,77]。

　しかし，二重盲検試験における発作増加の割合をみると，Cereghinoら[19]の報告ではプラセボ群25.8％：実薬群12.2～13.8％，Tsaiら[81]の報告ではそれぞれ17.0％：15.2％，Wuら[85]の報告では33.0％：18.6％，Berkovicら[11]の報告では15.5％：10.1％，Noachtarら[63]の報告では8.6％：1.7％となっており，どの報告でも実薬群でプラセボ群より発作が増加したというデータはみられなかった。しかし，これらの二重盲検試験では投与量がプロトコールにより高投与量とはなりにくく，対象から難治でない患者，逆に高度に難治で併用薬剤数が極度に多い患者，高度の精神発達遅滞の患者などが除外されているため，そのデータを実際の医療現場にそのまま当てはめることはできないとも思われる。

8. QOLに対する有効性

　てんかんの診療では，AEDで発作が抑制されても，副作用，とくに認知機能や精神・行動面への影響などのためにQOLが反対に低下する場合もみられる。そのため，発作抑制だけでなくQOLも評価することが重要である。Cramerら[24]はプラセボ群，1,000 mg群，3,000 mg群のてんかん患者に対し

31項目の質問からなるQOL評価（QOLIE-31）を行った．その結果，実薬群では"発作に対する不安"，"全体のQOL"，"認知機能"について統計的に有意にプラセボ群よりも改善がみられ，悪化した項目はみられなかった．さらに，レスポンダー患者での解析ではすべての項目でプラセボ群よりも有意な改善がみられ，"治療効果"の項目以外では統計的な有意差を認めた．さらに，この患者群のうち101名を長期的（平均4.1年）に評価したところ，初期の改善が持続していることが示された[23]．この結果からLEVは発作抑制だけでなく，QOLに対しても効果があることが示されている．

9．てんかん以外の病態に対する効果

てんかんおよびミオクローヌス以外の各種病態に対する効果も報告されている．これまでの報告では片頭痛[57]，振戦[17]，神経痛[70,72]，多発性硬化症の強直性けいれん[39]，不安神経症[76]，急性躁病[37]，急速交代型双極性障害[15]，難治性双極性障害[69]，自閉症[73]などへの効果が示唆されている．いずれも少数の非二重盲検試験や症例報告などでありさらなる検証が必要であるが，合併症としてこれらの疾患・病態が存在する際にはAED選択の際に考慮するべきであろう．

B　レベチラセタムの効果発現までの時間差・効果の持続

てんかんの治療においては治療開始から効果発現までに時間差を伴うことがあり，臨床上の問題点のひとつとなっている．LEVの効果発現時期に関してはFrenchら[29]が二重盲検試験のデータをもとに検証し，投与開始1日目から発作抑制効果がみられていることを報告した．

AEDは投与が長期となるため，耐性や長期投与における忍容性の問題も大きい．Ben-Menachemら[9]は二重盲検試験のデータを用い，6，12，18，24，30，36，42，48，54ヵ月，それぞれでの有効性について検討した．全体としてのMPRは39.6％であったが経時的な減少は認めず，むしろ54ヵ月で最高となった．50％レスポンダー率は3ヵ月時点で39.0％，6ヵ月で36.1％，

最後の6ヵ月で41.0%であった。最後の6ヵ月では11.7%の患者で発作が抑制されていた。しかし，長期的効果の判定は，LEVの用量変更，他のAEDの種類や用量の変更などの要因も加わるためMPRやレスポンダー率だけでは評価できない。一方，効果がある場合には薬剤を継続していると想定されるため，継続率も重要な指標となる。Krakowら[49]は二重盲検試験のデータから継続率を推定し，1年目で60%，3年目で37%，5年目で32%と良好な結果を示した。しかし，最も多い中止理由が治験プロトコールの規定（26.3%）であったため，実際はさらに良好であることが予想された。

さらに，Abou-Khalilらは3ヵ月間レスポンダーであった患者のうち，73.6%は次の3ヵ月もレスポンダーで，そのうちの81.5%はさらなる3ヵ月もレスポンダーであったと報告している[2]。その他の報告でも治療開始1年時点では，継続率61.2～77.3%，発作抑制率14.3～26.0%と同等の効果が報告されており[10,12]，LEVの効果は長期に及び，耐性は生じにくいとものと考えられている。

C レベチラセタムの用量・効果関係

有効性を示す投与量に関しては1日500 mgから効果を示し[74]，4,000 mgではむしろ2,000 mgよりも効果を減ずる可能性があることが示唆されている[12]。これらの結果から，500～4,000 mgが適当であると想定される。

LEVの有効血中濃度，中毒域は確認されていないが，これまでの二重盲検試験での血中濃度は1,000 mg群で7.13～12.9 μg/mL，2,000 mg群で14.35 μg/mL，3,000 mg群で35.6～37.8 μg/mLであった[75,87]。半減期は成人で約7時間であるが，腎排泄であり，クレアチニンクリアランスの影響により高齢者では約9.5時間となり[27,40]，逆に小児では5～6時間と短くなる[34,65]。したがって，高齢者，小児，さらに腎機能が低下している患者では用量の調節が必要となる場合がある[27]。

LEVの用量・効果関係に関してもいくつかの報告がある。29名の患者で1,000 mgから1,000 mgずつ4,000 mgまで増量し，その効果を比較した研究[36]

では明らかな用量・効果関係はみられなかった。また，二重盲検試験のデータを用いた検討でも[56]，50％レスポンダー率・100％レスポンダー率いずれの指標も 1,000 mg 群，2,000 mg 群，3,000 mg 群の群間には有意差がみられなかった。しかし，Boon ら[14]の二重盲検の cross-over 試験では，プラセボ群と実薬群の間だけでなく，1,000 mg 群と 2,000 mg 群の間でも統計的有意差を認めた。これらの報告より，現時点では LEV の用量・効果関係を結論することは難しく，さらなる研究が必要と思われた。

D　レベチラセタムの安全性

1. 副作用

　LEV に関する副作用は各種の二重盲検試験の結果から**表2**のようにまとめられている[68]。これらの副作用の中で，LEV の中断にまで至ったものは，けいれん (3.4%)，眠気 (2%)，無力感 (0.6%)，うつ (0.6%)，ふらつき (0.5%)，頭痛 (0.5%) で[49]，そのうち眠気，ふらつき，無力感は初めの 4 週間に生じることが多い[68]。なお，アレルギー性の反応は二重盲検試験の解析ではプラセボ群と比較して違いがなく[28]，他の報告でも 0.6% と他の AED に比べても頻度が低いことが報告されている[5]。高齢者の解析でも同様の結果で，眠気 (16.7%)，ふらつき (9%)，錯乱 (3.8%)，無力感 (2.6%)，食欲不振 (2.6%)，消化不良 (2.6%)，外傷 (2.6%) が認められたが，いずれも重篤ではなかったと報告されている[26]。症例報告としては 30,000 mg の内服による中毒が報告され，患者は知覚鈍磨と呼吸抑制をきたしたが回復したと報告されている[6]。

　各種検査では赤血球数，ヘモグロビン，ヘマトクリット，白血球数などが軽度減少することが報告されている。プラセボに対して易感染性が認められるが (7.5%：13.4%)，感冒や上気道感染など軽症のものがほとんどである[28]。その他の生化学検査でも肝機能，腎機能，体重などに対する影響を含め，重篤な副作用は報告されていない[31,38]。

表2：二重盲検試験におけるLEVによる副作用の頻度

	LEV (n=769)(%)	プラセボ (n=439)(%)
全身		
無力感	15	9
頭痛	14	13
感染症	13	8
痛み	7	6
消化器		
食欲不振	3	2
神経系		
記名力低下	2	1
不安	2	1
失調	3	1
うつ	4	2
ふらつき	9	4
情緒不安定	2	0
反抗	2	1
神経過敏	4	2
しびれ	2	1
眠気	15	8
めまい	3	1
呼吸器		
咳	2	1
咽頭炎	6	4
鼻炎	4	3
副鼻腔炎	2	1
感覚器		
複視	2	1

(Physician's Desk Reference. 57th ed. Thompson PDR, NJ, USA, 3221-3224, 2003[68]より引用）

2．精神・行動面への影響

Abou-Khalilら[1]はLEVを服用した219名の解析から神経過敏（9.6％），うつ（7.3％），反抗（4.1％），パーソナリティ障害（3.7％），情緒不安定

(2.7%),不安(2.3%)を報告している。さらに,1%以下の頻度(1～3例)のものとして,精神病状態,興奮,多幸,自殺企図,幻覚が認められた。いずれの症状も軽度もしくは中等度であったが,精神病状態(2名),自殺企図,不安,うつ,反抗,パーソナリティ障害(各1名)は重篤なためLEVを中止するに至った。また,553例を解析した報告でもLEVを中止するに至った重篤な精神・行動面での副作用としてうつ(2.9%),易興奮性(2.5%),攻撃性(0.9%),幻覚(0.5%)が認められたと報告されている[84]。これらの副作用は精神科疾患,熱性けいれん,てんかん重積などの既往歴に関連して生じやすく,LTGの併用により抑制される傾向が報告されている[60]。

小児では精神・行動面の問題がより出現しやすい[32,83]。しかし,Wheless ら[83]は38.5%の小児患者で精神・行動面での問題が発生したが,25.6%でむしろ認知・行動の改善がみられたとも報告している。他の報告でも攻撃性が5%でみられたが,22%では行動の改善が認められたとしている[52]。

AEDの中には認知機能に対して影響があるものも存在する。Meadorら[55]は正常者で二重盲検のcross-over試験を行いLEVとカルバマゼピン(carbamazepine:CBZ)の認知機能に対する影響を比較した。CBZは34項目中15項目でLEVより不良で,CBZのほうが良好な項目はなかった。また,CBZは非服薬時に比較して34項目中26項目で成績が低下したが,LEVでは低下は4項目だけであった。また,Gomerら[35]はLEVもしくはTPMを内服している焦点てんかん患者において治療開始前後に高次脳機能検査を施行した。その結果,TPM群では認知速度,言語の流暢性,短期記憶で機能低下を示したのに対し,LEV群では低下を認めなかった。これらの結果から,LEVは認知機能に対しては比較的悪影響がないものと推察される。

3. 妊娠・授乳への影響

動物実験では催奇形性がないと報告されている[42]。ヒトにおいても少数例の症例報告では一部で低体重を認める以外の催奇形性は報告されていないが[44,53,79],他剤との併用下で大奇形を認めたとの報告もある[41]。胎児への影響の検証にはさらなるデータが必要である。なお,妊娠により母体でのLEV血

中濃度が30～50％に低下することが報告されている[82]。

母乳への移行は良好で，母乳中の濃度は血中濃度とほぼ等価である。しかし，乳児における濃度は低く，乳児では排泄力が高いものと想定されている[44]。そのため，授乳は禁忌ではないと考えられている。

まとめ

以上の結果から，LEVが焦点てんかんはもちろん各種のてんかん・病態に有効であり，その忍容性にも優れていることが示されている。海外ではLEVはすでに広く使用され，米国のexpert opinionでは焦点発作を有するてんかん患者に対する併用療法として第1選択となっている[18]。今後は本邦でもてんかん治療の有効な選択肢となることが期待される。

文　献

1) Abou-Khalil B, Hemdal P, Privitera MD：An open-label study of levetiracetam at individualized doses between 1000 and 3000 mg day (-1) in adult patients with refractory epilepsy. Seizure **12**：141-149, 2003

2) Abou-Khalil B, Lazenby B：Long-term experience with levetiracetam. Epileptic Disord **5**（suppl. 1）：S33-37, 2003

3) Aeby A, Poznanski N, Verheulpen D, et al.：Levetiracetam efficacy in epileptic syndromes with continuous spikes and waves during slow sleep；experience in 12 cases. Epilepsia **46**：1937-1942, 2005

4) Andermann E, Andermann F, Meyvisch P, et al.：Seizure control with levetiracetam in juvenile myoclonic epilepsies. Epilepsia **46**（suppl. 8）：205, 2005

5) Arif H, Buchsbaum R, Weintraub D, et al.：Comparison and predictors of rash associated with 15 antiepileptic drugs. Neurology **68**：1701-1709, 2007

6) Barrueto Jr F, Williams K, Howland MA, et al.：A case of levetiracetam (Keppra) poisoning with clinical and toxicokinetic data. J Toxicol Clin Toxicol **40**：881-884, 2002

7) Bauer J：Seizure-inducing effects of antiepileptic drugs—a review. Acta Neurologica Scandinavica **94**：367-377, 1996

8) Bazil CW, Rose A, Resor S, et al.：Levetiracetam may be more effective for late-onset partial epilepsy. Arch Neurol **59**：1905-1908, 2002

9) Ben-Menachem E, Falter U：Efficacy and tolerability of levetiracetam 3000 mg/d in patients with refractory partial seizures；a multicenter, double-blind, responder-selected study evaluating monotherapy. Epilepsia **41**：1276-1283, 2000

10) Ben-Menachem E, Gilland E : Efficacy and tolerability of levetiracetam during 1-year follow-up in patients with refractory epilepsy. Seizure **12** : 131-135, 2003

11) Berkovic SF, Knowlton RC, Leroy RF, et al. : Placebo-controlled study of levetiracetam in idiopathic generalized epilepsy. Neurology **69** : 1751-1760, 2007

12) Betts T, Waegemans T, Crawford P : A multicentre, double-blind, randomized, parallel group study to evaluate the tolerability and efficacy of two oral doses of levetiracetam, 2000 mg daily and 4000 mg daily, without titration in patients with refractory epilepsy. Seizure **9** : 80-87, 2000

13) Boccella P, Striano P, Zara F, et al. : Bioptically demonstrated Lafora disease without EPM2A mutation : a clinical and neurophysiological study of two sisters. Clin Neurol Neurosurg **106** : 5-9, 2003

14) Boon P, Chauvel P, Pohlmann-Eden B, et al. : Dose-response effect of levetiracetam 1000 and 2000 mg/day in partial epilepsy. Epilepsy Res **48** : 77-89, 2002

15) Braunig P, Kruger S : Levetiracetam in the treatment of rapid cycling bipolar disorder. J Psychopharmacol **17** : 239-241, 2003

16) Brodie MJ, Perucca E, Ryvlin P, et al. : Comparison of levetiracetam and controlled-release carbamazepine in newly diagnosed epilepsy. Neurology **68** : 402-208, 2007

17) Bushara KO, Malik T, Exconde RE : The effect of levetiracetam on essential tremor. Neurology **64** : 1078-1080, 2005

18) Carpenter D, Karceski S, Morrell MJ : Treatment of epilepsy in adults : expert opinion, 2005. Epilepsy Behav **7** : S1-S64, 2005

19) Cereghino JJ, Biton V, Abou-Khalil B, et al. : Levetiracetam for partial seizures : Results of a double-blind, randomized clinical trial. Neurology **55** : 236-242, 2000

20) Coppola G, Franzoni E, Verrotti A, et al. : Levetiracetam or oxcarbazepine as monotherapy in newly diagnosed benign epilepsy of childhood with centrotemporal spikes BECTS : an open-lavel, parallel group trial. Brain Dev **29** : 81-84, 2007

21) Coppola G, Mangano S, Tortorella G, et al. : Levetiracetam during 1-yerar follow-up in children, adolescents, and young adults with refractory epilepsy. Epilepsy Res **59** : 35-42, 2004

22) Cramer JA, Arrigo C, Van Hammée G, et al. : Effect of levetiracetam on epilepsy-related quality of life. Epilepsia **41** : 868-874, 2000

23) Cramer JA, Van Hammée G, N132 Study Group : Maintenance of improvement in health-related quality of life during long-term treatment with levetiracetam. Epilepsy Behav **4** : 118-123, 2003

24) Crest C, Dupont S, Leguern E, et al. : Levetiracetam in progressive myoclonic epilepsy : an exploratory study in 9 patients. Neurology **62** : 40-43, 2004

25) De Los Reyes EC, Sharp GB, Williams JP, et al. : Levetiracetam in the treatment of Lennox-Gastaut syndrome. Pediatr Neurol **30** : 54-56, 2004

26) Ferrendelli JA, French J, Leppik I, et al. : Use of levetiracetam in a population of patients aged 65 years and older : a subset analysis of the KEEPER trial. Epilepsy

Behav **4**:702-709, 2003

27) French J:Use of levetiracetam in special population. Epilepsia **42**(suppl. 4):40-43, 2001

28) French J, Edrich P, Cramer JA:A systematic review of the safety profile of levetiracetam:a new antiepileptic drug. Epilepsy Res **47**:77-90, 2001

29) French J, Arrigo C:Rapid onset of action of levetiracetam in refractory epilepsy patients. Epilepsia **46**:324-326, 2005

30) Gelisse P, Crespel A, Genton P, et al.:Dramatic effect of levetiracetam on epileptic negative myoclonus. Acta Neurol Scand **107**:302-303, 2003

31) Gidal BE, Sheth RD, Magnus, L, et al.:Levetiracetam does not alter body weight:analysis of randomized, controlled clinical trials. Epilepsy Res **56**:121-126, 2003

32) Glauser TA, Pellock JM, Bebin EM, et al.:Efficacy and safety of levetiracetam in children with partial seizures:an open-label trial. Epilepsia **43**:518-524, 2002

33) Glauser TA, Ayala R, Elterman RD, et al.:Double-blind placebo-controlled trial of adjunctive levetiracetam in pediatric partial seizures. Neurology **66**:1654-1660, 2006

34) Glauser TA, Mitchell WG, Weinstock A, et al.:Pharmacokinetics of levetiracetam in infants and young children with epilepsy. Epilepsia **48**:1117-1142, 2007

35) Gomer B, Wagner K, Frings L, et al.:The influence of antiepileptic drugs on cognition:a comparison of levetiracetam with topiramate. Epilepsy Behav **10**:486-494, 2007

36) Grant R, Shorvon SD:Efficacy and tolerability of 1000-4000 mg per day of levetiracetam as add-on therapy in patients with refractory epilepsy. Epilepsy Res **42**:89-95, 2000

37) Grunze H, Langosch J, Born C, et al.:Levetiracetam in the treatment of acute mania:an open add-on study with an on-off-on design. J Clin Psychiatry **64**:781-784, 2003

38) Harden C:Safety profile of levetiracetam. Epilepsia **42**(suppl. 4):36-39, 2001

39) Hawker K, Frohman E, Racke M:Levetiracetam for phasic spasticity in multiple sclerosis. Arch Neurol **60**:1772-1774, 2003

40) Hirsch LJ, Arif H, Buchsbaum R, et al.:Effect of age and comedication on levetiracetam pharmacokinetics and tolerability. Epilepsia **48**:1351-1359, 2007

41) Hunt S, Craig J, Russell A, et al.:Levetiracetam in pregnancy:preliminary experience from the UK Epilepsy and Pregnancy Register. Neurology **67**:1876-1879, 2006

42) Isoherranen N, Spiegelstein O, Bialer M, et al.:Developmental outcome of levetiracetam, its major metabolite in humans, 2-pyrrolidinone N-butyric acid, and its enantiomer (R)-alpha-ethyl-oxo-pyrrolidine acetamide in a mouse model of teratogenicity. Epilepsia **44**:1280-1288, 2003

43) Janszky J, Pannek HW, Janszky I, et al.:Failed surgery for temporal lobe epilepsy:predictors of long-term seizure-free course. Epilepsy Res **64**:35-44, 2005

44) Johannessen SI, Helde G, Brodtkorb E:Levetiracetam concentrations in serum and in breast milk at birth and during lactation. Epilepsia **46**:775-777, 2005

45) 兼子 直, Chan R, 中津智裕, 他：成人部分てんかんに対するレベチラセタム単剤療法の有効性と安全性—多施設共同無作為化非盲検第3相試験—. てんかん研究 **32**：519-532, 2015

46) Kasteleijn-Nolst Trenite DG, Marescaux C, Stodieck S, et al.：Photosensitive epilepsy：a model to study the effects of antiepileptic drugs. Evaluation of the piracetam analogue, levetiracetam. Epilepsy Res **25**：225-230, 1996

47) Kinirons P, McCarthy M, Doherty CP, et al.：Predicting drug-resistant patients who respond to add-on therapy with levetiracetam. Seizure **15**：387-392, 2006

48) Kossoff EH, Boatman D, Freeman JM：Landau-Kleffner syndrome responsive to levetiracetam. Epilepsy Behav **4**：571-575, 2003

49) Krakow K, Walker M, Otoul C, et al.：Long-term continuation of levetiracetam in patients with refractory epilepsy. Neurology **56**：1772-1774, 2001

50) Krauss GL, Betts T, Abou-Khalil B, et al.：Levetiracetam treatment of idiopathic generalised epilepsy. Seizure **12**：617-620, 2003

51) Labate A, Colosimo E, Gambardella A, et al.：Levetiracetam in patients with generalized epilepsy and myoclonic seizures：an open label study. Seizure **15**：214-218, 2006

52) Lagae L, Buyse G, Ceulemans B：Clinical experience with levetiracetam in childhood epilepsy：an add-on and monotherapy trial. Seizure **14**：66-71, 2005

53) Long L：Levetiracetam monotherapy during pregnancy：a case series. Epilepsy Behav **4**：447-448, 2003

54) Magaudda A, Gelisse P, Genton P：Antimyoclonic effect of levetiracetam in 13 patients with Unverricht-Lundborg disease：clinical observations. Epilepsia **45**：678-681, 2004

55) Meador KJ, Gevins A, Loring DW, et al.：Neuropsychological and neurophysiologic effects of carbamazepine and levetiracetam. Neurology **69**：2076-2084, 2007

56) Meencke HJ, Buyle S：Assessment of a dose-response relationship of levetiracetam. Eur J Neurol **13**：942-946, 2006

57) Miller GS：Efficacy and sagety of levetiracetam in pediatric migraine. Headache **44**：238-243, 2004

58) Morrell MJ, Leppik I, French J, et al.：The KEEPER TM1 trial：levetiracetam adjunctive treatment of partial-onset seizures in an open-label community-based study. Epilepsy Res **54**：153-161, 2003

59) Motamedi M, Nguyen DK, Zaatreh M, et al.：Levetiracetam efficacy in refractory partial-onset seizures, especially after failed epilepsy surgery. Epilepsia **44**：211-214, 2003

60) Mula M, Trimble MR, Yuen A, et al.：Psychiatric adverse events during levetiracetam therapy. Neurology **61**：704-706, 2003

61) 中村秀文, 大澤真木子, 横山輝路, 他：日本人小児部分てんかんに対するレベチラセタム併用療法の有効性と安全性の検討—多施設共同非盲検試験（N01223）14週間での評価—. Brain and Nerver **65**：1083-1092, 2013

62) Nakken KO, Eriksson AS, Lossius R, et al.：A paradoxical effect of levetiracetam may be seen in both children and adults with refractory epilepsy. Seizure **12**：42-46, 2003

63) Noachtar S, Andermann E, Meyvisch P, et al.：Levetiracetam for the treatment of idiopathic generalized epilepsy with myoclonic seizures. Neurology **70**：607-616, 2008

64) Otoul C, Arrigo C, Van Rijckevorsel K, et al.：Meta-analysis and indirect comparison of levetiracetam with other second-generation antiepileptic drugs in partial epilepsy. Clin Neuropharmacol **28**：71-78, 2005

65) Pellock JM, Glauser TA, Bebin EM, et al.：Pharmacokinetic study of levetiracetam in children. Epilepsia **42**：1574-1579, 2001

66) Perucca E, Gram L, Avanzini G, et al.：Antiepileptic drugs as a cause of worsening of seizures. Epilepsia **39**：5-17, 1998

67) Piña-Garza JE, Nordli Jr DR, Rating D, et al.：Adjunctive levetiracetam in infants and young children with refractory partial-onset seizures. Epilepsia **50**：1141-1149, 2009

68) Physician's Desk Reference. 57th ed. Thompson PDR, NJ, USA, 3221-3224, 2003

69) Post RM, Altshuler LL, Frye MA, et al.：Preliminary observations on the effectiveness of levetiracetam in the open adjunctive treatment of refractory bipolar disorder. J Clin Psychiatry **66**：370-374, 2005

70) Price MJ：Levetiracetam in the treatment of neuropathic pain：three case studies. Clin J Pain **20**：33-36, 2004

71) Rossetti AO, Bromfield EB：Determinants of success in the use of oral levetiracetam in status epilepticus. Epilepsy Behav **8**：651-654, 2006

72) Rowboham MC, Manville NS, Ren J：Pilot tolerability and effectiveness study of levetiracetam for postherpetic neuralgia. Neurology **61**：866-867, 2003

73) Rugino TA, Samsock TC：Levetiracetam in autistic children：an open-label study. J Dev Behav Pediatr **23**：225-230, 2002

74) Sharief M, Singh P, Sander J, et al.：Efficacy and tolerability study of ucb L059 in patients with refractory epilepsy. J Epilepsy **9**：106-112, 1996

75) Shorvon SD, Löwenthal A, Janz D, et al.：Multicenter double-blind, randomized, placebo-controlled trial of levetiracetam as add-on therapy in patients with refractory partial seizures. Epilspsia **41**：1179-1186, 2000

76) Simon NM, Worthington JJ, Doyle AC, et al.：An open-label study of levetiracetam for the treatment of social anxiety disorder. J Clin Psychiatry **65**：1219-1222, 2004

77) Steinhoff BJ, Somerville ER, Van Paesschen W, et al.：The SKATE TM study：an open-label community-based study of levetiracetam as add-on therapy for adults with uncontrolled partial epilepsy. Epilepsy Res **76**：6-14, 2007

78) Striano P, Coppola A, Pezzella M, et al.：An open-label trial of levetiracetam in severe myoclonic epilepsy of infancy. Neurology **69**：250-254, 2007

79) Ten Berg K, Samren EB, Van Oppen AC, et al.：Levetiracetam use and pregnancy outcome. Reprod Toxicol **20**：175-178, 2005

80) 寺田清人, 井上有史：Levetiracetamの臨床効果―海外と日本―. 臨床精神薬理 **13**：1685-1691, 2010

81) Tsai J, Yen D, Hsih M, et al.：Efficacy and safety of levetiracetam (up to 2000 mg/day) in taiwanese patients with refractory partial seizures：a multicenter, randomized, double-blind placebo-controlled study. Epilepsia **47**：72-81, 2006

82) Westin AA, Reimers A, Helde G, et al.：Serum concentration/dose ratio of levetiracetam before, during and after pregnancy. Sieuzre **17**：192-198, 2008

83) Wheless JW, Ng YT：Levetiracetam in refractory pediatric epilepsy. J Child Neurol **17**：413-415, 2002

84) White JR, Walczak TS, Leppik IE, et al.：Discontinuation of levetiracetam because of behavioral side effects：a case-control study. Neurology **61**：1218-1221, 2003

85) Wu X, Hong Z, Wu X, et al.：Multicenter double-blind, randomized, placebo-controlled trial of levetiracetam as add-on therapy in Chinese patients with refractory partial-onset seizures. Epilepsia **50**：398-405, 2009

86) Wu L, Yagi K, Hong Z, et al.：Adjunctive levetiracetam in the treatment of Chinese and Japanese adults with generalized tonic-clonic seizures：a double-blind, randomized, placebo-controlled trial. Epilepsia Open **3**：474-484, 2018

87) 八木和一, 亀山茂樹, 兼子　直, 他：成人難治部分てんかんに対するレベチラセタム併用療法の有効性と安全性―多施設共同プラセボ対照無作為化二重盲検並行群間比較試験―. てんかん研究 **28**：3-16, 2010

第 8 章

ゾニサミドのてんかん治療における意義

大澤真木子

(東京女子医科大学名誉教授)

ゾニサミド (zonisamide：ZNS) は，焦点てんかんおよび全般てんかんを適応症とし，小児，成人いずれにも使用することができる新世代の抗てんかん薬であり，本邦で開発された数少ない薬剤である[54]。ZNS は，本邦で 1989 年 6 月から，米国で 2000 年から，そして欧州では 2005 年に使用可能となった。30 年の歴史を持つわが国ではとくに信頼が厚く，小児てんかんに最も使用されている抗てんかん薬の 1 つである。また，脳保護作用も知られており，脳外科手術後のけいれん予防作用，各種脳損傷における急性期のけいれんを抑制する作用，低酸素負荷による皮質梗塞縮小[13,27]も報告されている。1 歳未満に対する安全性は確立されていない（使用経験が少ない）とされるが，実際には乳児にも頻用されている。本剤は，焦点発作およびいくつかの全般発作に効果スペクトルを示し，治療抵抗性の高い（難治性）症例を含む焦点てんかんおよび全般てんかんの治療薬として高い有用性が認められている[2,4〜11,31,32,34,37,39,43〜46]。また単剤投与で各発作型に優れた効果を示すことが報告されている[21]。乳幼児期の難治性てんかんであるウエスト症候群を中心に，ZNS の有用性，投与法について述べる。

A　ゾニサミドの有効成分に関する理化学的知見[54]

ZNS の構造は，図 1 に示す通りであるが，ベンズイソキサゾール骨格(benzisoxazole 複合体）であり，多くの抗てんかん薬によくみられるウレイド (ureide) 構造を含まない化合物である。その側鎖にはアセタゾラミド (acetazolamide：AZ) と共通の sulfamoyle group を持つ。

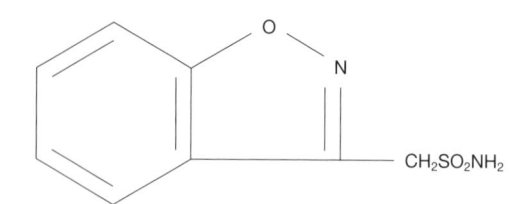

図1：ゾニサミド（zonisamide）の構造式

化学名：1.2-Benzisoxazole-3-methanesulfonamid
分子式：C_8H_8N_2O_3S
分子量：212.23
融点：164〜168℃
分子係数：1.04（クロロホルム・水系溶媒, pH7.04, 室温）
性状：白色〜微黄色の結晶または結晶性の粉末である。アセトンまたはテトラヒドロフランに溶けやすく, メタノールにやや溶けにくく, エタノール（95）に溶けにくく, 水にもきわめて溶けにくい。

B　ゾニサミドの作用機序と薬用量

　注目される薬理作用としては, 電位依存性 Na$^+$ チャネルの阻害作用, および T 型 Ca^{2+} チャネル（低濃度作働性 Ca チャネル）阻害作用, ドパミン産生増強作用および神経保護作用が挙げられる。前2者により神経細胞の興奮抑制をし, 抗てんかん作用を示す。2次的に GABA を強化し, 前シナプスにおける gulutamate 放出をブロックする。また細胞外のドパミン, セロトニンレベルを上昇する。この, T 型 Ca チャネルの阻害作用は特異的で, 他にはエトスクシミド（ethosuximide：ESM）しかない。この T 型 Ca チャネルの阻害作用により, 他の抗てんかん薬が無効な発作に対し, しばしば著効するといわれる。
　神経保護作用としては, 脳外科手術後のけいれん予防作用, 各種脳損傷における急性期のけいれんを抑制する作用, 低酸素負荷による皮質梗塞縮小[13,27]も報告されている。また, 画期的なこととしてスーパーオキサイドより強力な毒性を持つヒドロキシラジカルを用量依存的に消去すること[29]が知られている。一方, 神経細胞膜の過酸化による神経伝達物質およびレセプ

ターの異常は，アスパラギン酸の放出を介して興奮性アミノ酸レセプター活性を亢進させるとともに，GABAの放出低下を介してGABAレセプター活性を低下させるので，この過酸化を抑制する点でもけいれん予防効果が期待できる。また，同じ成分が，抗パーキンソン薬として薬効を認められた。適応外であるが発作性運動誘発性ジスキネジア患者14例に約2 mg/kg単剤投与した経験から，効果は1週間で判明するので第1選択薬としての使用を推奨する論文[26]や，副作用としての食欲不振による肥満症治療の可能性を探る論文もある[3]。

経口投与により，迅速に吸収され，最高血中濃度は2〜6時間で得られ[13]，95％と高度のbioavailabilityを示し，食事内容には影響されない。血漿蛋白との結合率は40％で，排泄は腎臓から30％，肝臓から70％が代謝される。長期での半減期は63時間であるので，1日1回投与でもけいれんが起こる危険率は低いことが特徴として挙げられる（図2）[28]。

他の薬剤の血中濃度には影響を与えないが，他の薬剤から影響を受けることがある。肝臓のCytochromeP450酵素による誘導や抑制は受けない。

定常状態に達しているフェニトイン（phenytoin：PHT），カルバマゼピン（carbamazepine：CBZ），ラモトリギン（lamotrigine：LTG），バルプロ酸（valproic acid：VPA）などの血中濃度には臨床的に有意な影響は与えない。経口避妊薬への影響も与えない。小児では，通常2〜4 mg/kgで開始，1〜2週間ごとに2 mg/kgで増量，最高12 mg/kgまで，または副作用が出るまで増量する。思春期以降は成人と同様である。成人では，100〜200 mgで開始，2週間ごとに100 mgずつ600 mgまで増量する。治療域の血中濃度は10〜30 μg/mLであるが，若年者では上がりにくい。

1歳未満での安全性は確立されていないとされるが，実際には乳児でも頻用される[24]。

C ゾニサミドの副作用（図3，表1）

ZNSを成人または小児のてんかん患者に使用した際の副作用として，発疹

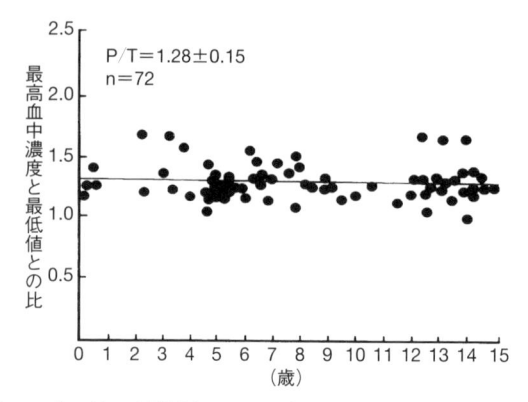

図2：ゾニサミド単剤1日1回投与中の潜因性局在関連て
んかん小児例における血中最高濃度と最低濃度の比
の年齢による変化
(Miura H：Seizure 13(suppl. 1)：S17-23, 2004[28]より引用)

1.4〜2.4%，眠気・活気がない・イライラ2.3〜16.3%，食欲不振11%，発汗減少0.1〜0.9%，腎結石0.06〜0.2%などが報告されている。小児で起こりやすい副作用は，食欲低下，体重減少，眠気，発汗障害である。

発汗障害によるうつ熱は，体温上昇によりけいれんが誘発される状況下ではとくに留意する必要がある。とくに夏場では，発汗の代用として，濡れタオルを用意して身体を拭く，あるいは頻繁のシャワー，保冷剤などを用いて体温調節を図る必要がある。

精神症状や興奮しやすさを示すことがあり，患児の社会的立場を困難にすることがあり，投与開始後初期にはとくに，暴力的行動，性的興味の高まり，羞恥心を欠くような行動の有無に留意する。ウエスト症候群のような難治性てんかんでは，発作により患児がイライラしている場合もある。単剤の場合は15 mg/kgでも眠気は出ない場合がある。他に何ら誘因なく自殺念慮が生ずるという報告もある[25]。

尿路結石は，米国で注目された副作用で carbonic anhydrase の抑制作用によるとされ，AZ の約100〜200分の1以下といわれる。しかし，副腎皮質刺激ホルモン（adrenocorticoidtropic hormon：ACTH）との併用の場合や寝た

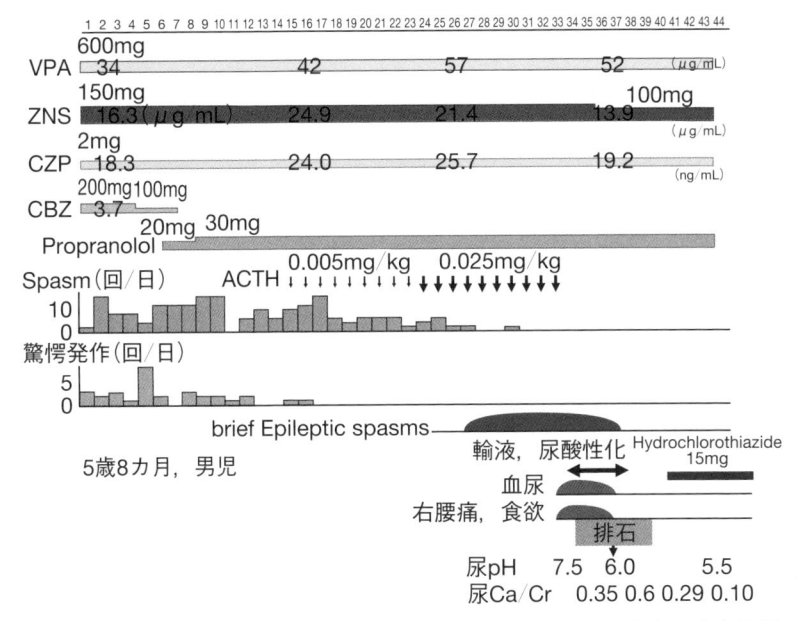

図3：ACTHとZNSの併用中に尿路結石をきたした症例の入院中の臨床経過
(斎藤義朗, 柳垣　繁, 小国弘量, 他：ACTHとzonisamideの併用療法下に腎盂結石をきたした驚愕てんかんの1例. 脳と発達 34(5)：415-420, 2002[35])

きりの重症心身障害児では起こりうる。服薬開始数ヵ月後に発症し，成分はリン酸Caであるとの報告が多く，炭酸脱水素酵素との親和性を有する点から，尿のアルカリ化・尿中Ca上昇を介する可能性が指摘されている[16,22]。著者らも，ZNSなどの抗てんかん薬とACTH製剤を併用したところ，ACTH増量後に腎結石を認めた症例を経験した[35]（図3）。この例では，血中Cl値，尿pH，尿中Ca/Crが上昇していた。ACTHも腎結石のリスクを高める可能性が考えられ，ZNSと併用する場合にはより慎重な観察が必要である。ケトン食治療中に腎結石をきたした報告[33]，ZNS服用中で長期臥床を余儀なくされる重症心身障害児2例で腎盂腎炎を契機に結石が判明し，体外衝撃波結石破砕術で除去した報告もある[12]。須永ら[41]は1年以上ZNSを継続内服中のてんかん患者60名で腎結石のリスク因子につき後方視的に検討し，8名に結石

表1：ZNS単剤投与療法304例における有害事象（10%以上に認められたもの）

	ZNSの投与量別群（mg/日）			全体（n=167）
	25 (n=56)	100 (n=52)	300 (n=59)	
全身症状				
頭痛	23 (41.1)	24 (46.2)	28 (47.5)	75 (44.9)
感染症	9 (16.1)	11 (21.2)	10 (16.9)	30 (18.0)
無力症	11 (19.6)	6 (11.5)	7 (11.9)	24 (14.4)
腹痛	5 (8.9)	6 (11.5)	9 (15.3)	20 (12.0)
消化器症状/代謝性				
吐気	11 (19.6)	12 (23.1)	13 (22.0)	36 (21.6)
食欲不振	6 (10.7)	5 (11.5)	5 (8.5)	17 (10.2)
下痢	3 (5.4)	9 (17.3)	5 (8.5)	17 (10.2)
神経系/神経精神症状				
めまい	7 (12.5)	12 (23.1)	9 (15.3)	28 (16.8)
不眠症	4 (7.1)	6 (11.5)	9 (15.3)	19 (11.4)
眠気	4 (7.1)	1 (1.9)	12 (20.3)	17 (10.2)
呼吸器症状				
鼻炎	7 (12.5)	9 (17.3)	9 (15.3)	25 (15.0)
咽頭炎	9 (16.1)	4 (7.7)	7 (11.9)	20 (12.0)

を認め，内服期間10～11年で腎結石形成率が有意に高値であったのでZNSの内服期間を10年未満に抑えるべきであると述べている。家族歴の聴取，定期的な尿検査（毎月，少なくとも3ヵ月に1回），超音波検査，水分摂取の推奨などを行うべきであろう。サイアザイド系利尿薬には，ZNSによる尿のアルカリ化を正常化する効果はないと思われるが尿細管におけるCa再吸収増強作用があり，尿路結石の再発予防に広く用いられている。

D　ゾニサミドの小児てんかんにおける有効性

小児の焦点てんかんに対する高い有効率が示されている。
　わが国のZNS開発当時に行われた小国らの報告によると（図4），小児て

んかん患者397例におけるZNSの各発作型に対する有効率は20〜32%であった[30]。2004年のIinumaらが報告した小児928例の前向き試験では, 焦点てんかんで75〜79%, 全般てんかんで35〜75%と, 焦点てんかんにおいてより良好な成績が得られた[17]（図5）。そのほかのわが国の報告（表2）をみると, 焦点てんかんにおいて66〜97%（難治例44%）という高い有効率も示されている[13,23,28,38,40]。韓国で行われた多施設二重盲検比較試験では, ZNS単剤による24週間の発作非発現率は約70%で, CBZと同等であった[20]（図6）。なお, ZNSの1日有効投与量に関しては, Yagiらが, 16歳以上で平均約250 mg, 16歳未満で約5.5 mg/kgであったと報告している[47]。

E 成人における二重盲検試験

米国, メキシコ, 欧州で304例を対象に二重盲検試験が, 25, 100, 300 mg

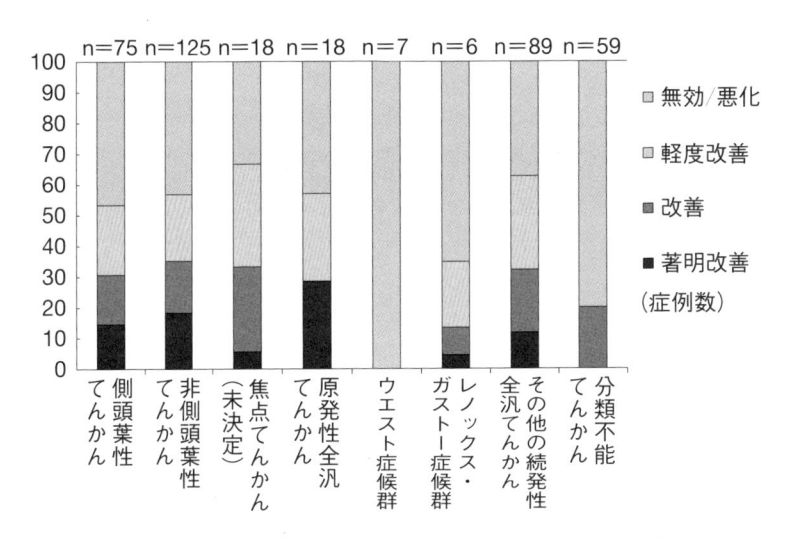

図4：ゾニサミド追加投与例小児てんかん397例における有効性
（小国弘量, 林 北見, 福山幸夫, 他：新抗てんかん薬AD-810 Zonisamideの小児てんかんにおける臨床第三相試験. 小児科臨床41（2）：439-450, 1988[30]より引用）

焦点発作

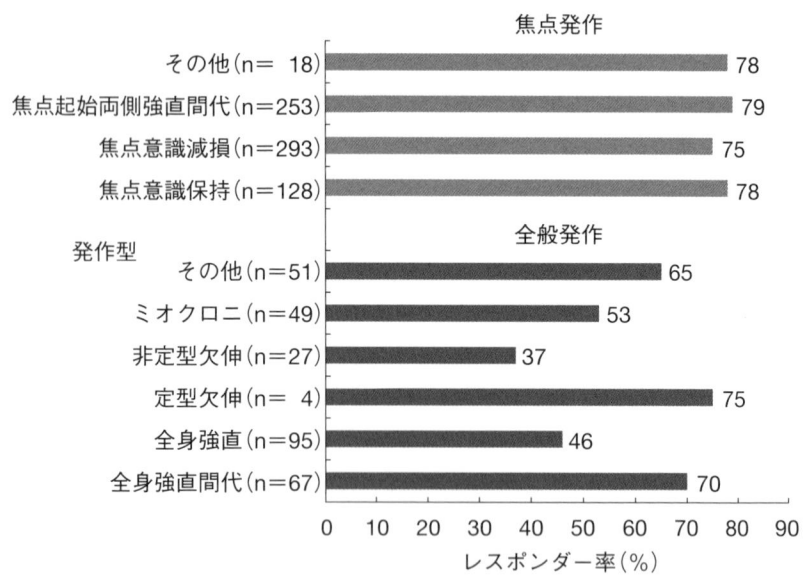

発作型
- その他(n= 18) 78
- 焦点起始両側強直間代(n=253) 79
- 焦点意識減損(n=293) 75
- 焦点意識保持(n=128) 78

全般発作
- その他(n=51) 65
- ミオクロニ(n=49) 53
- 非定型欠伸(n=27) 37
- 定型欠伸(n= 4) 75
- 全身強直(n=95) 46
- 全身強直間代(n=67) 70

レスポンダー率(%)

図5：発作型別 ZNS の効果（1〜3歳，928例，発売後の前方視的調査結果）
(Iinuma K, et al.：Seizure 13（suppl. 1）：S34-39, 2004[17]より引用）

表2：小児てんかんに対する ZNS 単剤投与の効果

著者	年	対象	平均年齢 （範囲）歳	ZNS 量 (mg/kg/日)	反応性 ％ (n/N) 部分発作	全般発作
Shuto ら	1989	難治	9.4 (3〜18)	2〜10	44 (11/25)	NA
Kumagai ら	1991	混在	8.4 (0.7〜15)	2〜12	97 (31/32)	50 (7/14)
関ら	2004	混在	8.3 (0.7〜15)	1〜12	92 (44/48)	90 (18/20)
早川ら	1994	新鮮	NR (<15)	2〜10	66 (21/32)	67 (10/15)
Miura ら	2004	新鮮	8.2 (0.2〜15)	2〜8	79 (57/72)	NA

の3用量で，単剤投与で実施された。300 mg の群が最も有効であったが，副作用は必ずしも用量依存性ではなかった。また，吐気，食欲不振，下痢は実薬の群で有意に多かったが，中枢神経症状は両群で有意ではなかった。

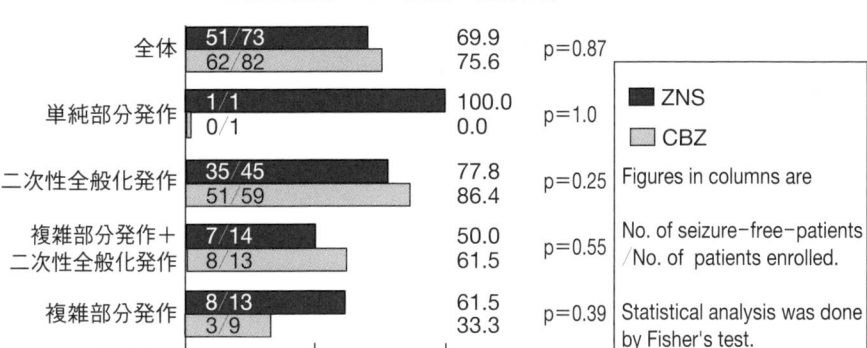

図6：韓国におけるCBZとZNS単剤投与の比較（多施設共同研究）

F　ウエスト症候群におけるゾニサミドの有用性

　ウエスト症候群に対するZNSの有効率は，20〜40％とする報告が多い（**表3**）[15,18,19,24,42,49〜51]。ウエスト症候群では22〜39％で発作もヒプスアリスミアも消失し，比較的低用量で数日で効果が出現する[15,18,19,50,51]。その1つであるLotzeらの報告は，平均月齢12ヵ月，てんかん発症時月齢7ヵ月の症候性ウエスト症候群23例（2ヵ月〜47ヵ月）を対象としたものである[24]。

　スパスムス発症後平均2.5ヵ月後から，ZNSを初回量平均6.2 mg/kgより開始し，最大18 mg/kgまで増量した。26％の例で効果は14〜35日で出現し，発作もヒプスアリスミアも消失し，そのまま単剤で抑制されていると報告している。発作が消失した6例（26％）と残存した17例（74％）の背景を比較すると，消失群の平均発症が11.5ヵ月で，残存群の7.9ヵ月に比べて高かった。ZNS投与開始前の使用抗てんかん薬数，最大投与量，平均血中濃度および副作用は残存群で高かった（**表4**）。また，消失群はすべて症候性のウエスト症候群で，消失までの期間は平均19日であった[24]。

　当院でもその有効性を30％で確認している[49]。ウエスト症候群に対する

表3：ウエスト症候群に対するゾニサミド単剤療法（報告例）

著者	年	患者数(n)	有効率 n（%）
引間ら	1993	13	5（38）
柳原ら	1995	9	3（33）
Yanai et al	1999	27	9（33）
川脇ら*	1999	16	4（25）
Kishi ら	2000	3	3（100）
Suzuki ら*	2001	54	11（20）
Lotze TE ら	2004	23	6（26）
Yanagaki ら	2005	23	7（30.2）

有効率：スパスムとヒプスアリスミアが消失した例の割合
重篤な副作用は報告されていない

表4：ウエスト症候群におけるZNSによる発作消失例と非消失例の特徴の違い

特徴	発作消失，数＝6	発作残存，数＝17
臨床的発作の発症月齢平均（範囲）	11.5（4〜42）	7.9（2〜18）
予め使用された抗てんかん薬剤数平均（範囲）	0.7（0〜2）	1.4（0〜6）
ZNSの開始量，mg/kg/日平均（範囲）	6.5（4〜10）	6.4（1〜11）
ZNSの最高投与量，mg/kg/日	13.8（10〜22）	19.5（10〜32）
ZNSの血中濃度平均（範囲），μg/mL	21.0（17〜25）	39.5（22〜68）
有害事象，例数（%）	1（16）	4（23）

（Lotze TE, et al.：Neurology 62（6）：296-298, 2004[24]より引用）

ZNSの投与方法の検討として，Yanagakiらは，対象を投与法別に3群に分け，有効性を比較した。Group 1は3 mg/kgから開始し，3日ごとに3〜10 mg/kgずつ増量，Group 2は5 mg/kgから開始し，3〜7日後に10 mg/kgに増量，Group 3は最初から10 mg/kg 1日2回で2週間投与した。有効例は，Group 1で8例中1例（13%），Group 2で5例中3例（60%），Group 3で10例中4例（40%）であった（表5）。有効血中濃度15 μ/mLに達するまで

に，Group 1 では 8〜14 日要したが，Group 2 では 4〜8 日，Group 3 では最も早い 4〜6 日であった（図 7）[49]。

このデータより，ウエスト症候群例の入院治療で行う場合に一部の発作が多く退行の著しい例などで，インフォームド・コンセントの上，10 mg/kg で開始し，そのまま 2 週間継続してその有効性を確認していた。すぐに入院できず，外来で ZNS 投与を始める場合にも短期漸増法を考慮してよいと思われる。また，ZNS 開始後有効濃度に達した 1〜2 週間以内に反応がみられない場合は，ACTH 製剤に変更する方法を推奨した。

専門家のコンセンサス研究として，ZNS は日本でも米国でもウエスト症候群治療薬の第 1 選択薬のひとつに挙げられている。

G　てんかん性無呼吸発作におけるゾニサミドの有用性

てんかん性無呼吸発作に対し，ZNS の有効性が期待できる。

また，先天性奇形症候群のウエスト症候群発症例で焦点発作として無呼吸発作を認めた例でも奏功した。われわれは，てんかん性無呼吸に続いてウエスト症候群を呈した月齢 11 ヵ月の男児例を経験している。

表 5：ウエスト症候群に対するゾニサミド療法：3 群における臨床情報

群	数	男/女	潜因性/症候性	発症（月）	先に他の抗てんかん薬を投与された例数	ZNS 開始月齢（m）	効果 著効	効果 有効
1	8	4/4	4/4	5.3±4.3	4 (50%)	6.3±4.4	1 (S)	0
2	5	2/3	4/1	5.5±1.3	1 (20%)	7.0±2.3	3 (C：2，S：1)	0
3	10	3/7	3/7	5.5±2.1	5 (50%)	7.2±2.8	3 (C：2，S：1)	1 (S)
計	23	9/14	11/12	5.7±2.7	10	6.8±3.3	7 (C：4，S：3)	1 (S)

ZNS：zonisamide，C：潜因性，S：症候性
(Yanagaki S, et al.：Brain Dev 27：286-290, 2005[49] より引用)

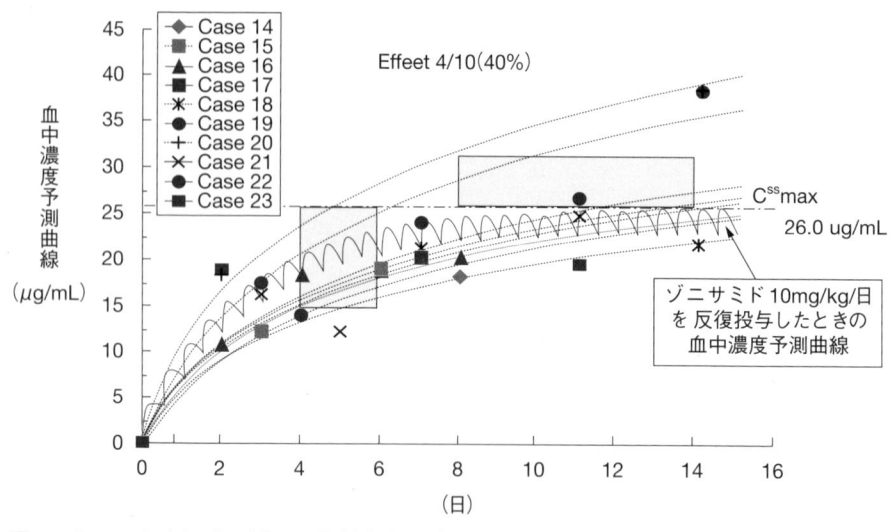

図7：ウエスト症候群に対する単剤治療とゾニサミドの血中濃度曲線
Those of the 3rd group with the superimposed calculated simulation curve. The serum ZNS concentrations shown by the various marks were scattered along the simulation curve, and reached over 15 μg/mL approximately on the 4th-6th day, and 26 μg/mL on the 8th-14th day. The dotted lines were calculated by a logarithmic approximation based on the actual serum ZNS concentrations sampled repeatedly within a 2-week period. The simulation curves of the serum ZNS concentrations were calculated based on the following parameters：κ_a=0.7（1/h），κ_e=0.01515（1/h），and V_d=1.1（1/kg）］．(Yanagaki S, et al.：Brain Dev 27（4）：286-290, 2005[49] より引用)

　　先天奇形症候群の１歳１ヵ月男児。生後２ヵ月時より無呼吸発作が出現し，CBZ，VPA，AZにより無呼吸発作は改善されたが，８ヵ月時よりシリーズ形成性（epileptic spasms：ES）が出現し当科初診。脳波上 hypsarrhythmiaを認め，ウエスト症候群の診断でVPA開始。ACTH療法にて発作消失。11ヵ月時に発熱，喘鳴，睡眠時無呼吸を主訴に来院。著明な筋緊張低下，嚥下障害，胃食道逆流を認めた。発作間欠期脳波は異常なく，誤嚥性肺炎，閉塞性あるいは中枢性無呼吸として入院加療開始。浅眠時に無呼吸出現し，脳波上左側頭中部起始の反復性律動性 θ 波を認めた。CLBは無効で，ZNS開始後に無呼吸発作消失した。本児の無呼吸は側頭葉内側由来の自律神経発作と推察

されるが，頭部 MRI では脳梁および両側前頭葉低形成を示した。ウエスト症候群に ES 以外の発作型が先行，併発，続発することはあるが，焦点発作として無呼吸発作を認めることはまれである。

赤池らは，てんかん性無呼吸を呈する乳児 21 例を検討し，基礎疾患として脳形成異常，脳梁欠損などがみられること，重度の発達遅滞が観察されること，発作時の脳波所見として rhythmic θ 波がほぼ半数に認められること，半数以上の患児の発作焦点が側頭葉であること，ZNS などが有効であったことを報告している[1]。

H　レノックス・ガストー症候群と大田原症候群

追加投与による 3 研究[17,36,48]によれば，レノックス・ガストー症候群に対し 50%以上の発作減少が 26〜54%でみられたとの報告，また韓国の多施設研究では 50%で改善を認めたという[36,48,53]。

大田原症候群でも著効例がある。また，Cardio-Facio-Cutaneous 症候群（CFC）では多様な発作を示すが[52]，われわれは頻回の失立転倒発作を呈した CFC に ZNS が奏効した例を経験している。今後の研究の進展が望まれる。

まとめ

本邦で開発された ZNS は，焦点てんかんのみならず，全般てんかんにも有効である。米国と日本のてんかん専門家のコンセンサスに関する研究では，潜因性の焦点発作，および，ウエスト症候群においては，第 1 選択薬となっている。抗てんかん作用に加えて，脳保護作用もあることが明らかになってきており，今後，乳幼児におけるてんかんの予防と治療にさらに使用可能な薬剤として期待される。

文　献

1) 赤池洋人, 中川栄二, 須貝研司, 他：無呼吸を主症状とする乳児側頭葉てんかんの 3 例.

脳と発達 **40**（1）：33-37，2008

2) Baulac M, Leppi JE：Efficacy and safety of adjunctive zonisamide therapy for refractory partial seizures. Epilepsy Res **75**：75-83, 2007

3) Boland CL, Harris JB, Harris KB：Pharmacological management of obesity in pediatric patients. Ann Pharmacother **49**（2）：220-232, 2015

4) Brodie MJ：Zonisamide clinical trials：European experience. Seizure **135**：565-570, 2004

5) Brodie MJ：Zonisamide as adjunctive therapy for refractory partial seizures. Epilepsy Res **685**：S11-16, 2006

6) Brodie MJ, Duncan R, Vespignani H, et al.：Dose-dependent safety and efficacy of zonisamide：a randomized, double-blind, placebo-controlled study in patients with refractory partial seizures. Epilepsia **46**（1）：31-41, 2005

7) Coppola G, Grosso S, Verrotti A, et al.：Zonisamide in children and young adults with refractory epilepsy：an open label, multicenter Italian study. Epilepsy Res **83**：112-116, 2009

8) Dupont S, Striano S, Trinka E, et al.：Flexible dosing of adjunctive zonisamide in the treatment of adult partial-onset seizures：a non-comparative, open-label study (ZEUS). Acta Neurol Scand **121**（3）：141-148, 2010

9) Faught E：Review of united states and European clinical trials of zonisamide in the treatment of refractory partial-onset seizures. Seizure **135**：559-565, 2004

10) Faught E, Ayala R, Montouris GG, et al.：Randomized controlled trail of zonisamide for the treatment of refractory partial-onset seizures. Neurology **57**：1774-1779, 2001

11) Fukushima K, Seino M：A long-term follow-up of zonisamide monotherapy. Epilepsia **47**（11）：1860-1864, 2006

12) 橋本浩平，進藤哲哉，山本卓宣，他：抗てんかん薬服用中の重症心身障害児における体外衝撃波結石破砕術を行った腎結石の2例．Japanese Journal of Endourology **27**（1）：217-220，2014

13) 早川武敏，捻橋芳久，岸　高正，他：小児てんかん新鮮例に対する Zonisamide 単剤投与時の血中濃度の検討．てんかん研究 **12**：249-254，1994

14) Hayakawa T, Higuchi Y, Nigami H, et al.：Zonisamide reduces hypoxic-ischemic brain damage in neonatal rats irrespective of its anticonvulsive effect. Eur J Pharmacol **257**：131-136, 1994

15) 引間昭夫，清水信三，竹沢伸子：West 症候群に対する zonisamide の効果―13例の治験経過のまとめ―．脳と発達 **24**（総会号）：S132，1993

16) 堀田浩貴，鈴木一弘，沼田　康，他：抗てんかん薬ゾニサミド内服中に発生した尿路結石症．臨泌 **54**（13）：1031-1033，2000

17) Iinuma K, Haginoya K：Clinical efficacy of zonisamide in childhood epilepsy after long-term treatment：a postmarketing, multi-institutional survey. Seizure **13**（suppl. 1）：S34-39, 2004

18) 川脇　寿，富和清隆，白石一浩，他：West 症候群に対する zonisamide の効果．脳と発

達 **31**（3）：263-267，1999
19) Kishi T, Nejihashi Y, Kajiyama M, et al.：Successful zonisamide treatment for infants with hypsarrhythmia. Pediatr Neurol **23**（3）：274-277, 2000
20) Korean Zonisamide Study Group：Double-blind, randomized, comparataive clinical trail of zonisamide and carbamazepine as initial monotherapy in newly diagnosed epilepsy. J Korean Eilepsy Soc **3**（1）：50-57, 1999
21) Kothare SV, Kaleyias J, Mostofi N, et al.：Efficacy and safety of zonisamide monotherapy in a cohort of children with epilepsy. Pediatr Neurol **34**：351-354, 2006
22) Kubota M, Nishi-Nagase M, Sakakihara Y, et al.：Zonisamide-induced urinary lithiasis in patients with intractable epilepsy. Brain Dev **22**（4）：230-233, 2000
23) Kumagai N, Seki T, Yamawaki H, et al.：Monotherapy for childhood epilepsies with zonisamide. Jpn J Psychiatry Neurol **45**（2）：357-359, 1991
24) Lotze TE, Wilfong AA：Zonisamide treatment for symptomatic infantile spasms. Neurology **62**（2）：296-298, 2004
25) Mago R, Huege S, Ahuja N, et al.：Zonisamide-induced suicidal ideation. Psychosomatics **47**：68-69, 2006
26) Matsuura R, Hamano SI, Hiwatari E, et al.：Zonisamides therapy for patients with Paroxysmal Kinesigenic Dyskinesia. Pediatr Neurol **111**：23-26, 2020
27) Minato H, Kikuta C, Fujitani B, et al.：Protective effect of zonisamide, an antiepileptic drug, against transient focal cerebral ischemia with middle cerebral artery occlusion-reperfusion in rats. Epilepsia **38**：975-980, 1997
28) Miura H：Zonisamide monotherapy with once-daily dosing in children with cryptogenic localization-related epilepsies：clinical effects and pharmacokinetic studies. Seizure **13**（suppl. 1）：S17-23, 2004
29) Mori A, Noda Y, Packer L：The anticonvulsant zonisamide scavenges free radicals. Epilepsy Res **30**（2）：153-158, 1998
30) 小国弘量，林　北見，福山幸夫，他：新抗てんかん薬 AD-810 Zonisamide の小児てんかんにおける臨床第三相試験．小児科臨床 **41**（2）：439-450, 1988
31) Ohtahara S：Zonisamide in the management of epilepsy—Japanese experience. Epilepsy Res **685**：S25-33, 2006
32) Park S-P, Kim S-Y, Hwang Y-H, et al.：Long-term efficacy and safety of zonisamide monotherapy in epilepsy patients. J Clin Neurol **3**（4）：175-180, 2007
33) Paul E, Conant KD, Dunne IE, et al.：Urolithiasis on the ketogenic diet with concurrent topiramate or zonisamide therapy. Epilepsy Res **90**（1-2）：151-156, 2010
34) Sackellares JC, Ramsay RE, Wilder BJ, et al.：Randomized, controlled clinical trial of zonisamide as adjunctive treatment for refractory partial seizures. Epilepsia **45**（6）：610-617, 2004
35) 斎藤義朗，柳垣　繁，小国弘量，他：ACTH と zonisamide の併用療法下に腎盂結石をきたした驚愕てんかんの 1 例．脳と発達 **34**（5）：415-420, 2002

36) 坂本亘司, 黒川 徹, 富田 茂, 他：小児てんかんに対する Zonisamide（AD-810）の治療効果. 診療と新薬 **23**（11）：2571-2581, 1986

37) Schmidt D, Jacob R, Loiseau P, et al.：Zonisamide for add-on treatment of refractory partial epilepsy：a European double-blind trial. Epilepsy Res **15**：67-73, 1993

38) Seki T, Kumagai N, Maezawa M：Effects of zonisamide monotherapy in children with epilepsy. Seizure **13**（suppl. 1）：S26-32, 2004

39) Shinnar S, Pellock JM, Conry JA：Open-label, long-term safety study of zonisamide administered to children and adolescents with epilepsy. Eur J Ped Neurol **13**：3-9, 2009

40) Shuto H, Sugimoto T, Yasuhara A, et al.：1989, Efficasy of zonisamide in children with refractory partial seizures. Curr Ther Res **45**：1031-1036, 1989

41) 須永康夫：抗てんかん薬（ZNS）による腎結石症例の検討. てんかん研究 **37**（3）：819-825, 2020

42) Suzuki Y：Zonisamide in West syndrome. Brain Dev **23**（7）：658-661. 2001

43) Taghdiri MM, Bakhshandeh Bali MK, Karimzadeh P, et al.：Comparative efficacy of zonisamide and pregabalin as an adjunctive therapy in children with refractory epilepsy. Iran J Child Neurol **9**（1）：49-55, 2015

44) Tan HJ, Martland TR, Appleton RE, et al.：Effectiveness and tolerability of zonisamide in children with epilepsy：a retrospective review. Seizure **19**：31-35, 2010

45) Wheless JW, Clarke DF, Carpenter D：Treatment of pediatric epilepsy：expert opinion, 2005. J Child Neurol **20**（suppl. 1）：S1-56, 2005

46) Wilfong AA, Willmore LJ：Zonisamide-a review of experience and use in partial seizures. Neuropsychiat Dis Treatment **2**（3）：269-280, 2006

47) Yagi K, et al.：52nd Annual Meeting of AAN, 2000

48) Yamatogi Y, Ohtahara S：Current topics on treatment. in* Ohtahara S, Roger J (Eds), New treands in pediatric epileptology. Okayama University Medical School, Okayama 136-148, 1991

49) Yanagaki S, Oguni H, Yoshii K, et al.：Zonisamide for West syndrome：a comparison of clinical responses among different titration rate. Brain Dev **27**（4）：286-290, 2005

50) 柳原恵子, 今井克美, 大谷和正, 他：West 症候群に対する zonisamide の有効性について. 脳と発達 **27**（6）：500-502, 1995

51) Yanai S, Hanai T, Narazaki O：Treatment of infantile spasms with zonisamide. Brain Dev **21**（3）：157-161, 1999

52) Yoon G, Rosenberg J, Blaser S, et al.：Neurological complications of cardio-facio-cutaneous syndrome. Dev Med Child Neurol **49**（12）：894-899, 2007

53) You SJ, Kang HC, Kim HD, et al.：Clinical efficacy of zonisamide in Lennox-Gastaut syndrome：Korean multicentric experience. Brain Dev **30**（4）：287-290, 2008

54) ゾニサミド錠（エクセグラン錠 100 mg, エクセグラン散 20％, EXSEGRAN®）日本標準商品分類番号 871136. 日本薬局方. 添付文書 2018 年 10 月改訂（第 18 版）

第 9 章

ペランパネルのてんかん治療における意義

脇田雄介
医療法人清照会湊病院　北東北てんかんセンター

A　ペランパネルの開発経過

　従来より，グルタミン酸神経系は精神神経疾患に深くかかわっているとされてきたが，ペランパネル（perampanel：PER，フィコンパ®）はこれをターゲットとして創薬された数少ない本邦発の抗てんかん薬（antiepileptic drug：AED）である（図1）。

　難治性焦点発作を有するてんかん患者を対象として欧州では2012年7月に，米国では2012年10月にそれぞれ承認され，後に，全般てんかん患者の強直間代発作に対する併用療法についても臨床開発が行われ，2015年6月に欧州および米国でともに承認された。2020年6月時点では，12歳以上のてんかん患者の焦点発作（併用）について69ヵ国，全般てんかん患者の強直間代発作（併用）について64ヵ国で承認を取得している。

　本邦では難治性焦点発作を有するてんかん患者および難治性強直間代発作に対して2016年3月に承認され同年5月に上市された。米国においては焦点発作についての単剤適応も認められており，本邦においてもFREEDOM Study[1]の結果，2020年1月より焦点発作に対する単剤使用への適応拡大が承認された。

B　ペランパネルの作用機序

　PERは既存の抗てんかん薬の作用機序とは異なり，シナプス後膜に存在するAMPA（α-amino-3-hydroxy-5-methyl-4-isoxazolepropionic acid）型グ

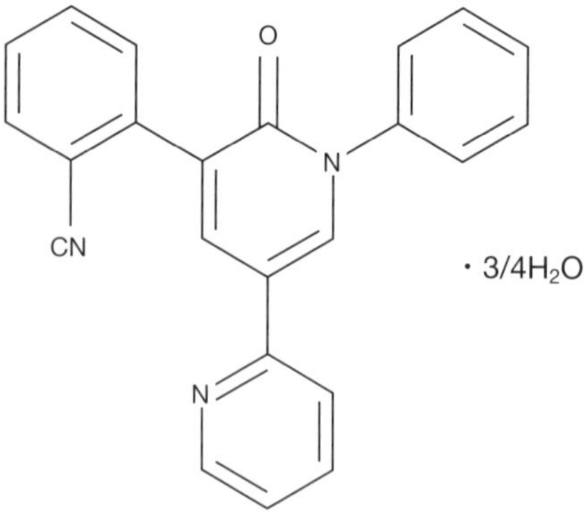

図1：ペランパネル (perampanel) の構造式

一般名：ペランパネル水和物 (perampanel hydrate)
化学名：2-(6'-Oxo-1'-phenyl-1',6'-dihydro [2,3'-bipyridin]-5'-yl) benzonitrile 3/4 hydrate
分子式：$C_{23}H_{15}N_3O \cdot 3/4H_2O$

ルタミン酸受容体（以下，AMPA 受容体）への選択的かつ非競合的な拮抗作用をもつ．

C ペランパネルの薬理学的特性

1. AMPA 受容体と GluA2 サブユニット

　AMPA 受容体は脳内に最も多く存在するイオンチャネル型グルタミン酸受容体で，シナプス後膜に存在し，興奮性神経伝達に関与していることが知られている．しかし，過剰なグルタミン酸は神経毒性をもち[2]，てんかんをはじめ各種精神疾患にも関与すると考えられている．脳外傷においては，外傷時のグルタミン酸系の混乱による急性反応が知られており[3]，脳虚血が生じた際には Na^+，K^+，および pH 勾配の障害が本来グルタミン酸を回収するはずのトランスポーターの逆輸送を引き起こし，細胞外グルタミン酸濃度を

上昇させる[4]ことがわかっており，AMPA受容体を介してカルシウムイオンが流入することで，神経細胞死が引き起こされることが以前より言及されている[5]。てんかん発作においても，大脳神経細胞の過剰興奮に関して興奮性シナプスの大多数を占めるグルタミン酸系回路の影響があると考えられており[6]，シナプスの興奮性はAMPA受容体の数で説明されることがわかっている[7]。

実際にてんかん患者の脳組織の病理評価では，NMDA（n-methyl-D-asparate）型グルタミン酸受容体（以下，NMDA受容体）やカイニン酸受容体，$GABA_A$（gamma aminobutyric acid type A）受容体（以下，$GABA_A$受容体）が対照群（非てんかん患者）に比して目立った差がみられなかったなかでAMPA受容体の受容体密度は有意に増加しており，興奮性が上昇していることが示唆された[7~9]。また，発作間欠期においてもグルタミン酸濃度が上昇していることが示されており[10]，AMPA受容体が増加し興奮性が上昇しているなかで高濃度グルタミン酸への曝露から活動電位，発作波が発生しやすいことが示されている[7]。表1と図2にてんかん患者群と対照群の脳における各種受容体結合部位濃度および細胞外グルタミン酸濃度比較を示した[8,10]。

表1：平均結合部位密度（fmol/mg protein）

	AMPA受容体 [^{3}H] AMPA	NMDA受容体 [^{3}H] MK-801	カイニン酸受容体 [^{3}H] kainate	$GABA_A$受容体 [^{3}H] muscimol
てんかん患者群				
平均値	1,004	3,238	1,221	2,696
標準偏差	303	784	295	606
n	10	10	8	9
対照群				
平均値	738	3,535	1,217	2,888
標準偏差	220	285	132	675
n	10	8	10	10

てんかん患者ではAMPA受容体密度が有意に増加している
(Zilles K, et al.：Neuroscience 94（4）：1051-1061, 1999[8]より引用抜粋)

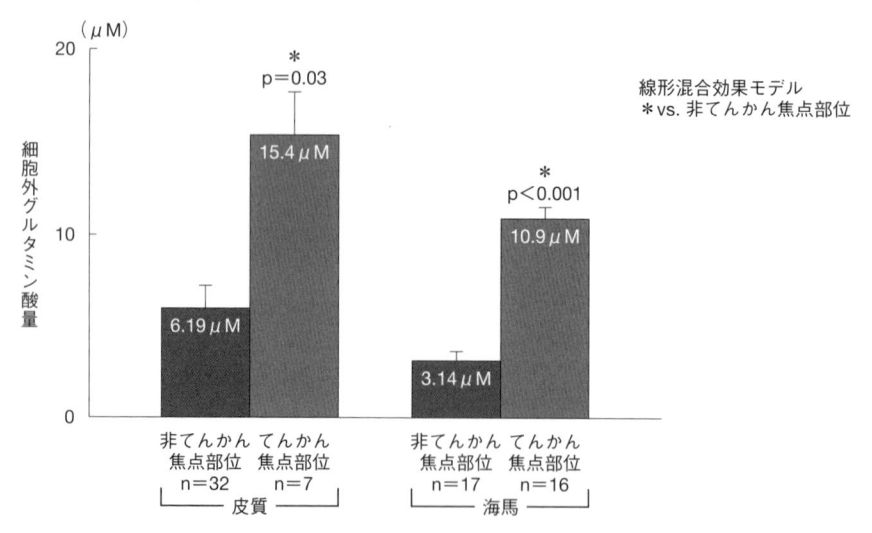

図2：発作間欠期における細胞外グルタミン酸濃度
難治性てんかん患者のてんかん焦点では発作間欠期においても非てんかん焦点部位に比してグルタミン酸濃度が有意に上昇していることが示されている。
(Çavuş I et al.：Ann Neurol 8（1）：35-45, 2016[10]）より抜粋）

AMPA受容体は構造的にはGluA1～4の組み合わせの4つのサブユニットからなるが，ほとんどはGluA1/2あるいはGluA2/3の組み合わせからなる。また，AMPA受容体に成熟したGluA2サブユニットが含まれるとその受容体はCa^{2+}を透過しない性質をもつ。すなわちほとんどのAMPA受容体にはGluA2サブユニットが組み込まれているため，原則的にAMPA受容体はCa^{2+}を透過しない。ただ，例外的にGluA2サブユニットを含まない受容体か，未熟なGluA2サブユニットが含まれる場合には，AMPA受容体はCa^{2+}透過性を有する[11]ため，受容体の興奮に伴い細胞内へのCa^{2+}の流入を招き，過剰な興奮性を有することとなる。

2. ペランパネルの薬理学的特性

PERはAMPA受容体に選択的かつ非競合的に結合することで[12,13]，シナプス間隙のグルタミン酸濃度にかかわらず，グルタミン酸のAMPA受容体

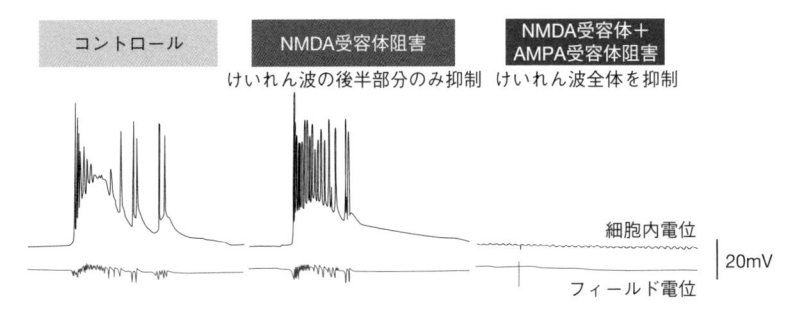

```
  コントロール        NMDA受容体阻害      NMDA受容体＋
                                        AMPA受容体阻害
                  けいれん波の後半部分のみ抑制  けいれん波全体を抑制
```

                                                          細胞内電位
                                                                    |20mV
                                                          フィールド電位

図3：AMPA 受容体阻害による PDS 抑制効果
電気刺激によるてんかん様バーストの誘発は，NMDA 受容体の阻害により
バースト全体の後半部のみを抑制したが AMPA 受容体の阻害を追加するこ
とでバースト全体が抑制された．
(Traub RD, et al.：J Physiol, 461：525-547, 1993[14]) より引用)

への作用を抑制し，細胞内への Na^+ や Ca^{2+} の流入を抑制することで神経細胞の過剰な興奮を抑え，てんかん発作，（おもに焦点起始両側強直間代発作を含む焦点発作，強直間代発作）を抑制する作用を現す．すなわち，てんかん発作でグルタミン酸の遊離が増加した環境下においても，非発作時と変わらない一定した AMPA 受容体阻害効果が期待できる．

てんかん発作は突発性脱分極シフト（PDS）が複数の神経で生じることにより引き起こされると考えられているが，AMPA 受容体はこの PDS の立ち上がりの部分に関連していると考えられている．モルモット脳切片の海馬標本において，NMDA 受容体阻害薬である DL-2-amino-5-phosphonovaleric acid（APV）を投与したモデルでは後半部分の二次バースト発射はみられず，やや小さい一次バースト発射が残存しているが，これに加え PER と同様の非 NMDA 受容体阻害薬（AMPA 受容体阻害薬）である 6-cyano-7-nitroquinoxaline-2,3-dione（CNQX）投与にて AMPA 受容体を阻害することで，PDS が抑制され，同期発火が抑制されることが示された（**図3**)[14]．

PER は既存の抗てんかん薬とはまったく異なる新しい機序による抗てんかん作用をあらわすため，既存の薬剤では治療が難しいてんかん発作への有効性などが考えられている．さらに，グルタミン酸の脳内での働きは多岐に

わたっており、てんかん発作以外の疾患の治療への展開も期待されている。

D ペランパネルの薬物動態・血中濃度・副作用

1. 薬物動態

PER は中性水溶液には難溶であるものの胃酸環境下で溶解度が急激に向上する性質があり[12]、経口摂取により迅速に吸収され T_{max} は約1時間となっている。一方で $T_{1/2}$ は約 105 時間と 4 日以上に及んでおり、この半減期の長さが PER の分 1 投与を可能としている。また内服の時間的な差異や飲み忘れた際についても半減期の長さにより血漿中濃度の変動は最小限に抑えられている。このため、仮に分 2 投与とした場合にも、酵素誘導性のある AED と併用していなければ分 1 投与に比して血中濃度に変化はみられなかった[15]ため、少なくとも酵素誘導性のある AED を併用していなければ分 2 以上の投与回数とするメリットは乏しいと考えられる。PER の代謝に関するおもなチトクローム P450 分子種は CYP3A であるとされており、PER は血中でおも

表2：おもな副作用の発現率（%）

	プラセボ	ペランパネル				
		2 mg	4 mg	8 mg	12 mg	Total
全 TEAE	66.5	61.7	64.5	81.2	89.0	77.0
めまい	9.0	10.0	16.3	31.8	42.7	28.1
傾眠	7.2	12.2	9.3	15.5	17.6	14.5
頭痛	11.3	8.9	11.0	11.4	13.3	11.4
疲労	4.8	4.4	7.6	8.4	12.2	8.5
易刺激性	2.9	3.9	4.1	6.7	11.8	7.0
嘔吐	4.5	2.2	2.9	5.8	7.8	5.2
転倒	3.4	1.1	1.7	5.1	10.2	5.1
失調症	0.0	0.0	0.6	3.2	8.2	3.5
平衡感障害	0.5	0.0	0.0	5.1	3.1	2.9

TEAE：treatment-emergent adverse event
(Steinhoff BJ, et al.：Epilepsia 54（8）：1481-1489, 2013[16] より引用改変)

に未変化体として存在する。

2. 副作用

　臨床第Ⅲ相試験では，PER投与群全体においてプラセボ群よりも有意に認められた副作用として，浮動性めまい，傾眠，疲労，易刺激性などが挙げられる[16]。**表2**に主要な副作用の出現率についてまとめる。いずれもさほど頻度は高くはないものの，精神行動面の副作用が周囲に与える影響は非常に大きい。このため，易刺激性，攻撃性，さらに頻度は低くなるものの幻覚，妄想などが生じうるが，これらの副作用が認められた際には速やかにPERを減量または中止するなど適切な措置を行う必要がある。

3. 副作用の出現時期

　次に副作用の出現時期の傾向について臨床第Ⅲ相試験（304,305,306）の統合解析の結果を**図4**[17]に示す。

　治療漸増期を過ぎて維持期となってもまれに副作用が出現することを念頭に置いておく必要はあるが，副作用の発現はおおむね治療漸増期の投薬6週以内に集中し，6〜8週経過後は副作用の出現は目立たなくなっている。

　副作用の種類にもよるが，患者背景が副作用の出現率に関与することが判明している。例えば副作用の1つとして知られている体重増加については重度知的障害者および知的障害のない者に比して，軽度および中等度知的障害者では有意に体重増加量が上回った（**図5**）[18]。

　精神行動面の副作用についても体重増加と同様に患者背景により出現率が異なり，海外データではあるが，**表3**に示すとおり，多動症，パーソナリティ障害，精神症状の既往歴がある患者に投与する際にこれらの問題が生じやすいことが明らかになっており[19]，留意すべきである。また女性であることも精神医学的副作用のリスクであることが判明した[20]。

　これらの結果[17,19]より，副作用の出現状況をみながら時間をかけて緩徐に増量していくことで全体的に副作用の発生が抑制され忍容性を向上させることが示された。

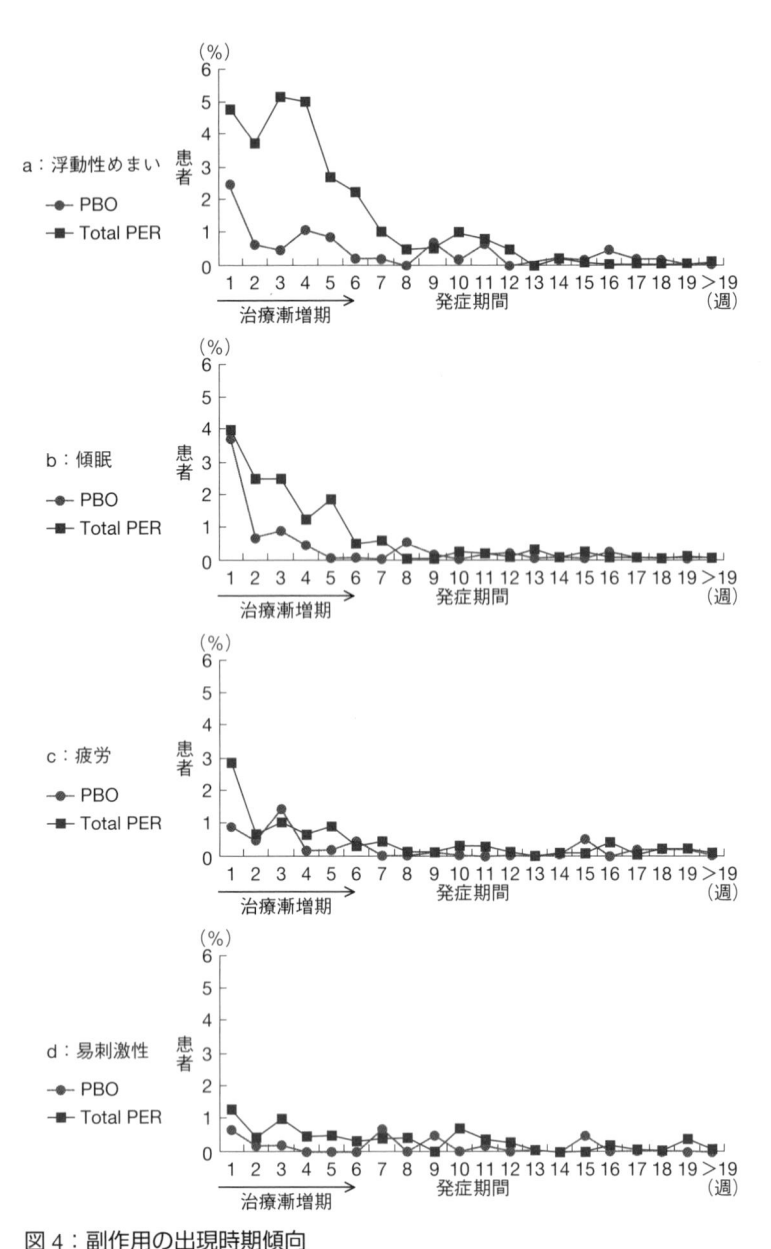

図4：副作用の出現時期傾向
(Ko D, et al.：Epilepsy Behav 48：45-52, 2015[17]より引用改変)

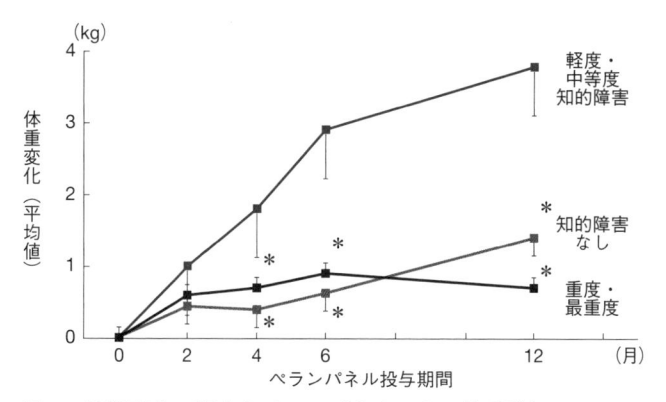

図5：知的障害の程度とペランパネルによる体重増加
* vs. BW of mild to moderate ID：p＜0.05
(Iwaki H, et al.：Epilepsy Res 152：1-6, 2019[18]) より引用)

表3：精神疾患既往の有無と精神系副作用の発現率(％)

精神系併存疾患	精神系副作用発現率		
	既往あり	既往なし	p値
うつ病	27.6	21.2	p＝0.271
不安障害	26.9	21.0	p＝0.248
精神病圏	25.0	21.9	p＝0.731
パーソナリティ障害	50.0	20.2	p＜0.001
多動症	50.0	20.7	p＜0.001

(Villanueva V, et al.：Epilepsy Res 126：201-210, 2016[19]) より作表)

　しかし，PER 投与により脳波および発作に反応がみられた患者は反応のみられなかった患者に対し問題行動のスコアが有意に低下したという報告もある[21])。そのため，精神系副作用の生じるリスクが高い傾向にある患者に対しても発作抑制に至っていない場合には，副作用への注意は必要であるが，PER を使用することで発作抑制および問題行動の改善が得られる可能性がある。

表4：併用療法時と比較した単剤療法時の副作用

	単剤試験 (FREEDOM study) 4 or 8 mg (n=89)	併用試験（335 study　n=531）			
		4 mg (n=176)	8 mg (n=175)	12 mg (n=180)	全体 (n=531)
全TEAE	67 (75.3%)	121 (68.8%)	129 (73.7%)	156 (86.7%)	406 (76.5%)
めまい	28 (31.5%)	40 (22.7%)	50 (28.6%)	76 (42.2%)	166 (31.3%)
傾眠	12 (13.5%)	28 (15.9%)	31 (17.7%)	32 (17.8%)	91 (17.1%)
頭痛	12 (11.2%)	12 (6.8%)	13 (7.4%)	10 (5.6%)	35 (6.6%)
易刺激性	3 (3.4%)	8 (4.5%)	10 (5.7%)	9 (5.0%)	27 (5.1%)
体重増加	2 (2.2%)	7 (4.0%)	6 (3.4%)	6 (3.3%)	19 (3.6%)

　PERは実臨床現場で幅広く研究されており，実臨床上においても有効性と安全性はRCTと同様の結果が得られていると報告されている[22]。
　なお，2020年1月より焦点発作に対しては単剤使用が承認されているが，他AEDと併用時および単剤使用時におけるおもな副作用を**表4**に比較した。
　単剤療法では併用療法と比較しても新たな副作用の出現は確認されず，おおむね併用療法時に比べ副作用は減少傾向にある。また経験上，併用時に比較すると副作用の重篤さは軽減している印象である。
　妊娠および授乳について，本稿執筆現在はまとまった情報は得られていない。2020年の第72回米国神経学会議において99例の妊娠投与例で出産に至った45例のうち，奇形発生数は0であったという報告があったが[23]，引き続きさらなる体系だった研究の結果を待つ必要がある。

E　ペランパネルの有効性

1．併用療法
　難治性焦点性発作を有するてんかん患者を対象としたPERの第Ⅲ相プラセボ対照二重盲検比較試験（335試験）において，用量依存性に発作頻度の改善が示されている（**図6**）[24]。
　実臨床上においても第Ⅲ相試験および長期の臨床第Ⅲ相オープンラベル延

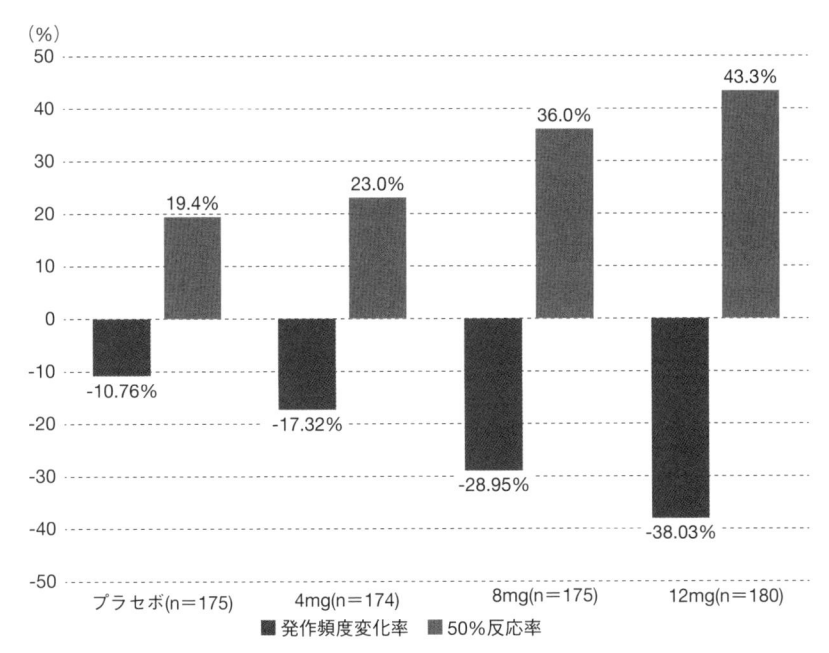

図6:ペランパネルによる発作頻度変化率と50%反応率
(Nishida T, et al.：Acta Neurol Scand 137（4）：392-399, 2018[24]より引用)

表5:全般発作に対するペランパネルの有効性

	全体	強直間代	ミオクロニー	欠神
発作抑制率	59%	63%	65%	51%
発作頻度減少率	—	78%	65%	48%

(Villanueva V, et al.：Epilepsia 59（9）：1740-1752, 2018[30]より作表)

長試験で示されたものと一致する有効性が示されている[16,25,26,27]。発作型別としてはとくに焦点起始両側強直間代発作への有効性を示す報告は数多く,アジア人を対象とした試験においても同じ結果が示されている[28]。また,海外の報告ではあるが,局在関連てんかんのなかでもとくに側頭葉てんかんで良好な反応を示したという報告もある[29]。

PERは難治性の焦点発作から適応をとったが,他の発作型に対しても奏効

すると報告されている。例えばVillanuevaらの研究ではすべての発作型を集計した際に59%の発作抑制率が得られたといい，発作型別での奏効率は，強直間代発作＞ミオクロニー＞欠神発作の順に奏効すると報告されている（表5）[30]。

既存の抗てんかん薬で発作の抑制が得られなかった難治性てんかんの症例に対して併用療法を行うこととなるが，この場合，追加する薬剤選択の目安の1つとして作用機序の異なる薬剤を選ぶことが一般的に推奨されている。PERは他に類する薬剤が発売されておらず，また確実な効果を示す症例が多いため，AED併用時の第1選択薬とする臨床家は多い。

2．単剤療法

てんかんの治療は発作を抑制することにあるが，目標は患者のQOL（生活の質）の向上である。てんかん患者の30〜40%で服薬コンプライアンスが不良といわれており，これが発作発来につながる可能性がある。PERは1日1回就床前に服用する薬であり，PER単剤で発作抑制が可能となれば明らかに患者のQOLは向上する。

表6：FREEDOM Studyにおける26週のseizure freedom rates

	4 mg	最終用量 (4 or 8 mg)
全無発作率	46/73（63.0%）	54/73（74.0%）
FBTCS	31/48（64.6%）	37/48（77.1%）
FIAS	24/41（58.5%）	28/41（68.3%）
FIAS and/or FBTCS	43/70（61.4%）	51/70（72.9%）

FIAS：意識減損焦点発作，focal impaired awareness seizure
FBTCS：焦点起始両側強直間代発作，focal to bilateral tonic-clonic seizure
（Yamamoto T, et al.：Epilepsia Open 5（2）：274-284, 2020[1]より引用）

表7：ペランパネル単剤使用時の有効性

		全体	GTCS
3ヵ月経過	反応率	79.60%	
	無発作率	62.70%	87.80%
6ヵ月経過	反応率	70.10%	
	無発作率	56.10%	78.10%
12ヵ月経過	反応率	52.80%	
	無発作率	41.50%	55.10%

GTCS：全般強直間代発作, generalized tonic-clonic seizure
(Delgado RT, et al.：Epilepsia 61（6）1109-1119, 2020[31]より引用)

単剤療法の臨床第Ⅲ相試験（342試験，FREEDOM study）では，未治療の焦点発作てんかん患者への反応率は良好で，治療維持期26週における発作の完全抑制率は74％であった（**表6**）[1]。また，26週間の治療継続率は4 mgで76.3％，4 mgまたは8 mgで76.7％となっており，忍容性が比較的良好であることも示された[1]。

本剤の適応は焦点性発作および焦点起始両側強直間代発作であるが，特発性全般てんかん（idiopathic generalized epilepsy：IGE）に対しても有用性が示されている。IGEにおける薬剤耐性の原発性全般化強直間代発作（primary generalized tonic-clonic seizure：PGTC）に対し，観察期間中の発作頻度変化率中央値は有意に低下し，30.9％が発作抑制に至ったと報告されている[30]。

12歳以上の患者を対象とした多施設共同試験においても[31]，1年後の発作抑制率は全体で41.5％，全般強直間代発作（generalized tonic-clonic seizure：GTCS）を有していた群では55.1％となっている（**表7**）。こちらの試験においても副作用を理由にPERを中止した患者は16％にとどまっている。

3. 有効性が指摘されているてんかん類型

また，症候性全般てんかんであるLennox-Gastuaut症候群に対する使用報告では，50％反応率は69.2％で副作用が原因で中止した患者はいなかった[32]。

図7：ペランパネル投与後24週時および52週時における発作頻度50%減少達成率

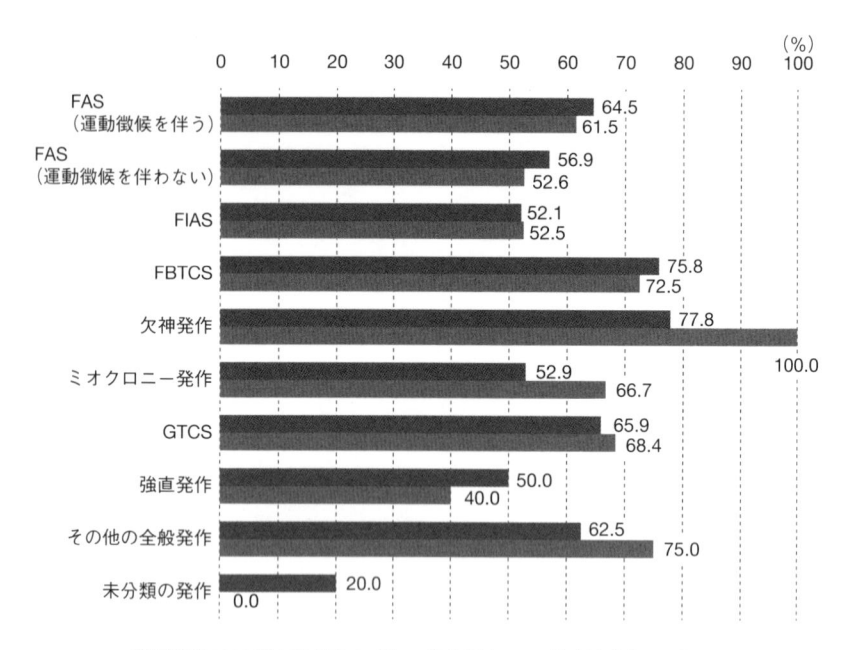

FAS（運動徴候を伴う）: 64.5 / 61.5
FAS（運動徴候を伴わない）: 56.9 / 52.6
FIAS: 52.1 / 52.5
FBTCS: 75.8 / 72.5
欠神発作: 77.8 / 100.0
ミオクロニー発作: 52.9 / 66.7
GTCS: 65.9 / 68.4
強直発作: 50.0 / 40.0
その他の全般発作: 62.5 / 75.0
未分類の発作: 0.0 / 20.0

■ 発作頻度50%減少達成率24週　■ 発作頻度50%減少達成率52週

FAS：意識保持焦点発作，focal aware seizure
FIAS：意識減損焦点発作，focal impaired awareness seizure
FBTCS：焦点起始両側強直間代発作，focal to bilateral tonic-clonic seizure
GTCS：全般強直間代発作，generalized tonic-clonic seizure
（井上有史，西田拓司，福多真史，他：18歳以上の日本人成人てんかん患者1,641例に対するperampanelの有用性評価．臨床精神薬理 **22**（7）：733-747，2019[36]）より改変）

さらにLafora病[33]，歯状核赤核淡蒼球ルイ体萎縮症（dentatorubral-pallidoluysian atrophy：DRPLA）[34]，Unverricht-Lundborg病[35]などの進行性ミオクローヌスてんかんにも有効であると報告されており，とくにDRPLAにおいてはむしろ0.4 mg等の少量のほうが奏効する場合もある[34]。

18歳以上の日本人成人てんかん患者1,641例に対するPERの有用性評価において，PER投与後24週または52週時における発作頻度50%減少達成率は

いずれも高い反応率を示している（図7）。

また，全発作減少率の中央値は1年後に33.3%（焦点起始両側強直間代発作では75%），7.2%の患者が発作抑制に至っている。これと関連するのは非酵素誘導性AEDを使用している65歳以上，血管性てんかん，AEDの使用歴が乏しいこととPERに対する臨床的な反応が良好といった要素が関連することが示された[37]。この報告では精神科疾患，とくに多動性障害および

表8：ペランパネルの相互作用一覧

AED	PER血中濃度に及ぼす他AEDの影響	他AEDの血中濃度に及ぼすPERの影響
カルバマゼピン	66%低下	<10%低下
クロバザム	影響なし	<10%低下
クロナゼパム	影響なし	影響なし
ラモトリギン	影響なし	<10%低下
レベチラセタム	影響なし	影響なし
フェノバルビタール	18%低下	影響なし
フェニトイン	49%低下	影響なし
トピラマート	18%低下	影響なし
バルプロ酸	影響なし	<10%低下
ゾニサミド	影響なし	影響なし

（Schuck E, et al.：Acta Neural Scand 142（2）：131-138, 2020[40]より作表）

表9：ペランパネル血中濃度への他のAEDの影響

併用薬剤	ペランパネル血中濃度への影響		併用中止後のペランパネル血中濃度
カルバマゼピン	67〜69%減少	併用中止	約3倍
フェニトイン	13〜50%減少		約2倍
Oxcarbazepine	37〜50%減少		約2倍
トピラマート フェノバール	13〜20%減少		約1.25倍

※バルプロ酸，ゾニサミド，ベンゾジアゼピン系，レベチラセタム，ラモトリギンは血中濃度に影響しない
（Patsalos PN：Epilepsia 56（1）：12-27, 2015[41]より作成）

パーソナリティ障害を併発していると PER による精神的な副作用が出現する確率が高く，使用開始や増量ペースが遅いほど全体的に副作用の発生が少なかったことが示された。

F ペランパネルの薬物相互作用

本剤は薬物代謝酵素 CYP3A によって代謝されるため，この酵素を誘導する薬剤と併用する場合は注意が必要であり，とくにカルバマゼピン（carbamazepin：CBZ）やフェニトイン（phenytoin：PHT）などの薬剤と併用する際には，血中濃度の上昇が大きく抑制されることとなる[38,39]（表8）[40]。

効果を得るために本剤の用量調節などが必要な場合もある一方で血中濃度の上昇が抑えられるため副作用も抑制される。このため，何らかの理由でとくに血中濃度への影響の大きい CBZ や PHT を減量・中止した際には表9のように PER の血中濃度が急激に上昇するため，副作用が出現する可能性を考慮する必要がある。

一方では，易怒性や攻撃性などを副作用として考慮するべき薬剤としてレベチラセタム（levetiracetam：LEV）があるが，小児の難治性てんかんにおいて PER を併用した際に攻撃性の増加は認められていない[42]。

G ペランパネルの使用方法

効果・副作用，とくにめまい，精神症状，体重増加の副作用は内服用量よりも血中濃度依存的である[43]。日本人で50%発作抑制に至る血中濃度は平均450 ng/mL であったが，範囲は 85～1,500 ng/mL と個人差が非常に大きいことが示されており，われわれの北東北てんかんセンターでの使用例に照らし合わせても同様となっており，当センターでは 500 ng/mL を治療目標値と考えている。

添付文書上いずれの場合も 2 mg より投与開始し，1日1回眠前投与と設定されている（表10）。使用用量および血中濃度は個人差がきわめて大きく[43]，

表10：ペランパネル添付文書における適応追加後の用法用量

	成人および12歳以上の小児における部分発作（二次性全般化発作を含む）に用いる場合			成人および12歳以上の小児における強直間代発作に用いる場合	
	単剤療法	併用療法		併用療法	
本剤の代謝を促進する抗てんかん薬[注1)]の併用	―	なし	あり	なし	あり
投与方法	1日1回就寝前 経口投与	1日1回就寝前 経口投与		1日1回就寝前 経口投与	
開始用量	2 mg/日	2 mg/日		2 mg/日	
漸増間隔	2週間以上	1週間以上		1週間以上	
漸増用量	2 mg/日	2 mg/日		2 mg/日	
維持用量	4〜8 mg/日[※1]	4〜8 mg/日[※2]	8〜12 mg/日[※2]	8 mg/日[※2]	8〜12 mg/日[※2]
最高用量	8 mg/日	12 mg/日		12 mg/日	

	4歳以上12歳未満の小児における部分発作（二次性全般化発作を含む）に用いる場合		
	単剤療法	併用療法	
本剤の代謝を促進する抗てんかん薬[注1)]の併用	―	なし	あり
投与方法	1日1回就寝前 経口投与	1日1回就寝前 経口投与	
開始用量	2 mg/日	2 mg/日	
漸増間隔	2週間以上	2週間以上	
漸増用量	2 mg/日	2 mg/日	
維持用量	4〜8 mg/日[※1]	4〜8 mg/日[※1]	8〜12 mg/日[※1]
最高用量	8 mg/日	12 mg/日	

用量はペランパネルとしての量を示す。
注1）本剤の代謝を促進する抗てんかん薬：フェニトイン，カルバマゼピン
※1 なお，症状により2週間以上の間隔をあけて2 mg以下ずつ適宜増減する。
※2 なお，症状により1週間以上の間隔をあけて2 mg以下ずつ適宜増減する。

現時点では明確に規定されていない。血中濃度が上昇してこない患者もいるが，血中濃度 500 ng/mL を目安（当センター成人てんかん治療目標値）として投薬を行う。また投与開始用量や増量ペースによって副作用の頻度は変化するため，当センターから「2 段階療法」が提唱されている。

　これは 1～2 mg で使用開始し，増量していくなかで副作用が生じ使用継続が困難となった場合においてもいったん副作用が消失するまで PER 1～2 mg の減量を行い，2～3 ヵ月維持し，副作用症状が消失した後に再度漸増していくものである。減量幅は 1～2 mg とすることが多いが，2 mg 減量時に 94％の症例で副作用が消失するという報告もある[44]。漸増時には前回投与時よりさらに緩徐に漸増し，開始時に副作用が生じて中止した場合にはさらなる低用量から使用開始とするのがポイントであり，前回投与時に副作用が生じた使用量に達しても副作用が出現せず目標使用量まで増量できることも珍しくない。

　増量ペースについても，より緩徐に行うことで忍容性が上昇することも明らかにされている[45]。

　2020 年 7 月より細粒剤が発売されており，より細かな薬物調整が可能となっているため，先述の 2 段階療法についてもより調整が容易となった。当センターにおいても当初 1 mg 投与で傾眠傾向となった患者に対し細粒剤で時間をかけて微量調整を行っていった結果，3 mg や 4 mg までとくに副作用なく増量できるということは珍しくない。

H　ペランパネルの使用上の留意点

　PER にはめまいや傾眠など，比較的高頻度に認められる副作用が存在するが，日中への持ち込み効果は少ない[46]。投与後血中濃度の立ち上がりや，効果出現も早く，内服後から就寝まで時間が空くと活動時間帯にこれらの副作用が出現する可能性が高くなる。すなわち就寝前の投与が忍容性を確保するために重要となる[47]。

I ペランパネルに期待される効果

てんかん以外への有効性が今後も検討されるべきであろう。すでに脳虚血,外傷性脳損傷(traumatic brain injury:TBI),脳室内出血などの実験モデルにおいて,PER が脳損傷に対して神経保護効果を発揮することや[48~50]炎症性サイトカインや NOS 経路を調節することで,実験的虚血性脳卒中を予防すること[51]が報告されている。

またほかにも AMPA 受容体が関連する疾患は数多く,例えば孤発性 ALS についても Ca^{2+} 透過性 AMPA 受容体の異常な発現が関連する[52]ことがわかっており,神経,精神疾患に対する PER の有効性についても幅広く検討することが期待されている。

文　献

1) Yamamoto T, Lim SC, Ninomiya H, et al.:Efficacy and safety of perampanel monotherapy in patients with focal-onset seizures with newly diagnosed epilepsy or recurrence of epilepsy after a period of remission:The open-label Study 342(FREEDOM Study). Epilepsia Open **5**(2):274-284, 2020

2) Choi DW:Glutamate neurotoxicity and diseases of the nervous system. Neuron **1**(8):623-634, 1988

3) Guerriero RM, Giza CC, Rotenberg A:Glutamate and GABA imbalance following traumatic brain injury. Curr Neurol Neurosci Rep **15**(5):27, 2015

4) Vandenberg RJ, Ryan RM:Mechanisms of glutamate transport. Physiol Rev **93**(4):1621-1657, 2013

5) Olney JW:Excitotoxic amino acids and neuropsychiatric disorders. Annu Rev Pharmacol Toxicol **30**:47-71, 1990

6) Barker-Haliski M, White HS:Glutamatergic mechanisms associated with seizures and epilepsy. Cold Spring Harb Perspect Med **5**(8):a022863, 2015

7) Kneussel M, Hausrat TJ:Postsynaptic neurotransmitter receptor reserve pools for synaptic potentiation. Trends Neurosci **39**(3):170-182, 2016

8) Zilles K, Qü MS, Köhling R, et al.:Ionotropic glutamate and GABA receptors in human epileptic neocortical tissue:quantitative in vitro receptor autoradiography. Neuroscience **94**(4):1051-1061, 1999

9) Graebenitz S, Kedo O, Speckmann EJ, et al.:Interictal-like network activity and receptor expression in the epileptic human lateral amygdala. Brain **134**(Pt10):2929-2947, 2011

10) Çavuş I, Romanyshyn JC, Kennard JT, et al.：Elevated basal glutamate and unchanged glutamine and GABA in refractory epilepsy：microdialysis study of 79 patients at the yale epilepsy surgery program. Ann Neurol **80**（1）：35-45, 2016

11) Higuchi M, Maas S, Single FN, et al.：Point mutation in an AMPA reecptor gene rescues lethality in mice deficient in the RNA-editing enzyme $ADAR_2$. Nature **406**（6791）：78-81, 2000

12) Rogawski MA, Hanada T：Preclinical pharmacology of perampanel, a selective noncompetitive AMPA receptor antagonist. Acta Neurol Scand Suppl（197）：19-24, 2013

13) Hanada T, Hashizume Y, Tokuhara N, et al.：Perampanel：a novel, orally active, noncompetitive AMPA-receptor antagonist that reduces seizure activity in rodent models of epilepsy. Epilepsia **52**（7）：1331-1340, 2011

14) Traub RD, Miles R, Jefferys JG：Synaptic and intrinsic conductances shape picrotoxininduced synchronized after-discharges in the guinea-pig hippocampal slice. J Physiol **461**：525-547, 1993

15) Gidal BE, Majid O, Ferry J, et al.：The practical impact of altered dosing on perampanel plasma concentrations：pharmacokinetic modeling from clinical studies. Epilepsy Behav **35**：6-12, 2014

16) Steinhoff BJ, Ben-Menachem E, Ryvlin P, et al.：Efficacy and safety of adjunctive perampanel for the treatment of refractory partial seizures：a pooled analysis of three phase Ⅲ studies. Epilepsia **54**（8）：1481-1489, 2013

17) Ko D, Yang H, Williams B, et al.：Perampanel in the treatment of partial seizures：time to onset and duration of most common adverse events from pooled Phase Ⅲ and extension studies. Epilepsy Behav **48**：45-52, 2015

18) Iwaki H, Jin K, Sugawara N, et al.：Perampanel-induced weight gain depends on level of intellectual disability and its serum concentration. Epilepsy Res **152**：1-6, 2019

19) Villanueva V, Garcés M, López-González FJ, et al.：Safety, efficacy and outcome-related factors of perampanel over 12 months in a real-world setting：The FYDATA study. Epilepsy Res **126**：201-210, 2016

20) Delgado RT, García-Morales I, Parejo-Carbonell B, et al.：Effectiveness and safety of perampanel monotherapy for focal and generalized tonic-clonic seizures：experience from a national multicenter registry. Epilepsia **61**（6）：1109-1119, 2020

21) Kanemura H, Sano F, Hosino H, et al.：Effects of perampanel on secondary bilateral synchrony and behavioral problems in adolescents with epilepsy showing insufficient response with levetiracetam. Seizure **80**：131-137, 2020

22) Tsai JJ, Wu T, Leung H, et al.：Perampanel, an AMPA receptor antagonist：from clinical research to practice in clinical settings. Acta Neurol Scand **137**（4）：378-391, 2018

23) Vazquez B, Tomson T, Dobrinsky C, et al.：Perampanel and Pregnancy. 72nd Annual Meeting of the American Academy of Neurology, Toronto, Canada, May 2020

24) Nishida T, Lee SK, Inoue Y, et al.：Adjunctive perampanel in partial-onset seizures：Asia-Pacific, randomized phase Ⅲ study. Acta Neurol Scand **137**（4）：392-399, 2018

25) French JA, Krauss GL, Biton V, et al.：Adjunctive perampanel for refractory partial-

onset seizures：randomized phase Ⅲ study 304. Neurology **79**（6）：589-596, 2012

26）French JA, Krauss GL, Steinhoff BJ, et al.：Evaluation of adjunctive perampanel in patients with refractory partial-onset seizures：results of randomized global phase Ⅲ study 305. Epilepsia **54**（1）：117-125, 2013

27）Krauss GL：Perampanel：a selective AMPA antagonist for treating seizures. Epilepsy Curr **13**（6）：269-272, 2013

28）Inoue Y, Kaneko S, Hsieh PF, et al.：A post hoc analysis of the long-term safety and efficacy of perampanel in Asian patients with epilepsy. Epilepsia **60**（Suppl 1）：60-67, 2019

29）Pascarellaa A, Iannone LF, Gennaro GD, et al.：The efficacy of perampanel as adjunctive therapy in drug-resistant focal epilepsy in a "real world" context：focus on temporal lobe epilepsy. Journal of the Neurological Sciences **415**：116903, 2020

30）Villanueva V, Montoya J, Castillo A, et al.：Perampanel in routine clinical use in idiopathic generalized epilepsy：The 12-month GENERAL study. Epilepsia **59**（9）：1740-1752, 2018

31）Delgado RT, Morales IG, Parejo-Carbonell B, et al.：Effectiveness and safety of perampanel monotherapy for focal and generalized tonic-clonic seizures：experience from a national multicenter registry. Epilepsia **61**（6）：1109-1119, 2020

32）Auvin S, Dozieres B, Ilea A, et al.：Use of perampanel in children and adolescents with Lennox-Gastaut Syndrome. Epilepsy Behav **74**：59-63, 2017

33）Goldsmith D, Minassian BA：Efficacy and tolerability of perampanel in ten patients with Lafora disease. Epilepsy Behav **62**：132-135, 2016

34）Shiraishi H, Egawa K, Ito T, et al.：Efficacy of perampanel for controlling seizures and improving neurological dysfunction in a patient with dentatorubral-pallidoluysian atrophy（DRPLA）. Epilepsy Behav Case Rep **8**：44-46, 2017

35）Crespel A, Gelisse P, Tang NPL, et al.：Perampanel in 12 patients with Unverricht-Lundborg disease. Epilepsia **58**（4）：543-547, 2017

36）井上有史, 西田拓司, 福多真史, 他：18 歳以上の日本人成人てんかん患者 1,641 例に対する perampanel の有用性評価. 臨床精神薬理 **22**（7）：733-747, 2019

37）Villanueva V, Garcés M, López-González FJ, et al.：Safety, efficacy and outcome-related factors of perampanel over 12 months in a real-world setting：The FYDATA study. Epilepsy Res **126**：201-210, 2016

38）Laurenza A, Ferry J, Hussein Z：Population pharmacokinetics and pharmacodynamics of perampanel：a pooled analysis from three phase Ⅲ trials. Epilepsy Curr **12**（Suppl 1）：216-217, 2012

39）Rheims S, Ryvlin P：Profile of perampanel and its potential in the treatment of partial onset seizures. Neuropsychiatr Dis Treat **9**：629-637, 2013

40）Schuck E, Ferry J, Gidal B, et al.：Changes in perampanel levels during de-induction：simulations following carbamazepine discontinuation. Acta Neurol Scand **142**（2）：131-138, 2020

41）Patsalos PN：The clinical pharmacology profile of the new antiepileptic drug perampanel : a novel noncompetitive AMPA receptor antagonist. Epilepsia **56** (1) : 12-27, 2015

42) Kanemura H, Sano F, Aihara M : Usefulness of perampanel with concomitant levetiracetam for patients with drug-resistant epilepsy. Eur J Paediatr Neurol **23** (1) : 197-203, 2019

43) Yamamoto Y, Usui N, Nishida T, et al. : Therapeutic drug monitoring for perampanel in Japanese epilepsy patients : influence of concomitant antiepileptic drugs. Ther Drug Monit **39** (4) : 446-449, 2017

44) Rohracher A, Kalss G, Leitinger M, et al. : Two-year real-world experience with perampanel in patients with refractory focal epilepsy : Austrian data. Ther Adv Neurol Disord **9** (6) : 445-453, 2016

45) Lawthom C, Powell R, Hillman E, et al. : Perampanel in South Wales : a multi-centre clinical evaluation. Epilepsia **55** : 138, 2014

46) Toledo M, Gonzalez-Cuevas M, Miró-Lladó J, et al. : Sleep quality and daytime sleepiness in patients treated with adjunctive perampanel for focal seizures. Epilepsy Behav **63** : 57-62, 2016

47) Steinhoff BJ, Bacher M, Bast T, et al. : First clinical experiences with perampanel—the Kork experience in 74 patients. Epilepsia **55** (Suppl. 1) : 16-18, 2014

48) Nakajima M, Suda S, Sowa K, et al. : AMPA receptor antagonist perampanel ameliorates post-stroke functional and cognitive impairments. Neuroscience **386** : 256-264, 2018

49) Chen T, Dai SH, Jiang ZQ, et al. : The AMPAR antagonist perampanel attenuates traumatic brain injury through anti-oxidative and anti-inflammatory activity. Cell Mol Neurobiol **37** (1) : 43-52, 2017

50) Dohare P, Zia MT, Ahmed E, et al. : AMPA-kainate receptor inhibition promotes neurologic recovery in premature rabbits with intraventricular hemorrhage. J Neurosci **36** (11) : 3363-3377, 2016

51) Niu HX, Wang JZ, Wang DL, et al. : The orally active noncompetitive AMPAR antagonist perampanel attenuates focal cerebral ischemia injury in rats. Cell Mol Neurobiol **38** (2) : 459-466, 2018

52) Yamashita T, Hideyama T, Hachiga K, et al. : A role for calpain-dependent cleavage of TDP-43 in amyotrophic lateral sclerosis pathology. Nat Commun **3** : 1307, 2012

第10章

ラコサミドのてんかん治療における意義

谷口　豪，宮川　希
国立精神・神経医療研究センター病院 精神科

　ラコサミド（lacosamide：LCM，ビムパット®）は，米国の国立神経疾患・脳卒中研究所（NINDS）のプログラムにより，抗けいれん薬候補化合物として合成された機能性アミノ酸の一種である[5]（図1）。

　LCMは2008年に欧州で抗てんかん薬として初めて承認され，本邦では16歳以上の（焦点起始両側強直間代発作を含む焦点発作を有する）焦点てんかんの付加療法として2016年に承認された。2017年には単剤療法での使用，2019年には4歳以上の小児への適応および点滴静注薬も承認された。

　LCMは電位依存性ナトリウムチャネル阻害作用によって過剰興奮状態にある神経細胞膜を安定化させることによって発作抑制作用を示す（図2）。LCMは数秒以上の緩徐な不活性化を選択的に促進させるが，カルバマゼピ

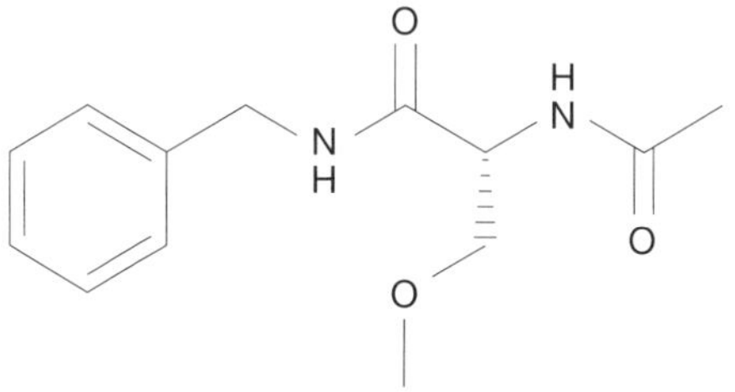

図1：ラコサミド（lacosamide）の構造式
一般名：lacosamide
化学名：(2R)-2-Acetamido-N-benzyl-3-methoxypropanamide
分子式：$C_{13}H_{18}N_2O_3$ = 250.29
(Beyreuther BK, et al.：CNS Drug Rev 13(1)：21-42, 2007[9]より作成)

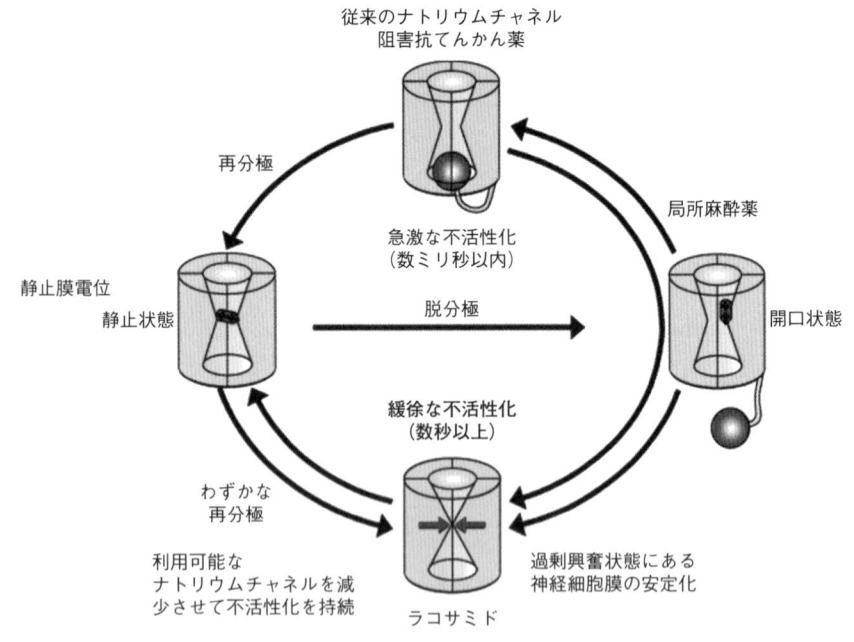

図2：従来のナトリウムチャネル阻害作用を有する抗てんかん薬とLCMのナトリウムチャネルに対する不活性化の違い
(Beyreuther BK, et al.：CNS Drug Rev 13（1）：21-42, 2007[5]）より作成）

ン（carbamazepine：CBZ）やフェニトイン（phenytoin：PHT）といった既存のナトリウムチャネル阻害薬のような数ミリ秒以内の急速な不活性化作用はもたない[9]。緩徐な不活性化のほうが不活性化状態からの回復に時間がかかることから，活性化できるナトリウムチャネルの割合が減少され神経細胞の過剰な興奮を抑えると考えられている[9]。

A　ラコサミドの薬物動態・薬物相互作用

　LCMは経口摂取後速やかに吸収され，バイオアベイラビリティはほぼ100%である。半減期は約14時間であり，反復投与下では3日で定常状態に達する。血中濃度は投与量に比例する線形の薬物動態を示し，最高血中濃度

到達時間（T_{max}）は投与後 0.4〜4 時間である。以上のような薬物動態は食事による影響はうけない。

治験の第Ⅱ・第Ⅲ相のプールデータからは，投与開始後1〜2週間で臨床効果が発現すると考えられる[12]。

血漿蛋白結合率は15％未満と低い。LCMの60％はCYP2C19，CYP2C9，CYP3A4などによって代謝され，30〜40％は未変化体のまま腎臓から排泄される[5]。

LCMは他の抗てんかん薬や主要薬物（ワルファリン，ジゴキシン，経口避妊薬など）との相互作用はほとんど認められないが，酵素誘導薬との併用で血中濃度が25％程度低下する[5]。

B ラコサミドの用法および用量

通常，成人へのLCMの投与は1回量50 mgを1日2回（100 mg/日）から開始する。以後，1週間以上の間隔をあけて漸増し維持量は200 mg/日（1日2回分割投与）である。LCM血中濃度の臨床的な意義は明らかでなく，用量調整は発作への効果や副作用といった臨床症状に基づいて行われ，最大400 mg/日まで増量可能である。

成人焦点てんかんの付加療法の効果について4件の無作為化二重盲検プラセボ対照試験のレビューによると，400 mg/日は200 mg/日より効果が高かった［RR：リスク比 1.23（95％CI 1.05〜1.43），$P=0.01$］が600 mg/日は400 mg/日よりも有益性を示さず［RR：1.01（95％ CI 0.81〜1.27），$P=0.90$］，上限量400 mg/日を超える用量での使用を支持するエビデンスはないと結論している[11]。

通常，4歳以上の小児には1日2 mg/kgより投与を開始し，その後1週間以上の間隔をあけて1日用量として2 mg/kgずつ増量し，維持用量を体重30 kg未満の小児には1日6 mg/kg，体重30 kg以上50 kg未満の小児には1日4 mg/kgとする。いずれも1日2回に分けて経口投与する。なお，症状により体重30 kg未満の小児には1日12 mg/kg，体重30 kg以上50 kg未満の小

児には1日8 mg/kgを超えない範囲で適宜増減する。体重50 kg以上の小児では，成人と同じ用法・用量を用いる。

LCMは経口製剤（錠剤，ドライシロップ）以外にも点滴静注剤があり，てんかん重積状態での有効性を示す報告[14]もあるが，本邦においては「経口投与ができない患者における経口製剤の代替療法」としての適応となっている。

クレアチニンクリアランスが30 mL/分以下の腎機能障害のある患者には，成人では300 mg/日を限度とする慎重投与が推奨されている。また，血液透析を受けている患者では，1日用量に加えて，血液透析後に最大で1回用量の半量の追加投与を考慮する。軽度または中等度の肝機能障害のある患者（Child-Pugh分類AおよびB）にも成人では300 mg/日を限度とすることが推奨されている[5]。

また，心疾患の既往のある患者においてはPR間隔の延長に注意する必要がある[5]。

高齢者においては非高齢者よりも1日投与量は少量とし，増量もより緩徐に行うことが望ましい。

C ラコサミドの有効性

1. 焦点発作

欧米の16歳以上のてんかん患者の焦点発作に対するLCMの併用療法の無作為化二重盲検プラセボ対照試験は3件行われており，LCM 200～600 mg/日投与群の発作回数減少率の中央値は26～40％，50％以上発作が減少した人の割合（50％レスポンダーレート：50％RR）は33～41％であり，プラセボ群に比べて統計的に有意な有効性が示された[7,12,15]。

日本と中国の16歳以上のてんかん患者の焦点発作に対するLCMの併用療法の無作為化二重盲検プラセボ対照試験においてはLCM 200～400 mg/日投与群の発作回数減少率の中央値は30～40％，50％RRは39～49％，75％RRは21～25％であり，プラセボ群に比べて統計的に有意な有効性が示された[17]。

長期継続試験では1年後，3年後，5年後の50％RRは，それぞれ49～53％，

57%，64％であった[18,27]。

　他の抗てんかん薬1剤にLCMを追加したときの6ヵ月後の発作転帰を比較した研究においては，いずれの抗てんかん薬との併用でも50%RRは67～81％と十分な発作抑制効果があり，ナトリウムチャネル阻害と併用した場合とナトリウムチャネル阻害作用のない薬剤と併用した場合においてはとくに発作抑制効果に差はみられなかった[28]。第一世代の抗てんかん薬［CBZ，PHT，バルプロ酸（valproate：VPA），フェノバルビタール（phenobarbital：PB）］と第二世代の抗てんかん薬［レベチラセタム（levetiracetam：LEV），ラモトリギン（lamotrigine：LTG），トピラマート（topiramate：TPM）など］とのLCM併用では50%RRには統計的に有意な差はみられなかった[12]。

　LCMを付加した後，併用していた抗てんかん薬を中止してLCM単剤での治療効果を検証した二重盲試験ではLCM 300～400 mg/日投与群の50%RRは61～63%，75%RRは34～44％であった[34]。

　LCMの単剤療法を検討する研究としては16歳以上の新規発症の焦点てんかん患者を対象としてCBZ徐放剤を対照としての無作為化二重盲検比較試験が行われ，最終評価用量での評価期間における6ヵ月間発作消失率はLCM群が90%，CBZ徐放剤群が91％と，焦点発作に対する第1選択薬であるCBZと同等の効果があることが示された[6]。

　長期継続試験においても12ヵ月発作抑制はLCM群が51%，CBZ徐放剤群が55%，24ヵ月発作抑制はLCM群が47%，CBZ徐放剤群が51％と新規発症焦点てんかん患者への効果はCBZと同等の効果が長期にわたっても維持されることが示された[8]。

　小児の難治性てんかん患者に対するLCMの効果を検証したシステマティックレビューによると，50%RRは51%，発作抑制は24％であり，LCMは小児の難治性焦点てんかんの治療薬として選択肢になりうると結論している[24]。これらは必ずしも高い数字ではないが，レビューの対象となった患者は焦点てんかん（79%）のみならず，全般てんかん［21%：Lennox-Gastaut症候群（LGS）も含む］も含んでいることを考慮して解釈する必要がある。Rastogiらによる小児患者を対象とした観察研究では，焦点てんかんの62％

で効果があったのに対して，全般てんかんでは25％しか効果がなかったと報告している[25]。

2. 全般発作

若年ミオクロニーてんかんをはじめとする特発性全般てんかん（2017年分類では素因性全般てんかん）においてLCMは単剤療法もしくは併用療法で，ミオクロニー発作や欠神発作を増悪させることなく発作を抑制したという症例報告がある[1,2,36]。

特発性全般てんかんの強直間代発作に対するLCMの併用療法の効果を検証する無作為化二重盲検プラセボ対照試験においてLCMの50％RRは68％，75％RRは57％，発作消失率は28％（プラセボはそれぞれ46％，36％，13％）であり，24週間中の強直間代発作が再発するリスクは0.54と統計的に有意な効果があることが報告された[33]。

その一方で，若年ミオクロニーてんかん患者においてLCMが誘発したと思われる欠神発作重積状態の症例報告[3]や，特発性全般てんかん患者を対象としたオープンラベル試験・延長観察試験においてLCM投与中に欠神発作ないしミオクロニー発作が増悪しLCMが中止となった患者は5〜10％であったとの報告[35]もある。

小児LGSに対するLCMの効果を検証するシステマティックレビューによると50％RRは50％で，発作に変化がなかったのは32％，発作の増悪を認めたのは17％と報告している[24]。

成人LGS対象のオープンラベル試験において50％RRは19人中の2人（11％）とあまり効果は示さず，79％の患者で強直発作，39％の患者で脱力発作がそれぞれ増悪した[4]。

このように全般発作に対するLCMの効果・安全性に関しては確立されておらず，今後さらなる検討が必要と思われる。

D　ラコサミドの副作用

　副作用としては浮動性めまい，傾眠，頭痛，悪心，複視など用量依存性に報告されるが，軽度から中等度のことが多く比較的忍容性は高い。発疹もまったく起こらないわけではないが，CBZのような重症薬疹の報告は少ない。体重や睡眠の質への影響も少ないと考えられている。

　前述の，日中共同で行われたLCMの併用療法の無作為化二重盲検プラセボ対照試験（「C　有効性」参照）での主な副作用は浮動性めまい（27.5％），傾眠（10.4％），頭痛（5.9％），霧視（5.1％），複視（4.9％），嘔吐（5.9％），悪心（5.5％），肝機能障害（3％以上），白血球数減少（3.4％）であった[17]。

　小児患者においてもめまい，傾眠，頭痛，消化器症状などの副作用があったがいずれも軽微であり，内服中止が必要になるような副作用は少なかった[24]。

　妊娠中のLCM投与の催奇形性リスクに関しては臨床データが乏しく，結論が出ていないのが現状である。妊娠中のマウスに治療用量のLCMを投与した研究においては用量依存性に成長遅延や先天性奇形が引き起こされる可能性があり，さらにそのようなマウスは成長すると統合失調症モデルに関連した行動変化および前頭皮質や海馬，扁桃体などでの形態学的変化が観察された[20]。妊娠中のてんかん患者へのLCMの投与を考慮する場合，胎児への影響が用量依存性である可能性があることを認識するのが望ましい。LCMの妊娠中の投与の安全性に関してはさらなる検討が必要である。

E　ラコサミドの精神面への作用

1. てんかん患者に対するLCMの精神面への作用

　てんかん患者は健常者に比べて精神症状を合併していることが多く，抗てんかん薬が精神面にプラスもしくはマイナスの作用を与えることを知っておくのは臨床上重要である。

　成人てんかん患者へのLCM付加投与を行った無作為化二重盲検プラセボ

対照試験のデータを使った安全性の検証研究では，LCM投与群944人中精神病症状3人（0.3％），希死念慮4人（0.4％），抑うつ症状20人（2.1％）が観察された[10]。

　1,058人の成人てんかん患者を対象とした抗てんかん薬の精神面への副作用を調べた診療録調査ではLCM投与の160人で抑うつや妄想などの精神症状が出現して内服を中断したものは3人（1.9％）という結果で，同じくナトリウムチャネル阻害作用をもつeslicarbazepine acetateと並んでLEVやTPMといったその他の作用機序をもつ抗てんかん薬と比べて有意に少ないという結果であった[31]。

　CBZ徐放剤を対照とした成人焦点てんかんに対するLCMへの効果を検証する無作為化二重盲検比較試験において精神的有害事象が出現したのはLCM投与群では15人（23.4％），CBZ徐放剤投与群では10人（16.1％）であり，LCM群では抑うつ症状（4.7％），不安（3.1％），希死念慮（3.1％），CBZ徐放剤では不安（6.5％），不眠（3.2％），希死念慮（1.6％）の順で多かったが，両者とも精神病症状の出現は観察されなかった[29]。精神的有害事象の割合が多く感じるが，実際には重篤な精神的有害事象はLCM群ではなく，CBZ徐放剤投与群では1人（1.6％），精神症状に伴い内服中断したのはLCM群では1人（1.6％），CBZ徐放剤群では2人（3.2％）であった[6]。

　成人焦点てんかんに対するLCMの付加療法の市販後安全性試験においては12ヵ月LCM内服加療をした511人中21人（4.1％），他の抗てんかん薬加療493人中27人（5.5％）に精神的有害事象が出現した[30]。LCM投与群で重篤な精神症状が出現したのは4人（0.8％）で，抑うつと自殺企図がそれぞれ2人だった[30]。

　LCMがてんかん患者に対して精神的にプラスの作用があるのかを検討したednToniologのシステマティックレビューによると気分の面で改善が観察されたという報告と効果がなかったという報告がそれぞれ存在する[32]（**表1**）。

　Moseleyらは成人焦点てんかん患者91人を対象とした前向き観察研究において，抑うつ評価尺度（Neurological Disorders Depression Inventory for Epilepsy：NDDI-E），不安評価尺度（Generalized Anxiety Disorder 7-

item：GAD-7）は LCM 開始前後では有意な改善は認めなかったが，NDDI-E が 15 以上の抑うつの強い患者 25 人に絞って解析すると LCM 投与後には NDDI-E は有意に改善を示したことを報告している[22]。

Nakhutina らは成人の焦点てんかん患者 50 人を LCM 投与群と別の抗てんかん薬群に分けて気分を評価する Profile of Mood Status（POMS）の治療前後での変化を比較し，LCM 投与群は有意に気分を改善したと報告している（ただし，治療前後での QOL の変化は両者に差はなかった）[23]。

Rocamora らは難治性の焦点てんかん患者 49 人を対象とした多施設オープン試験で，LCM 開始時と開始 6 ヵ月後とを比較したところ，抑うつの評価尺度（Beck Depression Inventory-II），不安の評価尺度（State-Trait Anxiety Inventory），不安と抑うつの評価尺度（Hospital Anxiety and Depression Scale）において症状の改善があった[26]。

以上をまとめると，LCM によって精神症状が出現あるいは増悪するなどのマイナスの影響は他の抗てんかん薬よりも少なく，むしろ不安や抑うつの改善などのプラスの作用をもたらす可能性があると言える。

小児難治性てんかん患者を対象としたシステマティックレビューによるとイライラ，抑うつ，自殺念慮，性格変化，興奮などの精神面の副作用の報告があるものの症状は重篤なものは少ないと報告している[24]。

2．双極性障害患者に対する LCM の精神面への作用

CBZ や LTG は気分安定薬として双極性障害の治療に使用される。これらと同じナトリウムチャネル阻害作用をもつ LCM も同様の効果をもつ可能性が考えられ，その有効性を検証する研究が存在する。Cuomo らは急性の気分症状で入院した，DSM-5 で双極性障害の診断基準を満たす患者 102 人に対して LCM 投与前後の精神症状を Brief Psychiatric Rating Scale（BPRS）や Hamilton's Rating Scale for Depression（HDS-R），Young Mania Rating Scale（YMRS），Clinical Global Impression-Severity（CGI-S），Global Assessment of Functioning（GAF）などの臨床評価尺度を用いて後方視的に評価した[13]。対照は他の気分安定薬（lithium は除く）で加療された双極性障害 123 人とし

表1：ラコサミドの精神症状への作用

報告者	研究デザイン	患者数	対照	年齢	発作症状	評価尺度
Gioriji, et al (2013)	単施設 非盲検・オープン試験 前向き	10	無	26-76 平均48.2	部分発作 二次性全般化発作	BDI, STAI EES, PSQI FSS
Moseley, et al (2015)	単施設 非盲検・オープン試験 前向き	91	無	19-84 平均39.0	部分発作	NDDI-E GAD-7
Lancman, et al (2016)	単施設 非盲検・オープン試験 前向き	34	無	18-63 平均38.8	部分発作	BDI, POMS QOLIE-10
Nakhutina, et al (2017)	単施設 単盲・コントロール試験 前向き	18	32	18-85 平均43	部分発作 二次性全般化発作	POMS QOLIE-89
Rocamora, et al (2017)	多施設 非盲検・オープン試験 前向き	49	無	18-85 平均39.5	部分発作 二次性全般化発作	BDI, STAI HADS QOLIE-10
Maschio, et al (2017)	単施設 非盲検・比較試験 前向き	25	19 (LEV)	22-74 平均42.0	部分発作 二次性全般化発作	QOLI-31P EORTC, BI ZSDS, KPS
Helmstedter, et al (2012)	単施設 非盲検・比較試験 後向き	44	11 (LTG) 15 (TPM)	平均40.4	記載なし	0-4点の5段階評価 QOLI-E 10
Meschede, et al (2018)	単施設 非盲検・比較試験 後向き	37	57 (PER)	平均40.7	部分発作	0-4点の5段階評価 QOLI-E 10

Beck Depression Inventory（BDI），State-Trait Anxiety Inventory（STAI），Epworth Sleepiness Scale(ESS)，Pittsburgh Sleep Quality Index(PSQI)，Fatigue Severity Scale（FSS），Neurological Disorders Depression Inventory for Epilepsy（NDDI-E），Generalized Anxiety Disorder（GAD-7），Profile of Mood States（POMS），Hospital Anxiety and Depression Scale（HADS），Quality of Life in Epilepsy（QOLIE-10，QOLIE-31P，QOLIE-89），European Organization for Research and Treatment of Cancer（EORTC），Zung Self Rating Depression Rating Scale（ZDSD），Karnofsky Performance Status（KPS），Barthel Index（BI），Activities of Daily Living（ADLs）

表1：つづき

投与量(mg)	結果	併用するAED	発作	フォローアップ(月)	気分障害の既往
250	効果なし	CBZ, LEV, LTG OXC, TPM.VNS VPA, ZNS	50%RR：50%	6	含む
355	全体：効果なし 抑うつの強い患者：改善	CBZ, OXC, LTG VPA	50%RR：86%	6	含む
235	効果なし	LEV, PB.LTG.TPM CBZ, PHT, OZC, ZNS VPA, CZP, GBP	50%RR：53%	6	除外
330	気分：効果あり QOL：効果なし	記載なし	発作抑制： LCM 50% 対照 34.3%	3.2	除外
記載なし	気分：効果あり QOL：効果あり	記載なし	50% RR〜発作抑制： 67.40%	6	除外
300	気分：効果なし ADL：効果あり	CBZ, LEV, LTG OXC, TPM, VPA, PB, PHT	50% RR〜発作抑制： 86.00%	5.8	除外
345.5	気分：効果なし QOL：効果なし	CBZ, CLB, CZP LCM, LEV, PB, LTG TPM, PHT, OXC, ECB ZNS, VPA, PGB, RUF	発作抑制： LCM 16% TPM13% LTG 55%	7.3	含む
345.9	気分：効果なし QOL：効果なし	CBZ, CLB, CZP LCM, LEV, PB, LTG TPM, PHT, OXC, ECB ZNS, VPA, PGB, RUF RTG, TGB, PRM	発作抑制： LCM 14% PER 26%	8.2	含む

CBZ = carbamazepine, LEV = levetiracetam, LTG = lamotrigine, OXC = oxcarbazepine, PB = phenobarbital, TPM = topiramate, VNS = vagus nerve stimulator, VPA = valproic acid, ZNS = zonisamide, PHT = phenytoin, CZP = clonazepam, GAB = gabapentin, CLB = clobazam, ECB = eslicarbazepine, LCM = lacosamide, PGB = pregabalin, RUF = rufinamide, PER = perampanel, TGB = tiagabine, PRM = primidone, RTG = retigabine
(Toniolo S, et al.：Epilepsy Behav 111：2020[32]）より作成）

て解析したところ，LCM 投与群は躁状態やうつ状態などの状態像と関係なく，他の気分安定薬投与群と同程度の改善を示した[13]。さらに LCM 投与群では CGI-S と YMRS のスコアが他の気分安定薬投与群よりも有意に改善を示すなど，LCM が双極性障害にも有効である可能性が報告されている[13]。

F ラコサミドの認知機能への影響

　一部の抗てんかん薬は注意集中，記憶，情報処理などの認知機能に影響を与えることが知られており，LCM の認知機能への影響を検証した研究も存在する。

　Helmstaedter らは認知機能への悪影響が強いと考えられている TPM と，認知機能への作用の少ない LTG と比較した研究では，EpiTrack という認知機能への影響を簡易に評価できるスクリーニング検査において治療前後で認知機能が増悪したのは LCM 群 14％，TPM 群 53％，LTG 群 27％で，認知機能が改善したのは LCM 群 23％，TPM 群なし，LTG 群 27％であり，主観的な認知機能の増悪を TPM 群では LCM 群，LTG 群よりも有意に訴えたと報告している[16]。Ijff らは LCM 投与前後での認知機能の変化を調べたところ，主観的に治療後の認知機能への不満を感じる患者はいたものの，コンピューター視覚検索タスクを使った客観的評価では情報処理反応時間が短縮したと報告している[19]。Meschede らが EpiTrack を使用して LCM 投与群とペランパネル（perampanel：PER）投与群の認知機能の変化を調べたところ，実行機能と記憶力のスコアは LCM 群で有意に改善したが，このような改善は PER 群には観察されなかった[21]。

　以上の結果をまとめると，LCM の認知機能へのマイナスの影響は少なく，むしろプラスに働く可能性も示唆されていると言ってよいだろう。

G 今後の展望・課題

　これまで述べてきたように，LCM は既存の抗てんかん薬とは異なるナト

表2：ラコサミドの臨床的特性のまとめ

本邦での適応	焦点発作，焦点起始両側強直間代発作の単剤療法および付加療法
剤形	50 mg 錠，100 mg 錠，ドライシロップ，点滴静注剤
初期投与量	小児：2 mg/kg/日
	成人：100 mg/日
維持投与量	小児：6 mg/kg/日〜12 mg/kg/日（体重 30 kg 未満）
	小児：4 mg/kg/日〜8 mg/kg（体重 30 kg 以上 50 kg 未満）
	＊体重 50 kg 以上の小児では成人と同じ用量・用法
	成人：200〜400 mg/日
相互作用	他剤との薬物相互作用は臨床上ほとんど問題にならない
血中濃度治療参考域	10〜20 μg/mL
主な副作用	眠気，めまい，嘔気
精神面への影響	少ない（一部では改善するというデータもある）
認知機能への影響	少ない（一部では改善するというデータもある）
催奇形性	データが少なく安全性は確立されていない
利点	カルバマゼピンと同程度の発作抑制効果を有する
	身体的・精神的副作用が少なく忍容性が高い
	薬物相互作用がない
欠点	催奇形性や全般てんかんへの安全性は確立されていない
作用機序	電位依存性ナトリウムチャネル阻害作用（緩徐な不活性化）
バイオアベイラビリティ	ほぼ 100%
半減期	約 14 時間
排泄	30〜40%は未変化体のまま腎臓から排泄
血中蛋白結合	15%未満

リウムチャネル阻害作用をもち，臨床的に問題となる薬物相互作用がなく，重篤な身体的副作用も少なく，精神症状・認知機能増悪の可能性も低く，焦点てんかん発作に対して十分な発作抑制が期待できる抗てんかん薬と考えられる（表2）。

以上のような特徴を考えると今後は高齢発症の焦点てんかんの治療におけ

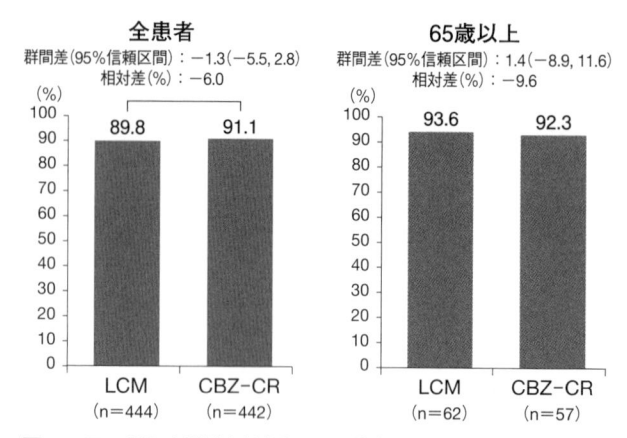

全患者
群間差(95%信頼区間)：−1.3(−5.5, 2.8)
相対差(%)：−6.0
(%)
100, 89.8, 91.1
LCM (n=444) CBZ-CR (n=442)

65歳以上
群間差(95%信頼区間)：1.4(−8.9, 11.8)
相対差(%)：−9.6
(%)
100, 93.6, 92.3
LCM (n=62) CBZ-CR (n=57)

図3：ラコサミド単剤療法をCBZ徐放剤と比較した無作為化二重盲検比較試験_1(投与群間での発作消失率の比較)
最終評価用量での評価期間における6ヵ月間発作消失率が示してある。
(Baulac M, et al.：Lancet Neurol 16(1)：43, 2017[6]）より作成）

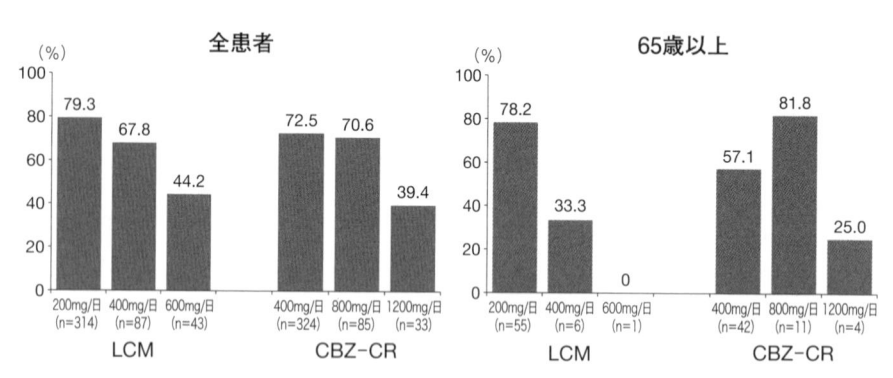

全患者
(%)
100
LCM: 200mg/日 (n=314) 79.3, 400mg/日 (n=87) 67.8, 600mg/日 (n=43) 44.2
CBZ-CR: 400mg/日 (n=324) 72.5, 800mg/日 (n=85) 70.6, 1200mg/日 (n=33) 39.4

65歳以上
(%)
100
LCM: 200mg/日 (n=55) 78.2, 400mg/日 (n=6) 33.3, 600mg/日 (n=1) 0
CBZ-CR: 400mg/日 (n=42) 57.1, 800mg/日 (n=11) 81.8, 1200mg/日 (n=4) 25.0

図4：ラコサミド単剤療法をCBZ徐放剤と比較した無作為化二重盲検比較試験_2（投与量毎の発作消失率）
最終評価用量での評価期間における6ヵ月間発作消失率が示してある。
(Baulac M, et al.：Lancet Neurol 16 (1)：43, 2017[6]）より作成）

るLCMが選択される機会も増えることが予想される。

前述した新規発症の焦点てんかん患者に対するCBZ徐放剤を対照とした無作為化二重盲検比較試験において（「C　有位性」参照），65歳以上の患者を対象とした場合の発作抑制率は，LCM群で94%，CBZ徐放剤群では92%であった。さらに投与量別の発作抑制率を調べてみると，LCMは200 mg投与群：78%，400 mg投与群：33%。CBZ徐放剤では400 mg投与群：57%，800 mg投与群：82%であった（図3, 4）[6]。以上の結果からも高齢発症の焦点てんかんにおいてLCMは少量の投与で十分に発作を抑制できる可能性が示唆される。

催奇形性の問題や全般発作に関する治療に関しては今後も検証が必要であろう。

精神症状に関しては少なくともマイナスの影響を与えることは少ないと思われるが，果たして気分安定薬としての作用をしっかりと発揮できるかどうかなど，まだ疑問な点が多い。

文　献

1) Abarrategui B, Garcia-Garcia ME, Toledano R, et al.：Lacosamide for refractory generalized tonic-clonic seizures of non-focal origin in clinical practice：a clinical and VEEG study. Epilepsy Behav Case Rep **8**：63-65, 2017
2) Afra P, Adamolekun B：Lacosamide treatment of juvenile myoclonic epilepsy. Seizure **21**（3）：202-204, 2012
3) Ákos Szabó C, Morgan LC, Sonnenberg S, et al.：Absence status induced by lacosamide adjunctive therapy. Epileptic Disord **21**（1）：97-101, 2019
4) Andrade-Machado R, Luque-Navarro-de Los Reyes J, Benjumea-Cuartas V, et al.：Efficacy and tolerability of add-on Lacosamide treatment in adults with Lennox-Gastaut syndrome：an observational study. Seizure **33**：81-87, 2015
5) 荒木保清，寺田清人：ラコサミド．日本臨牀 **76**（6）：964-969, 2018
6) Baulac M, Rosenow F, Toledo M, et al.：Efficacy, safety, and tolerability of lacosamide monotherapy versus controlled-release carbamazepine in patients with newly diagnosed epilepsy：a phase 3, randomised, double-blind, non-inferiority trial. Lancet Neurol **16**（1）：43, 2017
7) Ben-Menachem E, Biton V, Jatuzis D, et al.：Efficacy and safety of oral lacosamide as adjunctive therapy in adults with partial-onset seizures. Epilepsia **48**（7）：1308-1317, 2007

8) Ben-Menachem E, Grebe HP, Terada K, et al.：Long-term safety and efficacy of lacosamide and controlled-release carbamazepine monotherapy in patients with newly diagnosed epilepsy. Epilepsia **60**（12）：2437-2447, 2019

9) Beyreuther BK, Freitag J, Heers C, et al.：Lacosamide：a review of preclinical properties. CNS Drug Rev **13**（1）：21-42, 2007

10) Biton V, Gil-Nagel A, Isojarvi J, et al.：Safety and tolerability of lacosamide as adjunctive therapy for adults with partial-onset seizures：analysis of data pooled from three randomized, double-blind, placebo-controlled clinical trials. Epilepsy Behav **52**：119-127, 2015

11) Chen D, Lin Y, Chen T, et al.：Dose effects of lacosamide as add-on therapy for partial-onset seizure in adult. Neurol Sci **37**（6）：907-920, 2016

12) Chung S, Ben-Menachem E, Sperling MR, et al.：Examining the clinical utility of lacosamide：pooled analyses of three phase Ⅱ／Ⅲ clinical trials. CNS Drugs **24**（12）：1041-1054, 2010

13) Cuomo I, Piacentino D, Kotzalidis GE, et al.：Lacosamide in bipolar disorder：a 30-day comparison to a retrospective control group treated with other antiepileptics. Psychiatry Clin Neurosci **72**（12）：864-875, 2018

14) Farrokh S, Bon J, Erdman M, et al.：Use of newer anticonvulsants for the treatment of status epilepticus. Pharmacotherapy **39**（3）：297-316, 2019

15) Halász P, Kälviäinen R, Mazurkiewicz-Beldzinska M, et al.：Adjunctive lacosamide for partial-onset seizures：Efficacy and safety results from a randomized controlled trial. Epilepsia **50**（3）：443-453, 2009

16) Helmstaedter C, Witt JA：The longer-term cognitive effects of adjunctive antiepileptic treatment with lacosamide in comparison with lamotrigine and topiramate in a naturalistic outpatient setting. Epilepsy Behav **26**（2）：182-187, 2013

17) Hong Z, Inoue Y, Liao W, et al.：Efficacy and safety of adjunctive lacosamide for the treatment of partial-onset seizures in Chinese and Japanese adults：a randomized, double-blind, placebo-controlled study. Epilepsy Res **127**：67-275, 2016

18) Husain A, Chung S, Faught E, et al.：Long-term safety and efficacy in patients with uncontrolled partial-onset seizures treated with adjunctive lacosamide：results from a Phase Ⅲ open-label extension trial. Epilepsia **53**（3）：521-528, 2012

19) Ijff DM, van Veenendaal TM, Majoie HJM, et al.：Cognitive effects of lacosamide as adjunctive therapy in refractory epilepsy. Acta Neurol Scand **131**（6）：347-354, 2015

20) López-Escobar B, Fernández-Torres R, Vargas-López V, et al.：Lacosamide intake during pregnancy increases the incidence of foetal malformations and symptoms associated with schizophrenia in the offspring of mice. Sci Rep **10**（1）：1-14, 2020

21) Meschede C, Witt JA, Rademacher M, et al.：Evaluating the longer-term cognitive effects of adjunctive perampanel compared to lacosamide in a naturalistic outpatient setting. Seizure **58**：141-146, 2018

22) Moseley BD, Cole D, Iwuora O, et al.：The effects of lacosamide on depression and anxiety in patients with epilepsy. Epilepsy Res **110**：115-118, 2015

23) Nakhutina L, Kunnakkat SD, Coleman M, et al.：Effects of adjunctive lacosamide on mood and quality of life in patients with epilepsy. Epilepsy Behav **73**：90-94, 2017

24) Ortiz de la Rosa JS, Ladino LD, Rodríguez PJ, et al.：Efficacy of lacosamide in children and adolescents with drug-resistant epilepsy and refractory status epilepticus：a systematic review. Seizure **56**：34-40, 2018

25) Rastogi RG, Ng YT：Lacosamide in refractory mixed pediatric epilepsy：a prospective add-on study. J Child Neurol **27**（4）：492-495, 2012

26) Rocamora R, Ley M, Molins A, et al.：Effect of lacosamide on depression and anxiety symptoms in patients with focal refractory epilepsy：a prospective multicenter study. Epilepsy Behav **79**：87-92, 2018

27) Rosenfeld W, Fountain NB, Kaubrys G, et al.：Safety and efficacy of adjunctive lacosamide among patients with partial-onset seizures in a long-term open-label extension trial of up to 8years. Epilepsy Behav **41**：164-170, 2014

28) Runge U, Arnold S, Brandt C, et al.：A noninterventional study evaluating the effectiveness and safety of lacosamide added to monotherapy in patients with epilepsy with partial-onset seizures in daily clinical practice：The VITOBA study. Observational Study **56**（12）：1921-30, 2015

29) Schmitz B, Dimova S, Zhang Y, et al.：Tolerability and efficacy of lacosamide and controlled-release carbamazepine monotherapy in patients with newly diagnosed epilepsy and concomitant psychiatric conditions：post hoc analysis of a prospective, randomized, double-blind trial. Epilepsy Res **159**：2019

30) Steinhoff BJ, Eckhardt K, Doty P, et al.：A long-term noninterventional safety study of adjunctive lacosamide therapy in patients with epilepsy and uncontrolled partial-onset seizures. Epilepsy Behav **58**：35-43, 2016

31) Stephen LJ, Wishart A, Brodie MJ：Psychiatric side effects and antiepileptic drugs：observations from prospective audits. Epilepsy Behav **71**（Pt A）：73-78, 2017

32) Toniolo S, Di Lorenzo F, Bozzali M, et al.：The impact of lacosamide on mood disorders in adult patients with epilepsy：a systematic review. Epilepsy Behav **111**：2020

33) Vossler DG, Knake S, O'Brien TJ, et al.：Efficacy and safety of adjunctive lacosamide in the treatment of primary generalised tonic-clonic seizures：a double-blind, randomised, placebo-controlled trial. J Neurol Neurosurg Psychiatry **91**（10）：1067-1075, 2020

34) Wechsler RT, Li G, French J, et al.：Conversion to lacosamide monotherapy in the treatment of focal epilepsy：results from a historical-controlled, multicenter, double-blind study. Epilepsia **55**（7）：1088-1098, 2014

35) Wechsler RT, Yates SL, Messenheimer J, et al.：Lacosamide for uncontrolled primary generalized tonic-clonic seizures：an open-label pilot study with 59-week extension. Epilepsy Res **130**：13-20, 2017

36) Zangaladze A, Skidmore C：Lacosamide use in refractory idiopathic primary generalized epilepsy. Epilepsy Behav **23**（1）：79-80, 2012

第11章

これからの抗てんかん薬の使い方

兼子 直
湊病院北東北てんかんセンター

　第二世代抗てんかん薬（antiepileptic drug：AED）の作用機序は第1章，臨床薬理学的側面は第2章にまとめられており，ガバペンチン（gabapentin：GBP），トピラマート（topiramate：TPM），ラモトリギン（lamotrigine：LTG），レベチラセタム（levetiracetam：LEV）の各章は新たに改訂された。近年上市されたペランパネル（perampanel：PER），ラコサミド（lacosamide：LCM）については，第9章，第10章で詳細に記載されている。本章では第二世代AED導入後の抗てんかん薬の特徴を踏まえた使用方法についてまとめる。薬剤選択の原則，その際に必要な知識，てんかん発作抑制に止まらない抗てんかん薬の効果についても触れることにする。本書の前版が出版された当時はこれらの第二世代AEDの使用経験が乏しく，記載された内容の多くは海外からの報告に頼らざるを得ない状況であった。しかし，本邦の臨床家の経験が豊富になり，本書はてんかん治療に携わる専門家が，それぞれの立場から考察したものである。ここでは使い方のコツの細部にも触れることにする。

A　薬剤選択

　これまでに記載された各章から第二世代AEDの特徴が明らかとなったが，これらの第二世代AEDをどのように使用するのかを次に考える必要がある。第二世代AEDが導入される前の日本てんかん学会がまとめた専門医によるAEDの選択を表1に示したが，第1選択薬は全般発作がバルプロ酸（valproic acid：VPA），焦点発作がカルバマゼピン（carbamazepine：CBZ）

表1：てんかん専門医による従来の発作型別薬剤選択表

てんかん型	発作型	第1選択薬	第2選択薬
特発性全般てんかん	強直間代発作	VPA	
	ミオクロニー発作	VPA	CBZ
	欠神発作	VPA	ESM
症候性全般てんかん	強直間代発作	VPA	CZP
	ミオクロニー発作	VPA	CZP, CLB
	欠神発作	VPA	CZP
	強直発作	VPA	CZP
特発性焦点てんかん	焦点発作	CBZ	VPA
症候性焦点てんかん	焦点発作	CBZ	PHT, ZNS
	強直間代発作	CBZ	PHT, ZNS, VPA

VPA：valproate, CBZ：carbamazepine, CZP：clonazepam, ESM：ethosuximide, CLB：clobazam, PHT：phenytoin, ZNS：zonisamide, PER：perampanel, LCM：lacosamide
(井上有史, 西田拓司, 藤原建樹, 他：てんかん治療の Expert Consensus. てんかん研究 **22** (2)：128-139, 2004[18])

という, 比較的選択の迷わないものであった。第2選択薬についても使用可能な AED は数少なかった。近年, GBP, TPM, LTG, LEV, PER, LCM が相次いで導入され, 薬剤選択は治療者が今後も症例を重ねつつ見極めてゆく必要がある。本邦では新しく導入された AED は当初は難治症例への追加投与であったが, TPM, GBP 以外の AED は PER と LCM を含めて単剤投与が許可された。表2に各 AED の効果を示す発作型, てんかん症候群をまとめてある[10](オキシカルバゼピン [oxcarbazepin：OXC] は未導入)。図1に焦点発作に対する発作抑制効果の相対的評価を示した[17]が, PER, LCS を組み込んだ比較はまだ報告されていない。新薬の使用頻度は高まっており, その焦点発作抑制効果は図1と同様に PER＞LEV＞TPM＞LCM＞LTG＞GBP と考えられる。しかし, LEV と TPM の発作抑制効果に大きな差異はないようである。欠神発作以外の多くの発作型に明確な効果を期待できる TPM やスペクトラムが広く認知機能にも好影響を示す LTG を考えると TPM, LTG, LEV 間では有用性に大きな差異はないように考えられる。一

表2：第二世代 AED を加えた抗てんかん薬とてんかん発作型, てんかん症候群の関連

発作型/症候群	GBP	TPM	LTG	LEV	OXC	PER	LCM
焦点発作	+	+	+	+	+	+	+
全般強直間代発作	?	+	+	+	+	+	+
欠神発作	-*	?	+	?	-*	(+)	-
ミオクロニー発作	-*	+	+*	+	-*	(+)	-
Lennox-Gastaut 症候群	?*	+	+	?	?	(+)	?
Dravet 症候群	?	+	-*	?	?	(+)	?

+：有効, -：無効, ?：不明, *：時に発作憎悪。Lennox-gastaut 症候群にはルフィナミドが, Dravet 症候群にはスチリペントールも使用される。( ) は臨床効果は報告されているが, 詳細は今後の検討を要する。
(藤原建樹, 池田昭夫, 井上有史, 他：新規抗てんかん薬を用いたてんかんの薬物治療ガイドライン. てんかん研究 **28** (1)：48-65, 2010[10])を一部改変, 加筆)

方, LCM の抗てんかん作用は CBZ 徐放剤と同等の効果があると単剤で検討した報告があり[3], 副作用もめまい感, 傾眠, 頭痛, 霧視, 嘔吐などの比較的軽微なものである[19]。同様に注目されるのは PER であり, 本剤はけいれん性発作や焦点意識減損発作に効果があり, 単剤でも効果が報告されている[46]。これら2剤は第1選択薬の有力な候補である。

各 AED の特徴を勘案すると選択すべき AED は症例により異なることに留意したい。

薬剤選択は治療, 医師が働く病院の役割, 正確なてんかんの類型診断の可否, 治療医の AED に対する知識などに規定される。例えば, 副作用はあまりないが発作抑制効果が穏やかな AED を選択するか, 副作用が少なくはないが発作抑制効果に注目するかなどの基本戦略は治療医の経験と知識に依存する。これは未治療の患者が多く訪れるクリニックか, 難治てんかんが集中するてんかんセンターかなど地域におけるその治療施設が期待されている役割にも影響される。次にいくつかの選択基準を挙げる。

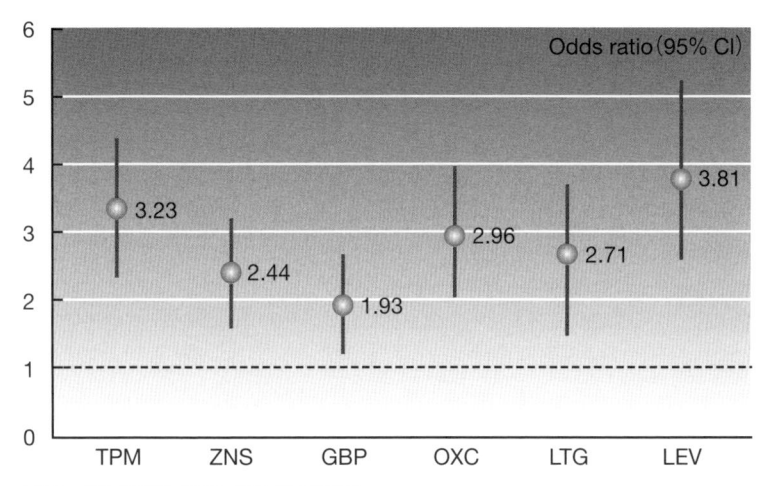

図 1：第二世代 AED の効果の比較
難治焦点発作に対する各種第二世代 AED の併用療法によるプラセボ対照比較試験を Cochrane Group が解析した成績
AED の種類：TPM（topiramate），GBP（gabapenitn），LTG（lamotrigine），ZNS（zonisamide），OXC（oxcarbazepine）
(Hitiris N, et al.：Curr Opin Neurol 19（2）：175-180, 2006[16]）より引用）

1．作用機序が異なり，同じような副作用を発現しない AED を選択する

　第 1 選択薬で発作が抑制されない場合には次の薬剤で発作抑制を試みるが，単剤で発作が抑制されない場合には併用薬剤を検討することになる。その際には処方中の AED とは異なった作用機序を持ち，しかも類似した副作用を示さない AED を選択することが原則である。第 3 章で併用の基準となる AED の作用機序が触れられている。作用機序は大きく Na^+ チャネル阻害，Ca^{2+} チャネル阻害，GABA 増強作用，グルタメート拮抗作用，モノアミン遊離増加作用などに分類されるが，LEV は神経伝達を調整する可能性がある synaptic vesicle 2 A（SV2 A）という新たな作用点を持つ[21]。これらの作用点の差異に留意し，追加薬を選択することになる。

表3：抗てんかん薬の代謝酵素および薬剤排出トランスポーター

AED	薬物代謝酵素 Cytchrome P450	薬剤排出トランスポーター*
carbamazepine	3A4, 2D6, 2C8	MDR1, MRP2
valprote	2D6, 2C9, 2C19, 1A2, 2B1, 2B2, 2B4, 2E1, 4B1	MRP2
gabapentin	—	MDR1, LNAA
phenobarbital	3A4, 2D6, 2C9, 2B1, 4A1	MDR1
phenytoin	3A4, 2C8, 2C9, 2C10, 2C19	MDR1, MRP2, RLIP76
topiramate	2C19	MDR1
levetiracetam	—	MDR1
lamotorigine	—	MDR1
zonisamaide	3A4, 2D6	—
diazepam	3A4, 2C19, 1A2	MDR1
clobazam	3A4	—
felbamate	2C19	MDR1
mephobarbital	2C19	
oxcarbazepine	3A4, 2C19	
N-desmethyl clobazam	2C19	
perampanel	3A4	—
lacosamide	CYP3A4, CYP2C9, CYP2C29 腎排泄が主	—

*)MDR1：Multidrug resistance protein 1；MRP2：Multidrug resistance-associatid protein 2；LNAA：Large neutral amino acid transporter；CYP：Cytochorm P450 (Kaneko S, et al.：Expert Rev Clin Pharmacol 1（5）：661-681, 2008[22]より改変して引用)

2. 現在処方中の薬剤との相互作用を考える

　GBPおよびLEVは腎排泄型であり，TPMも60%は腎から排泄され，LCMも一部腎で排泄される。これらのAEDを処方する際には腎機能障害の有無，程度を考慮すべきである。他の多くのAEDは肝臓で代謝される。各AEDが基質となっている薬物代謝酵素（Cytochrome P450：CYP）と脳血管関門を通過する際にかかわるであろうトランスポーターの一覧を表3に示した[20]。トランスポーターの臨床的インパクトの評価は定まっていない。各AEDがCYPの分子種を活性化あるいは抑制するが，薬剤同士が同じCYP分子種を

共有する際には相互作用が起こりうる。AED 代謝に関与するおもな CYP は CYP2C19, CYP2C9, CYP3A4 であり、それぞれの酵素には欠損者が存在する。CYP3A4 の代謝キャパシテイは比較的高いので遺伝子多型の臨床的影響は少ないと考えられるが PER のように影響を受けるものもある。日本人の CYP2C9 と CYP2C19 の酵素欠損者はそれぞれ 7％, 18％程度存在するため、これらの遺伝子多型を持つ症例では相互作用、投与量にとくに配慮しなければならない[23]。LTG, VPA はグルクロン酸抱合系で代謝されるため、VPA 服用者に LTG を追加する際には酵素誘導作用のある AED を服用中の患者より少量の LTG でよい。AED の併用で起こる相互作用だけでなく、年齢に依存して酵素活性が異なる点にも留意する必要がある[30]。

3. AED 併用による効果を考える

本邦では第二世代 AED のうち、TPM, GBP は単剤使用が認められておらず、付加投与が原則である。AED 併用によりすべての組み合わせで発作抑制効果が増加するという証拠は乏しいが、単剤で抑制が得られなかった症例が併用により発作が減少・消失する症例は少なくない。第二世代 AED の多くが付加投与により効果を上げることが知られているが、なかでも従来の AED と異なる作用機序を持つ PER の併用効果は著しい。LCM は重篤な副作用がないという点でも注目され、どのような組み合わせが望ましいかについては症例ごとに治療者各自が検討する必要がある。基本は作用機序が異なり、同じような副作用を発現しない AED を選択することである。

B 患者治療の最終目標は患者の QOL を最大限にすること

てんかん治療の目標は患者の QOL を最大限にすることである。それにはまず、薬剤の副作用がなく、発作を完全に抑制することが必要になる。なぜなら、患者の QOL に発作の完全抑制が最も大きく正の相関性を示し、発作の頻度低下より副作用出現のほうが強く QOL に負の相関を示すからである[12]。

一方，てんかん患者には種々の精神疾患が併存する。その頻度はうつ病性障害で11〜44％（一般人口：2〜4％），不安障害で15〜25％（一般人口：2.5〜6.5％），双極性障害で12.2％（1.7％），注意欠如・多動性障害で10〜40％（2〜10％），精神病の合併で2〜8％（0.5〜0.7％）であり，自殺（5〜10％）も一般人口の自殺率（1〜2％）と比較し高率である[8,13,41]。これらの併存障害を持つてんかん患者の治療は，単に発作抑制のみに焦点を当てるだけでは不十分な治療と言わざるを得ない。てんかん患者のQOLは，発作の頻度より服用中のAEDによる副作用あるいは抑うつ症状の存在に強く影響される（図2，3）[11,12]。てんかん患者にうつ病が併発するあるいはAEDによりうつ病が誘発されること[2]，さらにはAEDの種類によっては認知機能に影響を与えることもある。したがって，認知機能への作用が少ない薬剤や抑うつ気分を引き起こさない薬剤の選択（例えばLTG, GBP, LCM)[28]，あるいはAED投与方法の工夫（例えばPERの2段階療法），精神病症状を併発した場合の治療薬選択（例えばLTG, TPM）も重要な考慮対象となる。これらについては次に触れることとする。

C てんかん以外の疾患に対する使用

第二世代AEDのなかで，LTGは本邦でも双極性障害（躁うつ病）への使用が認可されている。したがって，気分安定薬として使用可能なAED[38]はCBZ, VPA, LTGの3剤となる。それ以外のAEDは気分安定薬としての使用は認可されていない。

国外からの報告ではAEDは種々の疾患に効果を示し，使用されている（表4)[29]。本邦では低用量ZNSがパーキンソニズムの治療に使用されており[35]，最近ではPERが神経発達障害に効果があるという小児科領域からの報告がある[24]。TPMは本態性振戦[6]や片頭痛に効果があり[42]，Buruno[4]らは強迫症状，過食症を持つ境界性パーソナリティ障害の女性患者にTPMとアリピプラゾールを用いてこれらすべての精神症状に対して著しく効果のあった症例を報告している。著者らは実臨床で実際に過食症患者の「食べたい衝動」を

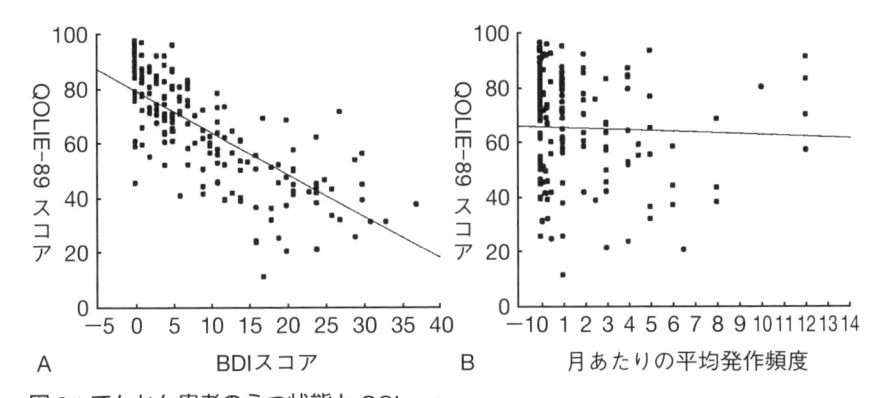

図2：てんかん患者のうつ状態とQOL
A．うつ（BDIスコア）とQOLとの相関，B．発作頻度とQOLとの相関。QOLは発作頻度よりうつ病のスコアと相関し，うつ病が重くなるほどQOLは低下する。
(Gilliam F：Optimizing health outcomes in active epilepsy. Neurology **58** (8 suppl 5)：S9-20, 2002[11])2002より引用)

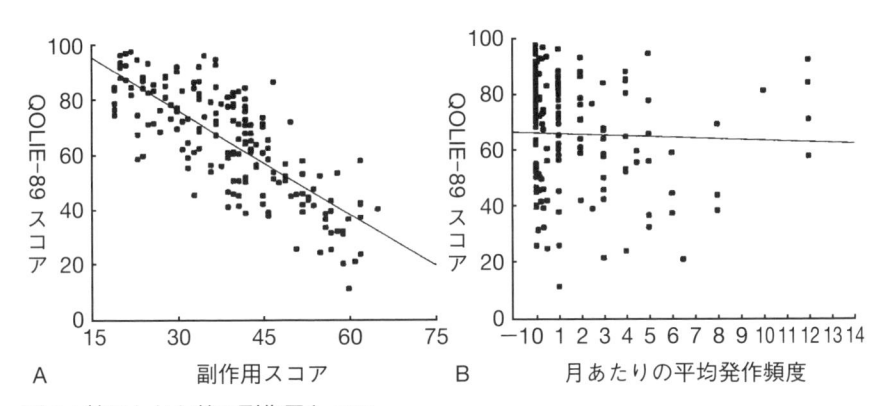

図3：抗てんかん薬の副作用とQOL
QOLは発作頻度より抗てんかん薬の副作用スコアと負の相関を示す。
A．抗てんかん薬の副作用とQOLの相関，B．発作頻度とQOLの相関。
(Gilliam FG, Fessler AJ, Baker G, et al.：Systematic screening allows reduction of adverse antiepileptic drug effects：a randomized trial. Neurology **62** (1)：23-27, 2004[12])より引用)

表4：てんかん以外の疾患に対する使用実態

抗てんかん薬	不安	本態性振戦	統合失調症	双極性障害	神経因性疼痛	片頭痛
phenytoin	—	—	—	○	◎	—
carbamazepine	—	—	○	◎	◎	—
valproate	—	—	○	◎	○	◎
zonisamide	—	—	—	○	○	—
gabapentine	○	○	—	—	◎	◎
topiramate	○	◎	○	○	○	◎
lamotrigine	—	—	○	◎	○	—
levetiracetam	—	—	○	—	◎	○
perampanel	—	—	—	—	—	—
lacosamide	—	—	—	—	—	—

本邦ではCBZ, VPA, LTGは双極性障害への使用が認められている。表中の使用実態は欧米のものである。

無理なく抑制できることを確認し，さらには種々の原因で肥満を持つ精神障害患者の体重減少に成功している。

　GBPは神経因性疼痛，片頭痛に効果を示す[33,40]。注目されるのは多くのAEDが神経因性疼痛に効果を持つこと，今後確認研究を要するが，LTG，TPMをはじめいくつかのAEDが統合失調症に使用されていることである[25,26,27,44,45]。抗精神病薬抵抗性の統合失調症患者に対してこれらのAEDが有効であることから，てんかん患者に発症した精神病症状に抗精神病薬だけではなく，抗精神病作用を有するAEDを選択する可能性は今後積極的に検討する価値がある。一方，LTGが注意力や記憶を増進，抑うつを改善しQOLを高め[1,36,39]，GBPは認知機能を高めるとの指摘がある[1,36]。しかし，知的障害を持つ患者にLTGを高用量使用すると脱抑制が起こることは臨床的に観察され，また，GBPはパニック障害，不安，抑うつの改善効果があるが，発達障害を持つ症例では粗野な行動や攻撃性を誘発すると報告されている[7,15]。一方で，著者らはTPMは知的障害を持つ症例にみられる行動異常（頭を壁に打ち付けたり，奇声を上げたりする）にも効果があることを見い出している。知的障害，発達障害，パーソナリティ障害などを持つ患者ではPER,

LEVの処方によりイライラ感，易怒性を誘発する可能性があるので，少量から注意しながら投与すべきである。

発作抑制のみでなく，これらのAEDの持つ特徴や患者の精神状態を把握し，適切なAEDを選択することにより患者のQOLは向上する。

D 焦点発作に使用可能なAEDの特徴

CBZ，LTG，GBP，LEVやクロバザム（clobazam：CLB）などでは発作型によっては逆説効果（paradoxical intoxication）として発作が悪化する場合があり[22]，とくにCLBでは長期使用による発作抑制効果の減少がみられる症例がある（耐性形成）。AEDで発疹が出現することがあるが，CBZとLTGにその症例が目立つ。CBZの場合，HLA領域の遺伝子多型との関連が指摘されており[5]，LTGでは重篤なスティーブンス・ジョンソン症候群が知られている[26]。将来的には患者個人の遺伝的素因により，投薬前から発疹発現が予測可能になるものと考えられる[23]。

CBZ，LTG，フェニトイン（phenytoin：PHT），フェノバルビタール（phenobarbital：PB）は代謝の自己誘導作用を持ち，GBP，LEVは腎排泄型のAEDである（TPM，LCMは一部腎排泄型）。難治なミオクローヌスてんかんにも効果を示すのはZNS，TPM，PERであり，ウエスト症候群，レノックス・ガストー症候群にはTPM，LTGが有効である。これらの特徴はAEDを選択する上で重要な情報である（第5章，第6章参照）。

また，GBPによる眠気，TPMによる会話の減少や抑うつ気分[31,32,43]，幻視，精神錯乱（400 mg/日以上で多い印象あり），ZNSによる幻覚[20]が知られている。LEVは攻撃性や不安を高め，情緒的不安定性を起こし[33]，自殺を増加させることが報告されている[9,33]。同様な易刺激性はPERにもあるが，LEVとPERの併用では易刺激性は増加しないとの報告がある[29]。かかる症状の頻度は低いが，それがAEDに起因すると判断された場合には減量または中止が必要となる。このような症状は急速にAEDを増量した患者に多くみられ，TPMでは内側側頭硬化がある患者に抑うつ気分が起こりやすいと

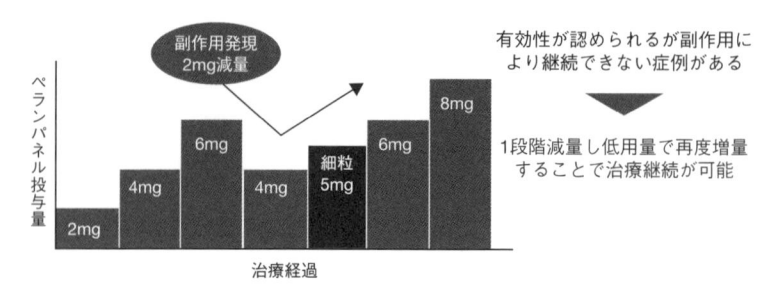

図4：ペランパネルの副作用マネジメント方法
2 mg錠，もしくは細粒剤1 mg減量により副作用症状を消失させ，3ヵ月間その量を維持し，症例個々に合わせた用量調節で，できる限り治療を継続し増量を行う。

図5：ペランパネルの2段階療法

第1段階：2mgでスタートし2mgずつ増量 → 副作用出現 → 第2段階：2mg低用量スタート 細粒剤使用の検討

★就寝前投与の徹底
★4週間以上かけたスロータイトレーション
★低用量スタート，低用量増量 ⇒ 細粒剤の使用を検討

の指摘がある[34]。これらの報告は，多くのAEDでは投与量は漸増する必要があること，発作型やてんかんの病態とともに精神状態やAEDの副作用に配慮してAED選択をする必要性があることを示している。

E ペランパネルの2段階療法

PERで効果を示した患者で，発作が抑制される前に副作用で継続投与困難な症例に対しては，1 mgまたは2 mgをいったん減量し，副作用がない状態に戻す。副作用症状は通常約2〜3ヵ月後にほぼ消失することが多いので，その後ゆっくりと発作が抑制されるまで増量するという戦略である。この方法

は，少量の PER では抑制困難な症例に対しても有用である（図 4, 5）。

F これからの AED 選択

　将来的には患者個々の遺伝情報に基づいた薬剤選択に対する情報が加わるであろうが，現在は発作型により AED が選択される．また，選択の際には各 AED の作用機序やその代謝経路，AED の持つ特性も考慮される．第二世代 AED がこれまでに使用している AED より有効性が高いとする確かなエビデンスはないが，薬物相互作用，認知機能への影響が少なく，幅広いスペクトラムを有しているなどの長所がある[9]．発作型に適する薬剤選択の幅は第二世代 AED 導入，単剤使用認可などで大きく広がり，より多くの薬剤は単剤で使用されるようになろう．第二世代 AED のなかで全般てんかんに対しては LTG のみが適応があるが，実際には強直間代発作には PER[37]，LCM も許可されており，一部のてんかん類型では TPM, LTG, PER, LCM は第 1 選択薬として使用できるものと考えられる．一方，焦点発作を持つ患者の治療経過中にしばしば精神病症状が出現することがあり，これまではその治療には抗精神病薬を使用してきた．しかし，抗精神病薬はけいれん発作を誘発し，てんかん発作の閾値を下げることが知られている．てんかん患者に併発する精神病症状の治療には LTG, TPM などの AED のほうがより安全と考えられ，今後は試みる価値のある薬剤選択法である．留意すべきは種々の精神症状が治療薬の副作用として起こるのではなく，てんかんそのものに合併することもあるということである．

　焦点発作に使用される薬剤選択の上で考慮すべき AED の特徴を示した**表 5** は参考になる．現在のガイドラインに第二世代 AED を加えて今後の薬剤選択方法を考えると，**表 6** のようになる．第 2 選択薬のなかでどの AED を最初に併用するかは患者の状態と本章で記載された各 AED の特性を勘案して決められよう．しかし，**表 6** に第 2 選択薬の組み合わせ，使用順をより明確に記載するには今後の本邦での使用経験を含めたより厳密な研究が必要なことは論を待たない．

表5：各AEDの特徴

	AEDs								
	CBZ	ZNS	CLB	GBP	TPM	LTG	LEV	PER	LCM
Paradoxical intoxication（発作の逆説的増加）	Absence, Ato-ninic seizure, Myoclonic, GTC, Partial seizure			Absence, GTC	Absence, myoclonic seizure		Severe myoclonic seizure	S-GTC, status epileptics	absence	absence
耐性形成			○						
腎排泄				○	○		○		○
発疹	○	○				○			
体重	↓			↑	↓		↑		
精神症状		○			○		○	○	
代謝の自己誘導	○					○			
腎結石		○			○				
乏汗症		○			○				
レノックス・ガストー，ウエスト症候群への効果					○	○	?	△	
ミオクローヌスてんかんへの効果		○			○		△	△	

S-GTC：焦点起始両側強直間代発作，GTC：全般発作，△：効果のさらなる確認が必要

表6：今後の日本での抗てんかん薬選択

てんかん型	発作型	第1選択薬	第2選択薬，追加薬
特発性全般てんかん	強直間代発作	VPA, CBZ, ZNS, PER, LCM, (TPM)	CLB,
	ミオクロニー発作	VPA	ZNS, (TPM), LTG, LEV, CLB, CZP, PER
	欠神発作	VPA, ESM	LTG, CLB, CZP, PER
症候性全般てんかん	強直間代発作	VPA, PER	LTG, LCM, CZP, ZNS, (TPM), LEV
	ミオクロニー発作	VPA	LTG, ZNS, CZP, CLB, (TPM), PER
	欠神発作	VPA, ESM	LTG, CZP, CLB, ZNS, PER
	強直発作	VPA	LTG, CZP, CLB, CZP, ZNS, LEV, (TPM, GBP), PER, LCM
特発性焦点てんかん	焦点発作	CBZ, PER, LCM	(TPM), ZNS, VPA, LEV, LTG, (GBP)
症候性焦点てんかん	焦点発作	CBZ, PER, LCM	(TPM), PH, ZNS, LEV, LTG, (GBP)
	強直間代発作	CBZ, PER	(TPM), ZNS, LEV, PHT, VPA, LTG, LCM

（　）：内の薬剤の単剤使用は認められていない。

　本章で最後に強調されるのは従来とは異なる作用機序を有し幅広い発作型に有効な PER の登場と CBZ 徐放剤と比較し遜色のない効果を示し，精神系への効果も期待される LCM（第10章参照）の登場であろう。増加しつつある高齢者患者に対する新たな有力な治療武器を手にしたのである。

文　献

1) Aldenkamp AP, De Krom M, Reijs R : Newer antiepileptic drugs and cognitive issues. Epilepsia **44**（suppl. 4）: 21-29, 2003

2) Baker GA, Jacoby A, Buck D, et al. : Quality of life of people with epilepsy : a European study. Epilepsia **38**（3）: 353-362, 1997

3) Baulac M, Rosenow F, Toledo M, et al. : Efficacy, safety, and tolerability of lacosamide monotherapy versus controlled-release carbamazepine in patients with newly diagnosed epilepsy : a phase 3, randomised, double-blind, non-inferiority trial. Lancet Neurol **16**（1）: 43-54, 2017

4) Bruno A, Riganello D, Marino A : Treatment with aripiprazole and topiramate in an obese subject with borderline personality disorder, obsessive-compulsive symptoms and bulimia nervosa : a case report. Cases J **2** : 7288, 2009

5) Chung WH, Hung SI, Hong HS, et al.：Medical genetics：a marker for Stevens-Johnson syndrome. Nature **428**（6982）：486, 2004

6) Connor GS：A double-blind placebo-controlled trial of topiramate treatment for essential tremor. Neurology **59**（1）：132-134, 2002

7) Dimond KR, Pande AC, Lamoreaux L, et al.：Effect of gabapentin（Neurontin）［corrected］on mood and well-being in patients with epilepsy. Prog Neuropsychopharmacol Biol Psychiatry **20**（3）：407-417, 1996

8) Ettinger AB, Reed ML, Goldberg JF, et al.：Prevalence of bipolar symptoms in epilepsy vs other chronic health disorders. Neurology **65**（4）：535-540, 2005

9) French J, Edrich P, Cramer JA：A systematic review of the safety profile of levetiracetam：a new antiepileptic drug. Epilepsy Res **47**（1-2）：77-90, 2001

10) 藤原建樹，池田昭夫，井上有史，他：新規抗てんかん薬を用いたてんかんの薬物治療ガイドライン．てんかん研究 **28**（1）：48-65，2010

11) Gilliam F：Optimizing health outcomes in active epilepsy. Neurology **58**（8 suppl 5）：S9-20, 2002

12) Gilliam FG, Fessler AJ, Baker G, et al.：Systematic screening allows reduction of adverse antiepileptic drug effects：a randomized trial. Neurology **62**（1）：23-27, 2004

13) Gilliam FG, Santos J, Vahle V, et al.：Depression in epilepsy：ignoring clinical expression of neuronal network dysfunction? Epilepsia **45**（Suppl. 2）, 28-33, 2004

14) Górska N, Słupski J, Cubała WJ, et al.：Antidepressants in epilepsy. Neurol Neurochir Pol **52**（6）：657-661, 2018

15) Harden RN：Gabapentin：a new tool in the treatment of neuropathic pain. Acta Neurol Scand Suppl **173**：43-47, 1999

16) Hitiris N, Brodie MJ：Modern antiepileptic drugs：guidelines and beyond. Curr Opin Neurol **19**（2）：175-180, 2006

17) Hong Z, Inoue Y, Liao W, et al.：Efficacy and safety of adjunctive lacosamide for the treatment of partial-onset seizures in Chinese and Japanese adults：a randomized, double-blind, placebo-controlled study. Epilepsy Res **127**：267-275, 2016

18) 井上有史，西田拓司，藤原建樹，他：てんかん治療の Expert Consensus. てんかん研究 **22**（2）：128-139，2004

19) Kalinin VV：Suicidality and antiepileptic drugs：is there a link? Drug Saf **30**（2）：123-142, 2007

20) Kaminski RM, Gillard M, Leclercq K, et al.：Proepileptic phenotype of SV2A-deficient mice is associated with reduced anticonvulsant efficacy of levetiracetam. Epilepsia **50**（7）：1729-1740, 2009

21) 兼子 直：AED の逆説効果．てんかん教室．新興医学出版社，東京，2007，pp.109-110

22) Kaneko S, Yoshida S, Kanai K, et al.：Development of individualized medicine for epilepsy based on genetic information. Expert Rev Clin Pharmacol **1**（5）：661-681, 2008

23) Kanemura H, Sano F, Hoshino H, et al.：Effects of perampanel on secondary bilateral

synchrony and behavioral problems in adolescents with epilepsy showing insufficient response with levetiracetam. Seizure **80** : 131-137, 2020

24) Kocak S, Girisgin SA, Gul M, et al. : Stevens-Johnson syndrome due to concomitant use of lamotrigine and valproic acid. Am J Clin Dermatol **8** (2) : 107-111, 2007

25) Kolivakis TT, Beauclair L, Margolese HC, et al. : Long-term lamotrigine adjunctive to antipsychotic monotherapy in schizophrenia : further evidence. Can J Psychiatry **49** (4) : 280, 2004

26) Konstantakopoulos G, Oulis P, Koulouris GC, et al. : Lamotrigine-associated exacerbation of positive symptoms in paranoid schizophrenia. Schizophr Res **98** (1-3) : 325-326, 2008

27) Landmark CJ, Johannessen SI : Modifications of antiepileptic drugs for improved tolerability and efficacy. Perspect Medicin Chem **2** : 21-39, 2008

28) Meschede C, Witt JA, Rademacher M, et al. : Evaluating the longer-term cognitive effects of adjunctive perampanel compared to lacosamide in a naturalistic outpatient setting. Seizure **58** : 141-146, 2018

29) Miyagi SJ, Collier AC : Pediatric development of glucuronidation : the ontogeny of hepatic UGT1A4. Drug Metab Dispos **35** (9) : 1587-1592, 2007

30) Mula M, Trimble MR, Thompson P, et al. : Topiramate and word-finding difficulties in patients with epilepsy. Neurology **60** (7) : 1104-1107, 2003

31) Mula M, Trimble MR, Lhatoo SD, et al. : Topiramate and psychiatric adverse events in patients with epilepsy. Epilepsia **44** (5) : 659-663, 2003

32) Mula M, Trimble MR, Yuen A, et al. : Psychiatric adverse events during levetiracetam therapy. Neurology **61** (5) : 704-706, 2003

33) Mula M, Trimble MR, Sander JW : The role of hippocampal sclerosis in topiramate-related depression and cognitive deficits in people with epilepsy. Epilepsia **44** (12) : 1573-1577, 2003

34) Murata M : The discovery of an antiparkinsonian drug, zonisamide. Rinsho Shinkeigaku **50** (2) : 67-73, 2010

35) Ortinski P, Meador KJ : Cognitive side effects of antiepileptic drugs. Epilepsy Behav **5** (suppl. 1) : S60-65, 2004

36) Park HJ, Moon DE : Pharmacologic management of chronic pain. Korean J Pain **23**(2) : 99-108, 2010

37) Rektor I, Krauss GL, Inoue Y, et al. : Assessment of the long-term efficacy and safety of adjunctive perampanel in tonic-clonic seizures : analysis of four open-label extension studies. Epilepsia **61** (7) : 1491-1502, 2020

38) Reijs R, Aldenkamp AP, De Krom M : Mood effects of antiepileptic drugs. Epilepsy Behav **5** (suppl. 1) : S66-76, 2004

39) Rowbotham M, Harden N, Stacey B, et al. : Gabapentin for the treatment of postherpetic neuralgia : a randomized controlled trial. JAMA **280** (21) : 1837-1842, 1998

40) Schmitz B : Depression and mania in patients with epilepsy. Epilepsia **46** (suppl. 4) :

45-49, 2005

41) Silberstein SD, Neto W, Schmitt J, et al. : Topiramate in migraine prevention : results of a large controlled trial. Arch Neurol **61** (4) : 490-495, 2004

42) Thompson PJ, Baxendale SA, Duncan JS, et al. : Effects of topiramate on cognitive function. J Neurol Neurosurg Psychiatry **69** (5) : 636-641, 2000

43) Tiihonen J, Hallikainen T, Ryynänen OP, et al. : Lamotrigine in treatment-resistant schizophrenia : a randomized placebo-controlled crossover trial. Biol Psychiatry **54** (11) : 1241-1248, 2003

44) Tiihonen J, Halonen P, Wahlbeck K, et al. : Topiramate add-on in treatment-resistant schizophrenia : a randomized, double-blind, placebo-controlled, crossover trial. J Clin Psychiatry **66** (8) : 1012-1015, 2005

45) Yamamoto T, Lim SC, Ninomiya H. et al. : Efficacy and safety of perampanel monotherapy in patients with focal-onset seizures with newly diagnosed epilepsy or recurrence of epilepsy after a periods of remission : The open-label Study 342(FREEDOM Study). Epilepsia Open **5** (2) : 274-284, 2020

46) White JR, Walczak TS, Leppik IE, et al. : Discontinuation of levetiracetam because of behavioral side effects : a case-control study. Neurology **61** (9) : 1218-1221, 2003

索　引

A

AEDによる副作用 …………………… 200
AEDの選択 …………………………… 194
AEDの特徴 …………………………… 205
AMPA/glutamate受容体 ……………… 22
AMPA型グルタミン酸受容体 …… 23, 28
AMPA受容体 ………………………… 156

B

Benign epilepsy of childhood with
　centrotemporal spikes ……………… 124
Benign myoclonic epilepsy in infancy
　………………………………………… 126

C

Ca^{2+}透過性 ………………………… 158
cannabidiol（カンナビジオール）…… 73
Cardio-Facio-Cutaneous症候群 …… 151
CBZ徐放剤 …………………………… 196
CICR …………………………………… 23
Continuous spikes and waves during
　slow sleep …………………………… 126
CRMP-2抑制 …………………………… 27
CYP2C9 ……………………………… 199
CYP2C19 ……………………………… 199
CYP3A …………………………… 160, 170
CYP3A4 ……………………………… 199
CYP酵素群 …………………………… 67
Cytochorm P450 ……………………… 198

D

DIHS …………………………………… 114

E

ED50 …………………………………… 16
EM ……………………………………… 114
EpiTrack ……………………………… 188
everolimus（エベロリムス）………… 73

G

γアミノ酪酸 …………………………… 78
GABA …………………………………… 17
$GABA_A$受容体 ……………………… 18
$GABA_A$受容体作動性 …………… 103
$GABA_A$受容体サブユニット遺伝子異常
　………………………………………… 61
GABAトランスポーター ……………… 78
GABAトランスポーター（GAT1）…… 20
GBP …………………………… 17, 198, 202
GluA2サブユニット ………………… 156

I

intermediate metabolizer（IM）……… 68

L

lacosamide …………………………… 195
Lafora病 ……………………………… 168
Landau-Kleffner症候群 ……………… 126
Large neutral amino acid transporter
　………………………………………… 198

LCM 17, 196, 198, 199, 205
Lennox-Gastaut 症候群
.... 88, 96, 126, 167, 203
LEV 17, 197, 198, 203
LNAA 198
LTG 17, 199, 205
L 型 VSCC 23

M

mTOR（mammalian target of rapamycin）阻害薬 73
Multidrug resistance protein 1（MDR1）............... 198
Multidrug resistance-associatid protein 2（MRP2）............... 198
Myoclonic absence 126

N

Negative myoclonus 126
NMDA/グルタミン酸受容体 23
NMDA 受容体 19

P

perampanel（PER）
.... 17, 195, 199, 200, 205
poor metabolizer（PM）............... 68

Q

QOL 199

S

SANAD study 82, 109, 112
Stevens-Johnson Syndrome（SJS）
.... 44, 114, 203
SV2A 26

synaptic vesicle 2 A（SV2 A）............... 197

T

TDM 47
TEN 114
TPM 17, 198, 200, 205
T 型 Ca^{2+} チャネル（低濃度作働性 Ca チャネル）阻害作用 140
T 型 Ca チャネルの阻害作用 140

U

ultrarapid extensive metabolizer（UM）............... 68
Unverricht-Lundborg 病 168

V

VDSC 17, 25, 27
VPA 199
VSCC 21
VSCC（L 型）............... 17
VSCC（T 型）............... 17

Z

ZNS 16, 17, 200
ZNS の 1 日有効投与量 145

あ

アセタゾラミド 139

い

易刺激性 45, 203
易怒性 203
イライラ感 203
医療用大麻 73

う

ウエスト症候群 ……………… 98, 147, 203
ウエスト症候群例の入院治療 ……… 149
うつ病 ………………………………… 200
ウンフェルリヒト・ルントボルク …… 126

え

エキスパートコンセンサス
　ガイドライン ……………………… 92

か

外傷後てんかん ……………………… 124
外傷性脳損傷（traumatic brain injury：
　TBI） ……………………………… 173
過酸化を抑制 ………………………… 141
ガバペンチン（gabapentin：GBP）
　………………………………… 19, 39, 78
カルバマゼピン（carbamazepin：CBZ）
　……………………………………… 170
肝疾患 ………………………………… 38
緩徐な漸増法 ………………………… 90

き

奇形発生 ……………………………… 115
逆説効果（paradoxical intoxication）
　……………………………………… 203
急性躁病 ……………………………… 128
急速交代型双極性障害 ……………… 128
強直間代発作 ………………………… 88

く

クリアランス ………………………… 38
グルクロン酸抱合 …………… 41, 199
グルタミン酸 ………………… 17, 156

グルタミン酸脱炭酸酵素（GAD）…… 20
グルタミン酸トランスポーター …… 18
グルタミン受容体抑制性 …………… 103
クロライドイオン …………………… 23

け

経口避妊薬への影響 ………………… 141
けいれん重積状態 …………………… 126
けいれん準備性（seizure susceptibility）
　……………………………………… 73
血液透析 ……………………………… 180
血漿蛋白結合率 ……………………… 179
結節硬化症（tuberous sclerosis
　complex）………………………… 73
幻覚 …………………………………… 203
限局性皮質異形成 …………………… 64

こ

抗うつ効果 …………………………… 106
抗うつ薬 ……………………………… 107
攻撃性 ………………………………… 203
酵素欠損者 …………………………… 199
酵素誘導作用 ………………………… 80
抗てんかん薬（antiepileptic drugs：
　AED）……………………………… 53
抗パーキンソン薬 …………………… 141
合理的な多剤併用療法（rational
　polytherapy）……………………… 65
高齢発症てんかん ……………… 82, 85, 124
異なった作用機序 …………………… 197
個別化治療（individualized medicine）
　……………………………………… 73

さ

サイアザイド系利尿薬 ……………… 144

催奇形性 45, 183, 191
最高血中濃度 141

し

自殺 45
歯状核赤核淡蒼球ルイ体萎縮症（dentatorubral-pallidoluysian atrophy：DRPLA） 168
失立転倒発作 151
自閉症 128
若年ミオクロニーてんかん 95
症候性全般てんかん 92
消失経路 38
情緒的不安定性 203
焦点起始両側強直間代発作 165, 177
焦点てんかん 92, 144, 179, 181, 189
焦点発作 88, 89, 177, 180, 195
焦点発作抑制効果 195
情動安定化作用 25
小児 38
食欲低下 142
新規 AED 58
新規抗てんかん薬 53
腎機能障害 198
神経因性疼痛 202
神経痛 128
神経発達障害 200
神経保護作用 140
腎結石 143
進行性ミオクローヌスてんかん 168
腎疾患 38
振戦 128
腎排泄型 89, 203

す

頭痛 200
スティーブンス・ジョンソン症候群（Stevens-Johnson Syndrome：SJS） 44, 114, 203

せ

精神行動面の副作用 161
精神疾患 200
精神症状 142, 183, 191
精神的有害事象 184
精神病の合併 200
選択基準 196
全般強直間代発作 92
全般てんかん 92

そ

双極性障害 185, 200
相互作用 40, 179
ゾニサミド（zonisamide：ZNS） 42, 139

た

第 1 選択薬（first-line AED） 57, 205
第 2 選択薬の組み合わせ 205
代謝酵素 198
代謝の自己誘導作用 203
体重減少 142
体重増加 161
体重変化 117
耐性形成 203
多形紅斑 114
多剤排出トランスポーター（multi-drug reflux transporter） 61
多剤併用 70

多剤併用療法（polytherapy） ……… 64
脱抑制 ……………………………… 202
多発性硬化症 ……………………… 128
単剤投与 …………………………… 195
単剤療法（monotherapy）
 ……………………… 56, 89, 94, 164
炭酸脱水酵素 ………………………… 23

ち

知的障害 …………………………… 202
注意欠如・多動性障害 …………… 200
中断率 ……………………………… 108
中毒性表皮壊死症 …………… 44, 114
治療薬物モニタリング ……………… 47

て

電位依存性 Ca^{2+} チャネル（VSCC）
 ……………………………… 18, 78
電位依存性 Na$^+$ チャネル（VDSC） …… 18
電位依存性 Na$^+$ チャネル遺伝子 ……… 61
電位依存性 Na$^+$ チャネルの阻害作用
 ……………………………………… 140
てんかん原性 ………………………… 73
てんかん診療ガイドライン ………… 83
てんかん性不機嫌 ………………… 106
てんかん性無呼吸発作 …………… 149
てんかん治療の目標 ……………… 199
てんかん発症予防 …………………… 73

と

同期発火 …………………………… 159
投与設計 ……………………………… 46
特発性全般てんかん（idiopathic generalized epilepsy：IGE） ……… 92, 125, 167
突発性脱分極シフト（PDS） …… 159

ドパミン産生増強作用 …………… 140
トピラマート（topiramate：TPM）
 ……………………………… 21, 39, 88
ドラベ（Dravet）症候群 …………… 97

な

内側側頭硬化 ……………………… 203
ナトリウムチャネル ……………… 178
ナトリウムチャネル阻害作用 …… 177, 188
ナトリウムチャネル阻害薬 ……… 178
難治性強直間代発作 ……………… 155
難治性焦点発作 …………………… 155
難治性双極性障害 ………………… 128
難治性てんかん（refractory epilepsy）
 ……………………………… 53, 59

に

二次性全般化発作 …………………… 89
2段階療法 ………………………… 172
乳児重症ミオクロニーてんかん（severe myoclonic epilepsy in infancy：SMEI） ……………………… 61, 126
尿中 Ca 上昇 ……………………… 143
尿のアルカリ化 …………………… 143
尿路結石 …………………………… 142
妊娠 …………………………… 38, 116
認知機能 ……………… 116, 188, 195, 202
忍容性 ……………………………… 108

ね

熱性けいれんプラス（generalized epilepsy febrile seizure plus：GEFS＋） … 61
眠気 ………………………………… 142

の

脳虚血 ……………………………… 173
脳室内出血 ……………………… 173
能動輸送 …………………………… 79
脳保護作用 ………………… 139, 151

は

パーキンソニズムの治療 ……… 200
パーソナリティ障害 …………… 202
発汗減少 …………………………… 45
発汗障害 ………………………… 142
発達障害 ………………………… 202
半減期 ……………………………… 46

ひ

光過敏性てんかん ……………… 126
皮膚障害 …………………………… 44
ヒプスアリスミア ……………… 147

ふ

不安 ……………………………… 203
不安障害 ………………………… 200
不安神経症 ……………………… 128
フェニトイン（phenytoin：PHT）…… 170
副腎皮質刺激ホルモン放出
　ホルモン受容体 ……………… 25

へ

閉塞隅角緑内障 …………………… 90
併存障害 ………………………… 200
併用療法 …………………………… 89
ペランパネル（perampanel：PER,
　フィコンパ®）………… 27, 43, 155
ペランパネルの 2 段階療法 …… 204

変異アレル ………………………… 68
片頭痛 …………………… 128, 202

ほ

乏汗 ………………………………… 90
房室ブロック ……………………… 45
発作型 …………………………… 205
発作性運動誘発性ジスキネジア …… 141
発作の完全抑制 ………………… 199
発作の逆説的増加 ……………… 127
発疹 ……………………………… 203
本態性振戦 ……………………… 200

み

ミオクローヌスてんかん ……… 203
ミオクロニー失立発作 ………… 126
ミオクロニー発作 ………………… 83
ミトコンドリア異常を伴うミオクローヌ
　スてんかん（Myoclonic epilepsy with
　ragged red fibers：MERRF）…… 126
未分類てんかん …………………… 92

む

無呼吸発作 ……………………… 150

も

モノアミンオキシダーゼ（MAO-B）
　………………………………… 19

や

薬剤性過敏症症候群 …………… 114
薬剤選択 ………………… 195, 205
薬剤抵抗性てんかん（drug-resistant
　epilepsy）………………… 53, 59
薬剤排出トランスポーター …… 198

薬剤反応性てんかん（drug-response
　epilepsy） ………………………… 60
薬疹 ……………………………………… 114
薬物相互作用 ………………………… 189
薬物治療ガイドライン …………… 196
薬物動態 ………………………………… 38
薬理遺伝学 ……………………………… 47

ゆ

有害事象 ………………………………… 44
有効血中濃度域 ……………………… 46
有効性 …………………………………… 108

ら

ラコサミド（lacosamide：LCM） ‥ 27, 43
ラジカル ………………………………… 19
ラフォラ（Lafora）病 …………… 126

ラモトリギン（lamotrigine：LTG）
　……………………………………… 24, 41

り

臨床薬理学 ……………………………… 37

る

類似した副作用 ……………………… 197

れ

レスポンダー率 ………………………… 93
レノックス・ガストー症候群（Lennox-
　Gastaut Syndrome：LGS）
　……………………… 88, 96, 126, 167, 203
レベチラセタム（levetiracetam：LEV）
　………………………………… 25, 42, 121

主要な抗てんかん薬

略語	欧文	和文	先発品名称
CBZ	carbamazepine	カルバマゼピン	テグレトール®
GBP	gabapentin	ガバペンチン	ガバペン®
LCM	lacosamide	ラコサミド	ビムパット®
LEV	levetiracetam	レベチラセタム	イーケプラ®
LTG	lamotrigine	ラモトリギン	ラミクタール®
PER	perampanel	ペランパネル	フィコンパ®
PHT	phenytoin	フェニトイン	アレビアチン®，ホストイン®
TPM	topiramate	トピラマート	トピナ®
VPA	valproate	バルプロ酸	デパケン®，セレニカ®
ZNS	zonisamide	ゾニサミド	エクセグラン®

フィコンパ®
エーザイ株式会社
（ペランパネル）

2 mg 錠　　4 mg 錠　　細粒 1%

ビムパット®
第一三共株式会社，
ユーシービー
ジャパン株式会社
（ラコサミド）

50 mg 錠　　100 mg 錠　　ドライシロップ 10%

イーケプラ®
ユーシービー
ジャパン株式会社
（レベチラセタム）

250 mg 錠　　500 mg 錠　　ドライシロップ 50%

巻末資料　219

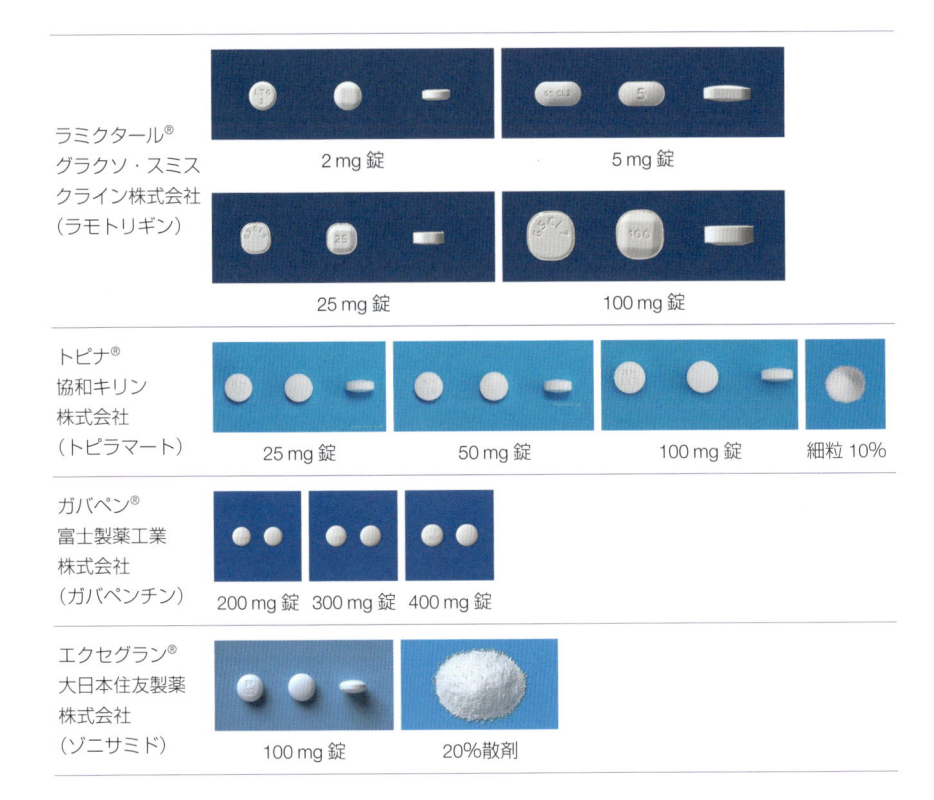

ラミクタール® グラクソ・スミス クライン株式会社 （ラモトリギン）	2 mg 錠 25 mg 錠	5 mg 錠 100 mg 錠
トピナ® 協和キリン 株式会社 （トピラマート）	25 mg 錠　50 mg 錠　100 mg 錠　細粒 10%	
ガバペン® 富士製薬工業 株式会社 （ガバペンチン）	200 mg 錠　300 mg 錠　400 mg 錠	
エクセグラン® 大日本住友製薬 株式会社 （ゾニサミド）	100 mg 錠　20%散剤	

編者プロフィール

兼子　直　Kaneko Sunao

1976 年　弘前大学大学院修了
1976-78，1982 年　連合王国 Bristol 大学薬理学教室客員研究員
1982 年　弘前大学神経精神医学講座講師
1987-88 年　連合王国 Cambridge 大学薬理学教室客員教授
1995 年　弘前大学大学院医学研究科神経精神医学講座教授
2002 年　東京都立精神医学研究所客員教授
2003-4 年　弘前大学評議員
2004-6 年　弘前大学医学部部長
2006 年　中国医科大学名誉教授
2006 年　日本臨床精神神経薬理学会理事長，中国医科大学名誉教授
2009 年　日本てんかん学会理事長
2012 年　湊病院名誉院長，北東北てんかんセンター・センター長，弘前大学名誉教授

専門
神経精神医学，てんかん学，薬理遺伝学，臨床神経精神薬理学

©2021　　　　　　　　　　　　　　　　第 1 版発行　2021 年 8 月 31 日

てんかんの薬物療法 改訂版
―効果的な治療薬選択のために―

（定価はカバーに表示してあります）

	編　著	兼 子　　直
検　印	発行者	林　　峰 子
省　略	発行所	株式会社 新興医学出版社

〒113-0033　東京都文京区本郷6丁目26番8号
電話　03（3816）2853　　FAX　03（3816）2895

Cover Design
Kakinuma Tsutomu

印刷　三報社印刷株式会社　　ISBN978-4-88002-912-2　　郵便振替　00120-8-191625

- 本書の複製権・翻訳権・上映権・譲渡権・公衆送信権（送信可能化権を含む）は株式会社新興医学出版社が保有します。
- 本書を無断で複製する行為（コピー，スキャン，デジタルデータ化など）は，著作権法上での限られた例外（「私的使用のための複製」など）を除き禁じられています。研究活動，診療を含み業務上使用する目的で上記の行為を行うことは大学，病院，企業などにおける内部的な利用であっても，私的使用には該当せず，違法です。また，私的使用のためであっても，代行業者等の第三者に依頼して上記の行為を行うことは違法となります。
- JCOPY　〈㈳出版者著作権管理機構　委託出版物〉
本書の無断複製は著作権法上での例外を除き禁じられています。複製される場合は，そのつど事前に，㈳出版者著作権管理機構（電話 03-5244-5088，FAX03-5244-5089，e-mail：info@jcopy.or.jp）の許諾を得てください。